BIBLIOTHÈQUE

DES

CHEFS-D'ŒUVRE

IMPRIMERIE
CONTANT-LAGUERRE

LVX VITAM

BAR-LE-DUC

LES PREMIÈRES

CROISADES

ET

LE ROYAUME CHRÉTIEN

DE JÉRUSALEM

BAR-LE-DUC

CONTANT-LAGUERRE, ÉDITEUR

1879

AVANT-PROPOS.

LES croisades sont une œuvre toute française.

C'est un Pape Français, Sylvestre II, qui en eut le premier l'idée, et ce fut un Pape Français, Urbain II, qui décida la première croisade.

Elle fut résolue en France au Concile de Clermont, et eut pour principal prédicateur Pierre l'Ermite, qui était d'Amiens.

Cette croisade eut pour résultat la création du royaume chrétien de Jérusalem, qui eut pour premier roi un Français, Godefroi de Bouillon.

La seconde croisade eut pour auteur et pour chef saint Bernard et Louis VII.

Dans la troisième, on vit briller Philippe-Auguste.

Les Français eurent aussi la plus grande part à la croisade de Constantinople, qui nous a été racontée par Villehardouin, le maréchal de Champagne, que sa relation a mis à la tête de nos prosateurs français.

Ce grand mouvement se termina par les croisades de saint Louis.

Depuis sa naissance, l'Islamisme n'avait cessé d'étendre ses conquêtes. Ravivé en Asie et en Afrique par les Turcs, il inquiétait sérieusement Constantinople. On craignait que les disciples de Mahomet ne portassent sur l'Europe leurs hordes dévastatrices.

Les croisés résolurent de ne pas attendre en Occident leurs attaques, mais ils prirent pour tactique d'aller les attaquer chez eux et de briser là leur puissance.

Les disciples de Mahomet se donnaient pour mission d'établir, par la force, leur religion dans tous les lieux dont ils étaient les maîtres. La lutte existait donc entre la croix et l'islam, entre la doctrine de Mahomet et celle de Jésus-Christ, et il s'agissait de savoir si la Vérité l'emporterait sur l'Erreur, la Liberté sur le Despotisme, la Civilisation sur la Barbarie.

Ce n'était pas seulement, comme dans les autres guerres, un peuple qui s'armait contre un autre peuple; mais c'était la crise de l'humanité, l'avenir de l'Europe qui devait se décider sur ces champs de bataille gigantesques.

Aussi quoique les croisades aient paru malheureuses, quoique des milliers de chrétiens aient perdu la vie dans ces immenses entreprises, la civilisation générale en a retiré les plus grands avantages. Elles ont

préservé les nations de l'Occident du joug
de l'Islamisme qui aurait arrêté dans leur
marche les progrès que la doctrine évangé-
lique leur a fait faire. Elles ont amélioré le
sort du peuple qui s'affranchit, en se ran-
geant sous l'étendard de la Croix, pour marcher contre les infidèles. Le mouvement des
communes date de cette époque et le servage
commence à disparaître.

Ces guerres lointaines donnèrent naissance
à la Chevalerie, cette magnifique institution
du Moyen-âge, qui, en s'inspirant de l'évan-
gile, mit le courage et la force au service du
pauvre, du faible et de l'orphelin.

Elles formèrent la noblesse : car c'est du
temps des croisades que datent les armoiries
qui sont comme le signe distinctif des anciennes familles et le mémorial de leurs illustres exploits.

Elles aidèrent au progrès de la royauté
elle-même, surtout en France, où les rois
profitèrent de l'absence des seigneurs pour

agrandir leurs domaines et ajoutèrent au prestige de leur couronne en prenant personnellement une glorieuse part à ces grandes expéditions.

Enfin elles contribuèrent à l'extension du commerce et au développement de l'industrie en mettant en rapport l'Orient avec l'Occident. La géographie y gagna, car on apprit à connaître une foule de pays dont les Occidentaux ignoraient même les noms.

L'histoire, la poésie, les sciences, les arts s'agrandirent et se développèrent à mesure que l'esprit humain fut excité par tous les spectacles et tous les monuments qu'il avait sous les yeux.

Sans doute que les chroniqueurs et les annalistes qui ont fait la relation de ces grandes guerres n'ont pas le mérite des historiens de Rome et d'Athènes. Mais s'ils n'ont pas les couleurs brillantes de Tacite, de Tite-Live et de Thucydide, si leurs récits n'offrent pas l'élégance et le charme du

style de ces grands écrivains, ils sont tellement émus et enthousiasmés par la beauté
de leur sujet, qu'il suffit de reproduire les
tableaux qu'ils ont tracés pour être sûr d'intéresser tous ceux qui préfèrent la simplicité
des vues aux artifices souvent trompeurs du
génie et du talent.

C'est ce qui nous fait croire que les récits qu'on va lire et qui sont puisés à ces
sources anciennes ne manqueront pas d'at-
traits pour tous ceux qui s'honorent d'avoir
la foi des croisés et d'être leurs descen-
dants.

LES

PREMIÈRES CROISADES

ET LE ROYAUME CHRÉTIEN

DE JÉRUSALEM.

CHAPITRE PREMIER.

Des pèlerinages en Terre-Sainte. Préparation des croisades.

E mouvement des croisades qui poussa l'Europe sur l'Asie n'éclata pas subitement. Il fut au contraire préparé de loin par l'esprit religieux des peuples d'Occident qui les portait à visiter les Saints-Lieux et par les profanations des infidèles qui s'en étaient rendus maîtres.

A peine la chrétienté était-elle formée qu'on vit naître et se développer l'idée qui devait enfanter ces grandes expéditions. Les chrétiens avaient toujours eu un prefond respect pour les lieux qui avaient été sanctifiés par la Passion de Jésus-Christ. Constantin et sa mère, sainte Hélène, avaient décoré Jérusalem de plusieurs monuments célèbres, et on avait vu dès lors une foule de fidèles entreprendre par dévotion le voyage de la Terre-Sainte.

Tant que Constantinople étendit sa domination sur la Palestine, ces pieux pèlerinages furent sans danger. Mais le khalife Omar (636) s'étant emparé de cette contrée, le patriarche saint Sophronius eut la douleur de voir une mosquée

s'élever à côté de l'église du Saint-Sépulcre, et il en mourut
de chagrin. Les successeurs d'Omar maltraitèrent les chrétiens, et établirent une taxe sur les pèlerins qui se présentaient à la porte de Jérusalem. Cependant, depuis Haroun-
al-Raschid, l'ami et l'allié de Charlemagne, jusqu'au milieu
du Xe siècle, toute liberté fut laissée aux chrétiens pour
satisfaire leur dévotion. Les persécutions ne recommencèrent
que sous les Fatimites. Au récit des pèlerins qui faisaient
à leur retour des peintures effrayantes de toutes les abomi-
nations qui souillaient Jérusalem, on se disait qu'il était
honteux pour les chrétiens de laisser profaner ainsi les lieux
saints par les infidèles; on était ému de toutes les souffrances que le despotisme musulman faisait endurer aux
malheureux pèlerins, et on s'excitait à la vengeance. Loin
de se ralentir, l'ardeur pour les pèlerinages en Terre-Sainte
allait toujours croissant. Les calamités de la Ville sainte la
rendirent encore plus vénérable aux yeux des fidèles. La
persécution redoubla la pieuse ardeur de ceux qui allaient
en Asie contempler une cité couverte de ruines et jouir de
la vue du sépulcre vide du Sauveur. C'était dans Jérusalem pleine de deuil que Dieu distribuait plus particulièrement ses grâces, qu'il se plaisait à manifester ses volontés.
Les imposteurs mirent souvent à profit cette opinion des
peuples chrétiens, pour égarer la crédulité de la multitude.
Pour faire croire à leurs paroles, il leur suffisait de montrer
des lettres tombées, disaient-ils, du ciel à Jérusalem. A
cette époque, une prédiction qui annonçait la fin du monde
et la prochaine apparition de Jésus-Christ dans la Palestine,
augmenta encore la vénération des peuples pour les Saints-
Lieux. Les chrétiens d'Occident arrivaient en foule à Jérusalem dans le dessein d'y mourir ou d'y attendre la venue
du souverain Juge. Le moine Glaber nous apprend que l'af-

fluence des pèlerins surpassa alors tout ce qu'on pouvait attendre de la dévotion de ces temps reculés. On vit d'abord arriver les pauvres et les gens du peuple, puis les comtes, les barons et les princes, qui ne comptaient plus pour rien les grandeurs de la terre.

L'inconstance d'Hakim avait en quelque sorte adouci les malheurs de Jérusalem; il venait de rendre aux chrétiens la liberté de rebâtir leurs églises lorsqu'il mourut assassiné. Son successeur, conduit par une plus sage politique, toléra les pèlerinages et l'exercice de la religion chrétienne. L'église du Saint-Sépulcre ne fut entièrement rebâtie que trente-sept ans après sa destruction; mais le spectacle de ses ruines enflammait encore le zèle et la dévotion des chrétiens.

Dans le onzième siècle l'Église avait encouragé les pèlerinages qui s'accordaient avec le caractère actif des populations de l'Occident. Ce genre de dévotion tint d'ailleurs comme presque tous les autres à un sentiment naturel à l'homme. Si la vue d'une terre qu'ont habitée des héros ou des sages, réveille en nous de touchants et nobles souvenirs, si l'âme du philosophe se trouve émue à l'aspect des ruines de Palmyre, de Babylone ou d'Athènes, quelles vives émotions ne devaient pas éprouver les chrétiens, en voyant les lieux que Dieu avait sanctifiés par sa présence ou par ses bienfaits!

Les chrétiens d'Occident, presque tous malheureux dans leur patrie, et qui souvent oubliaient leurs maux dans des voyages lointains, semblaient n'être occupés qu'à rechercher sur la terre les traces d'une divinité secourable ou de quelque saint personnage. Il n'était point de province qui n'eût un martyr ou un apôtre, dont ils allaient implorer l'appui; point de ville ou de lieu solitaire qui ne conservât la tradition d'un miracle et n'eût une chapelle ouverte aux pèlerins. Les plus coupables des pécheurs ou les plus fervents des fidèles s'exposaient à de plus grands périls, et se rendaient dans les lieux les plus éloignés. Tantôt ils dirigeaient leur course pieuse vers la Pouille et la Calabre, ils visitaient le mont Gargan, célèbre par l'apparition de saint Michel, ou le mont Cassin, fameux par les miracles de saint Benoît; tantôt ils traversaient les Pyrénées, et, dans un pays livré aux Sarrasins, s'estimaient heureux de prier devant les reliques de saint Jacques, patron de la Galice. Les uns, comme le roi Robert, se rendaient à Rome, et se prosternaient sur les tombeaux des apôtres saint Pierre et saint Paul; d'autres allaient jusqu'en Égypte, où Jésus-Christ avait passé son enfance, et parcouraient les solitudes de Scété et de Memphis, habitées par les disciples d'Antoine et de Paul.

Un grand nombre de pèlerins faisaient le voyage de la Palestine; ils arrivaient à Jérusalem par la porte d'Éphraïm, où ils payaient un tribut aux Sarrasins. Après s'être préparés par le jeûne et la prière, ils se présentaient dans l'église du Saint-Sépulcre, couverts d'un drap mortuaire qu'ils conservaient avec soin toute leur vie, et dans lequel ils étaient ensevelis après leur mort. Ils parcouraient avec un saint respect la montagne de Sion, celle des Oliviers, la vallée de Josaphat; ils quittaient Jérusalem pour visiter Bethléem, où naquit le Sauveur du monde, le mont Thabor, où il fut transfiguré, et tous les lieux qui avaient été témoins de ses miracles. Les pèlerins allaient ensuite se baigner dans les eaux du Jourdain, et cueillaient dans le territoire de Jéricho des palmes qu'ils rapportaient en Occident.

Tels étaient la dévotion et l'esprit des dixième et onzième siècles, que la plupart des chrétiens auraient cru montrer une coupable indifférence pour la religion s'ils n'avaient entrepris quelques pèlerinages. Celui qui avait échappé à quelque danger ou triomphé de ses ennemis prenait le bâton de pèlerin et se mettait en route pour les Saints-Lieux; celui qui avait obtenu par ses prières la conservation d'un père ou d'un fils allait en remercier le Ciel loin de ses foyers et dans les lieux consacrés par les traditions religieuses. Souvent un père vouait au pèlerinage son enfant au berceau, et le premier devoir d'un fils tendre et soumis, lorsqu'il sortait de l'enfance, était d'accomplir le vœu de ses parents. Plus d'une fois un songe, une apparition au milieu du sommeil, imposait à un chrétien l'obligation de faire un pèlerinage. Ainsi l'idée de ces pieux voyages se mêlait à toutes les affections du cœur, à toutes les pensées de l'esprit humain.

On accueillait partout les pèlerins, et, pour prix de l'hospitalité, on ne leur demandait que leurs prières, qui étaient souvent le seul trésor qu'ils emportassent avec eux. Un d'entre eux qui voulait s'embarquer à Alexandrie pour la Palestine, se présenta sur un navire avec son bourdon et sa panetière; et, pour payer son passage, il offrit un livre des Évangiles. Les pèlerins n'avaient dans leur route d'autre défense contre les attaques des méchants que la croix de Jésus-Christ, et d'autres guides que ces anges, à qui Dieu a dit *de veiller sur ses enfants et de les diriger dans toutes leurs voies.*

Les persécutions qu'ils éprouvaient dans leur voyage, ajoutaient à la réputation des pèlerins, et les recommandaient à la vénération des fidèles. L'ardeur de leur dévotion les faisait souvent courir au-devant des dangers; l'histoire cite un moine nommé Richard, abbé de Saint-Vannes, à Verdun, qui, arrivé dans le pays des infidèles, s'arrêtait à la porte des villes pour célébrer l'office divin, et sans cesse exposé aux outrages, aux violences des Musulmans, mettait sa gloire à souffrir toutes sortes de maux pour la cause de Jésus-Christ.

Le plus grand mérite aux yeux des fidèles, après celui du pèlerinage, était de se vouer au service des pèlerins. Des hospices étaient bâtis sur le bord des fleuves, sur le haut des montagnes, au milieu des villes, dans les lieux déserts, pour recevoir les voyageurs. Dès le neuvième siècle, les pèlerins qui quittaient la Bourgogne pour se rendre en Italie, étaient reçus dans un monastère bâti sur le mont Cénis. Dans le siècle suivant, deux monastères où l'on recueillait les voyageurs égarés remplacèrent les temples des idoles sur les monts de Joux, qui dès lors perdirent le nom qu'ils avaient reçu du Paganisme, et prirent celui du pieux fondateur saint Bernard de Menton. Les chrétiens qui partaient pour la Judée trouvaient sur les frontières de la Hongrie et dans les provinces de l'Asie-Mineure un grand nombre de ces asiles fondés par la charité.

Des chrétiens établis à Jérusalem allaient au-devant des pèlerins, et s'exposaient souvent à mille dangers pour les diriger dans leur route. La Ville sainte avait des hospices pour recevoir tous les voyageurs. Dans l'un de ces hospices, les femmes qui faisaient le voyage de la Palestine étaient reçues par des religieuses vouées aux pratiques de la charité. Les marchands d'Amalfi, de Venise, de Gênes, les plus riches d'entre les pèlerins, plusieurs princes de l'Occident, fournissaient par leurs aumônes à l'entretien de ces maisons ouvertes aux pauvres voyageurs. Chaque année des moines d'Orient venaient en Europe recueillir les tributs que s'imposait la piété des chrétiens.

Un pèlerin était comme un être privilégié parmi les

fidèles. Lorsqu'il avait terminé son voyage, il acquérait la **réputation** d'une sainteté particulière ; son départ et son **retour** étaient célébrés par des cérémonies religieuses. Lorsqu'il **allait** se mettre en route, un prêtre lui présentait, **avec la** panetière et le bourdon, des langes marquées de **la croix**; on répandait l'eau sainte sur ses vêtements, et **le clergé** l'accompagnait en procession jusqu'à la prochaine **paroisse.** Revenu dans sa patrie, le pèlerin rendait grâces **à Dieu** de son retour, et présentait au prêtre une palme **pour être** déposée sur l'autel de l'église, comme une marque de son voyage heureusement terminé.

Les pauvres, dans leurs pèlerinages, trouvaient des secours assurés contre la misère. En revenant dans leur pays, ils recueillaient d'abondantes aumônes. La vanité portait quelquefois les riches à entreprendre ces longs voyages ; ce qui fait dire au moine Glaber que plusieurs chrétiens allaient à Jérusalem pour se faire admirer et raconter à leur retour des choses merveilleuses. Plusieurs étaient entraînés par l'amour de l'oisiveté et du changement, d'autres par l'envie de parcourir des régions nouvelles. Il n'était pas rare de trouver des chrétiens qui avaient passé leur vie dans les saints pèlerinages, et qui avaient vu plusieurs fois Jérusalem.

Tous les pèlerins étaient obligés d'emporter avec eux une lettre de leur prince ou de leur évêque; précaution qui devait prévenir beaucoup de désordres. L'histoire ne raconte pas une seule violence exercée par tant de voyageurs dont la foule couvrait les chemins de l'Orient. Un gouverneur musulman, qui en avait vu passer un grand nombre à Émesse, disait : « Ils n'ont point quitté leur de- » meure dans de mauvais desseins; ils cherchent seule- » ment à accomplir leur loi. »

Mais la Palestine étant tombée au pouvoir des **Turcs**,
les violences les plus horribles souillèrent les **Lieux-Saints**.
Les Barbares firent peser sur les chrétiens le joug le **plus**
dur et le plus humiliant.

Un grand nombre de ceux qui avaient quitté leur famille et leur patrie, pour visiter le tombeau de Jésus-
Christ, perdaient la vie avant d'avoir pu saluer la Ville
sainte; ceux qui arrivaient à Jérusalem, après avoir échappé
à mille dangers, se trouvaient encore exposés aux insultes
des nouveaux maîtres de la Judée. Les pèlerins de l'É-
glise Latine qui revenaient en Europe, racontaient ce qu'ils
avaient souffert dans leur voyage; ils parlaient en gémis-
sant des outrages faits à la religion de Jésus-Christ. Ils
avaient vu le Saint-Sépulcre profané, et les cérémonies des
chrétiens livrées aux railleries des infidèles; ils avaient
vu le patriarche de Jérusalem et les vénérables gardiens
des Saints-Lieux arrachés au sanctuaire et traînés igno-
minieusement dans les cachots. Ces récits, volaient de
bouche en bouche; ils arrachaient des larmes à tous les
fidèles.

Les Souverains Pontifes ne purent rester insensibles à
ces plaintes qui s'élevaient de tous les points de la chrétienté. Grégoire VII accueillit les supplications qui lui furent
adressées par l'empereur d'Orient, Michel Ducas, et exhorta
les fidèles à prendre les armes contre les Musulmans qui
commettaient chaque jour les plus révoltantes infamies.
Les maux des chrétiens d'Orient, disait-il, dans ses lettres,
l'avaient ému jusqu'à désirer la mort; il aimait mieux
exposer sa vie pour délivrer les Saints-Lieux, que de commander à tout l'univers. Entraînés par ses exhortations,
cinquante mille chrétiens prirent l'engagement de suivre
Grégoire à Constantinople et à Jérusalem; mais ce digne

Pontife ne put tenir la promesse qu'il avait faite et les difficultés que lui suscitèrent l'empereur d'Allemagne et les autres princes chrétiens, ne lui permirent pas d'exécuter les grands desseins qu'il avait conçus.

Après sa mort, Victor III, quoiqu'il eût à la fois à combattre l'empereur d'Allemagne et le parti de l'antipape Guibert, ne négligea point l'occasion de faire la guerre aux Musulmans. Les Sarrasins qui habitaient l'Afrique troublaient la navigation de la Méditerranée, et menaçaient les côtes d'Italie. Victor invita les chrétiens à prendre les armes, et leur promit la rémission de leurs péchés s'ils allaient combattre les infidèles. Les habitants de Pise, de Gênes, et de plusieurs autres villes, poussés par le zèle de la religion, et par l'envie de défendre leur commerce, équipèrent des flottes, levèrent des troupes, et firent une descente sur les côtes d'Afrique, où, si on en croit les chroniques du temps, ils taillèrent en pièces une armée de cent mille Sarrasins. Pour qu'on ne doutât point, dit Baronius, que Dieu s'intéressait à la cause des chrétiens, le jour même où les Italiens triomphèrent des ennemis de Jésus-Christ, la nouvelle en fut portée miraculeusement au-delà des mers. Après avoir livré aux flammes deux villes, Al-Mahadia et Sibilia (1), bâties dans l'ancien territoire de Carthage, et forcé un roi de la Mauritanie à payer un tribut au Saint-Siége, les Génois, les Pisans, revinrent

(1) La principale des villes conquises par les chrétiens, Al-Mahadia, d'après les géographes orientaux, avait été fondée l'an 303 de l'hégire, par Obeidallah ou Abdallah; elle était encore très-considérable au quinzième siècle. Shaw, qui la visita en 1730, la nomme *El-Medea;* elle est à trente lieues marines au sud de Tunis. Sibila, qui est l'autre ville conquise dans cette expédition, et que Shaw prend pour l'ancienne *Turris Annibalis*, est à deux lieues plus au Sud sur la même côte de la Méditerranée.

en Italie, où les dépouilles des vaincus furent employées
à l'ornement des églises.

Cependant le pape Victor mourut sans avoir pu réaliser
le projet qu'il avait formé d'attaquer les infidèles en Asie.
La gloire de délivrer Jérusalem était réservée à son successeur Urbain II et à un simple pèlerin, Pierre l'Ermite,
dont nous allons raconter les succès.

CHAPITRE II.

La prédication de la croisade. Urbain II et Pierre l'Ermite.

———

ARVENU au trône de Constantinople, l'empereur Alexis écrivit au pape Urbain II plusieurs lettres dans lesquelles il déplorait sa faiblesse, implorait le secours de l'Occident et promettait toute assistance par terre et par mer à ceux qui viendraient combattre les infidèles. Robert, comte de Flandres, à son retour de Palestine, ayant contracté amitié avec Alexis, cet empereur, quatre ans après, lui avait écrit une lettre qu'il adressait en même temps à tous les princes chrétiens. Il y dépeignait sous les couleurs les plus vives les horreurs exercées par les Musulmans sur les chrétiens de tout sexe et de toute profession. Il représentait toute l'Asie courbée sous le joug des infidèles, et le péril où se trouvait Constantinople. Dans la chaleur de ses supplications, il oubliait même sa fierté ordinaire, et protestait qu'il serait consolé de voir Constantinople entre les mains des Latins, qui du moins respecteraient les Églises et tant de saintes reliques; et comme s'il eût voulu les tenter plus vivement encore, il leur étalait avec emphase les immenses trésors dont cette grande cité était enrichie.

Des ressorts si puissants n'auraient cependant pas suffi pour mettre l'Europe en mouvement, sans l'action que sut leur donner un personnage vil et méprisable à l'extérieur, mais plein de feu, d'adresse et d'éloquence. Un pauvre ermite, du diocèse d'Amiens, nommé Pierre, petit de taille et d'un air vulgaire, alla visiter le Saint-Sépulcre. Après un voyage pénible et semé de dangers, il arrive à Jérusalem. Ayant payé à la porte la pièce d'or que les Musulmans exigeaient des pèlerins, il entre et voit avec douleur la profanation des Lieux-Saints, la tyrannie exercée sur les fidèles, les outrages qu'essuyait tous les jours le patriarche Siméon, traité comme un vil esclave. Pour s'instruire avec plus de certitude, il va trouver le patriarche, qui ayant senti dans sa conversation que c'était un homme de génie et fort au-dessus de ce qu'il paraissait, lui ouvrit son cœur et lui exposa le misérable état de la Palestine : « Que le domaine du calife était partagé en quatre sultanies, celles de Mosul, de Damas, d'Alep et de Nicée : que de cette dernière ville, où tous les chrétiens avaient été égorgés, sortaient sans cesse des essaims de brigands, qui ravageaient tout le pays, n'épargnant ni les hommes ni les édifices consacrés au Seigneur : que ce n'était, ni la prudence d'Alexis, ni le nombre des habitants, ni les fortifications de la ville, ni la valeur des soldats ou les forces de mer qui défendaient Constantinople : qu'elle ne devait son salut qu'au Bosphore, et que les infidèles ne manquaient que de vaisseaux pour s'emparer de cette grande ville et inonder d'un affreux débordement l'Europe entière. Que les sultans d'Alep et de Damas n'étaient pas moins acharnés à la perte des chrétiens que ceux de Nicée; qu'ils étaient maîtres d'Antioche et de

toute la Syrie. Que la sainte cité, profanée si longtemps
par l'impiété des Sarrasins, gémissait depuis plusieurs années sous une domination encore plus barbare. Que de
tant de monuments consacrés par les miracles et le sang
du Sauveur, les mains sacriléges des Turcs n'avaient laissé
subsister que le Saint-Sépulcre pour tirer de l'argent des
pèlerins, qui ne pouvaient y arriver sans risquer cent fois
leur vie : qu'il y en avait un grand nombre dans les prisons
de Jérusalem, où ils étaient tous les jours menacés de la
mort. » Il lui fit une si vive peinture de l'état déplorable
des chrétiens de Palestine, que Pierre, fondant en larmes,
lui demanda s'il n'y avait donc aucun remède à ces maux.
Alors Siméon d'une voix entrecoupée de sanglots : « Hélas!
» répondit-il, nos iniquités nous ont fermé l'accès à la mi-
» séricorde du Seigneur, il dédaigne nos gémissements
» et nos larmes; depuis quatre cents ans que la Ville sainte
» est entre les mains des infidèles, la mesure de nos afflic-
» tions n'est pas encore comblée. Mais si l'Occident chrétien,
» si tant de florissants royaumes, formidables à nos en-
» nemis, qui le sont aussi de Dieu même, jetaient sur
» leurs frères un regard de compassion, s'ils voulaient nous
» aider du moins de leurs prières dans les maux qui nous
» accablent, nous aurions quelque espérance de les voir
» bientôt finir. Quoique lié avec les Grecs par la proximité,
» par l'intérêt commun, par le sang même, étant dans
» l'origine sujets du même empire, nous n'avons nul sou-
» lagement à en attendre. Ils en ont besoin eux-mêmes :
» leur gloire, leur ancienne vertu est flétrie; ils ont perdu
» en peu d'années plus de la moitié de leur empire, dont
» ils disputent à peine les misérables restes. » Pierre, qui
pleurait avec lui, s'efforça de le consoler en lui disant :
« que si l'Église Romaine, si les princes d'Occident étaient

instruits de l'excès de leur misère par un témoignage authentique, il était persuadé qu'ils y apporteraient un prompt remède : qu'il conseillait à Siméon de leur adresser une lettre de sa main ; qu'il en serait le porteur et que, pour la rémission de ses péchés il courrait dans tous les pays de l'Europe, dans toutes les cours ; qu'il n'épargnerait ni fatigues, ni prières, ni larmes pour émouvoir le cœur des potentats et pour les exciter à la délivrance de leurs frères. » Siméon, charmé de cet avis, embrassa Pierre et le comblant de bénédictions, il lui mit entre les mains la lettre qu'il demandait, et plusieurs autres lettres des chrétiens notables qui habitaient à Jérusalem.

Pierre animé encore par une vision qu'il eut dans l'église de la Résurrection, prit congé du patriarche, et alla s'embarquer sur un vaisseau qui retournait dans la Pouille. Il arriva heureusement à Bari. De là il se rendit à Rome et remit au pape Urbain les lettres dont il était chargé. Il les accompagna de la description la plus touchante de ce qu'il avait vu lui-même. Urbain le reçut avec bonté, l'écouta avec attendrissement, et lui promit de seconder son zèle de toute l'autorité qu'il avait dans l'Église et de tout son crédit auprès des princes chrétiens. *Allez*, lui dit-il, *me préparer les voies pour émouvoir leur âme, et soyez mon précurseur.* L'ermite s'acquitta de cette fonction avec un succès au-dessus de toute espérance. Il traverse l'Italie, passe les Alpes, et répand partout la ferveur dont il est embrasé. Ses insinuations, ses instances, ses raisons politiques, ses remontrances même autorisées par sa réputation de sainteté lui ouvrent les oreilles des princes. Missionnaire ardent, plein de ces mouvements pathétiques qui ravissent le cœur des peuples, il ne laisse au Pape presque rien à faire qu'à donner le signal du départ. A sa voix, les

évêques, les abbés, les clercs, les moines, le peuple et les
nobles, vertueux, vicieux, en un mot des chrétiens de toute
profession, de toute condition, de tout caractère, des femmes
même, saisies de l'esprit de pénitence, s'enivrent de l'idée
de ce pèlerinage guerrier.

Tandis que Pierre ébranlait toutes les nations avec une
rapidité étonnante, le Pape avait convoqué un Concile à
Plaisance pour le premier de mars 1095. Il se trouva si
nombreux, qu'il fallut l'assembler en pleine campagne. On
y compta deux cents évêques, près de quatre mille clercs
et plus de trente mille laïques. Urbain ne s'y était proposé
que de réformer des abus, de condamner des hérésies nais-
santes, et de réprimer des désordres que sa querelle avec
l'empereur produisait surtout en Italie. Il ne s'agissait pas
encore de la croisade, dont il attendait la maturité des prédications de Pierre. Mais Alexis ayant envoyé à ce Concile
des ambassadeurs, pour supplier le Pape et toute la chrétienté de le secourir contre les infidèles, le pape Urbain
appuya leurs discours et leurs prières de toutes les raisons
que pouvaient lui fournir les intérêts de la chrétienté et la
cause de la religion. Cependant le Concile de Plaisance ne
prit aucune résolution sur la guerre contre les infidèles.
Les peuples d'Italie au milieu desquels se tenait cette grande
assemblée n'avaient pas cet esprit de foi nécessaire pour
comprendre la parole d'Urbain II et s'émouvoir des dangers que courait le Christianisme. La plupart des villes de
la Péninsule, déchirées par les factions, ne songeaient qu'à
profiter des malheurs et des désordres du temps, les uns
pour accroître leurs richesses, les autres pour assurer leur
indépendance.

Urbain II ne se sentait pas sur ces âmes vénales la
puissance que demandait la grande expédition qu'il avait

conçue. Il ne fit d'ailleurs aucun effort pour tirer de leur sommeil ces chrétiens affadis. Ce n'était pas de l'Italie que pouvait partir l'impulsion. Leur exemple n'avait pas été assez puissant pour entraîner les autres nations.

Pour prendre un parti décisif sur la guerre sainte, et pour intéresser tous les peuples à son succès, Urbain résolut d'assembler un second synode au sein d'une nation belliqueuse, et dès ces temps reculés accoutumée à donner l'impulsion à l'Europe. Le nouveau Concile assemblé à Clermont en Auvergne (1095), ne fut ni moins nombreux ni moins respectable que celui de Plaisance; les saints et les docteurs les plus renommés vinrent l'honorer de leur présence et l'éclairer de leurs conseils. La ville de Clermont put à peine recevoir dans ses murs tous les princes, les ambassadeurs et les prélats qui s'étaient rendus au Concile; « de sorte que, dit une ancienne chronique (1), vers » le milieu du mois de novembre, les villes et villages » des environs se trouvèrent remplis de peuple, et plu- » sieurs furent contraints de faire dresser leurs tentes et » pavillons au milieu des champs et des prairies, encore » que la saison et le pays fussent pleins d'extrême froi- » dure. »

Avant de s'occuper de la guerre sainte, le Concile porta d'abord son attention sur la réforme du clergé et de la discipline ecclésiastique; il s'occupa ensuite de mettre un frein à la licence des guerres entre particuliers. Dans ces temps barbares, les simples chevaliers vengeaient leurs injures par la voie des armes. Pour le plus léger motif, on voyait quelquefois des familles se déclarer une guerre qui durait plusieurs générations; l'Europe était pleine de trou-

(1) Voyez Guillaume Aubert, *Histoire de la conquête de Jérusalem*, liv. I.

bles occasionnés par ces hostilités. Dans l'impuissance des lois et des gouvernements, l'Église employa souvent son utile influence pour rétablir la tranquillité; plusieurs Conciles avaient interdit les guerres entre particuliers pendant quatre jours de la semaine, et leurs décrets avaient invoqué les vengeances du Ciel contre les perturbateurs du repos public. Le Concile de Clermont renouvela la *Trêve de Dieu*, et menaça des foudres de l'Église tous ceux qui refuseraient d'*accepter la paix et la justice*. Un de ses décrets mit sous la sauvegarde de la religion, les veuves, les orphelins, les marchands, les laboureurs. On déclara, comme on l'avait déjà fait dans d'autres Conciles, que les églises seraient autant d'asiles inviolables, et que les croix placées sur les chemins deviendraient aussi un refuge contre la violence.

Mais ce qui devait rendre à jamais célèbre ce Concile, ce sont les décisions qu'il prit à l'égard de la Terre-Sainte. Les fidèles accourus de toutes les provinces n'avaient qu'une seule pensée; ils ne s'entretenaient que des maux des chrétiens dans la Palestine; ils ne voyaient que la guerre qu'on allait déclarer aux infidèles. L'enthousiasme qui s'accroît toujours dans les nombreuses réunions était porté à son comble. Urbain satisfit enfin l'impatience des fidèles, impatience qu'il avait peut-être adroitement excitée, et qui était le plus sûr garant du succès.

Le Concile tint sa dixième séance dans la grande place de Clermont, qui se remplit bientôt d'une foule immense. Suivi de ses cardinaux, le Pape monta sur une espèce de trône qu'on avait dressé pour lui; à ses côtés on vit paraître l'ermite Pierre, dans ce costume grossier et étrange qui lui avait attiré partout l'attention et le respect de la multitude. L'apôtre de la guerre sainte parla le premier des outrages faits à la foi du Christ; il rappela les profanations et les sacriléges dont il avait été témoin; les tourments et les persécutions qu'un peuple, ennemi de Dieu et des hommes, faisait souffrir à ceux qui allaient visiter les Saints-Lieux. Il avait vu des chrétiens chargés de fers, traînés en esclavage, attelés au joug comme les plus vils des animaux; il avait vu les oppresseurs de Jérusalem vendre aux enfants du Christ la permission de saluer le tombeau de leur Dieu, leur arracher jusqu'au pain de la misère, et tourmenter la pauvreté elle-même pour en obtenir des tributs; il avait vu les ministres de Dieu, arrachés au sanctuaire, battus de verges, et condamnés à une mort ignominieuse. En racontant les malheurs et la honte des chrétiens, Pierre avait le visage abattu et consterné; sa voix était étouffée par des sanglots; sa vive émotion pénétrait tous les cœurs.

Urbain, qui parla après Pierre l'Ermite, représenta comme lui les Saints-Lieux profanés par la domination des infidèles. Cette terre consacrée par la présence du Sauveur, cette montagne où il expia nos péchés par ses souffrances, cette tombe où il daigna s'enfermer comme une victime de la mort, étaient devenues l'héritage des impies. Les autels des faux prophètes s'élevaient dans ces murs qui avaient renfermé l'auguste assemblée des apôtres. Dieu n'avait plus de sanctuaire dans sa propre ville; l'Orient, berceau de la religion chrétienne, ne voyait plus que des pompes sacriléges; l'impiété avait répandu ses ténèbres sur les plus riches contrées de l'Asie. Antioche, Ephèse, Nicée, étaient devenues des cités musulmanes; les Turcs avaient porté leurs ravages et leur odieuse domination jusqu'au détroit de l'Hellespont, jusqu'aux portes de Constantinople, d'où ils menaçaient l'Occident.

Le Souverain Pontife s'adressa à toutes les nations qui étaient représentées dans le Concile ; il s'adressa surtout aux Français qui formaient le plus grand nombre de l'assemblée : « Nation chérie de Dieu, leur dit-il, c'est dans » votre courage que l'Église chrétienne a placé son espoir ; » c'est parce que je connais votre piété et votre bravoure , » que j'ai traversé les Alpes, et que je suis venu apporter » la parole de Dieu dans ces contrées. Vous n'avez pas » oublié que la terre que vous habitez a été envahie par les » Sarrasins, et que la France aurait reçu les lois de Ma-» homet sans les exploits de Charles-Martel et de Charle-» magne. Rappelez sans cesse à votre esprit les dangers et » la gloire de vos pères ; conduits par des héros dont le » nom ne doit point mourir, ils ont délivré votre patrie, » ils ont sauvé l'Occident d'un honteux esclavage. De plus » nobles triomphes vous attendent sous la conduite du Dieu » des armées : vous délivrerez l'Europe et l'Asie ; vous » sauverez la cité de Jésus-Christ, cette Jérusalem que s'é-» tait choisie le Seigneur, et d'où la loi nous est venue. »

A mesure qu'Urbain prononçait son discours, les sentiments dont il était animé pénétraient dans l'âme de ses auditeurs ; lorsqu'il parlait de la captivité et des malheurs de Jérusalem, toute l'assemblée fondait en larmes ; lorsqu'il rappelait la tyrannie et les persécutions des infidèles, les guerriers qui l'écoutaient portaient la main sur leur épée, et juraient dans leur cœur de venger la cause des chrétiens. Urbain redoubla encore leur enthousiasme, en leur annonçant que Dieu les avait choisis pour accomplir ses desseins ; il les exhorta à tourner contre les Musulmans les armes qu'ils portaient contre leurs frères. Ils n'avaient plus à venger les injures des hommes, mais celles de la Divinité : ce n'était plus la conquête d'une ville ou d'un château qui

s'offrait à leur valeur, mais les richesses de l'Asie, la possession d'une terre où, selon les promesses de l'Écriture,
coulaient des ruisseaux de lait et de miel.

Le pontife cherchait tour à tour à réveiller dans leurs
âmes l'amour de la gloire, l'enthousiasme religieux, et surtout la pitié pour leurs frères chrétiens. « Il n'est point de
» famille chrétienne, disait-il, où la barbarie des Musul-
» mans n'ait porté le deuil et le désespoir. Combien de chré-
» tiens quittent chaque année l'Occident, et ne trouvent en
» Asie que l'esclavage ou la mort. Les évêques ont été
» livrés aux bourreaux; les vierges du Seigneur accablées
» d'outrages; les Saints-Lieux ont été dépouillés de leurs
» ornements; les offrandes de la piété sont devenues la proie
» des ennemis de Dieu; les enfants des fidèles ont oublié
» dans la servitude la foi de leurs pères, et portent sur leur
» corps l'empreinte de leur opprobre. Témoins de tant de
» calamités, les chrétiens de Jérusalem auraient depuis long-
» temps quitté la Ville sainte, s'ils ne s'étaient pas imposé
» l'obligation de secourir et de consoler les pèlerins, s'ils
» n'avaient pas craint de laisser sans prêtres, sans autels,
» sans adorateurs, une terre où fume encore le sang de
» Jésus-Christ.

» Je me garderai bien d'essuyer les larmes que doivent
» vous arracher des images si douloureuses pour un chré-
» tien, pour un ministre de la religion, pour le père commun
» des fidèles. Pleurons, mes frères, pleurons sur nos
» fautes, qui ont armé la colère du Ciel; pleurons sur la
» captivité de Sion. Mais malheur à nous, si, dans notre
» pitié stérile, nous laissons plus longtemps aux mains de
» l'impie l'héritage du Seigneur; pourquoi goûtons-nous
» ici quelque repos, tandis que les enfants de Jésus-Christ
» vivent au milieu des tourments, et que la reine des cités
» gémit dans les fers.

» Guerriers chrétiens, qui cherchez sans cesse de vains
» prétextes de guerre, réjouissez-vous, vous en trouvez
» aujourd'hui de véritables. Vous, qui fûtes si souvent la
» terreur de vos concitoyens, allez combattre contre des
» barbares, allez combattre pour la délivrance des Saints-
» Lieux; vous, qui vendez pour un vil salaire vos bras aux
» fureurs d'autrui, armés du glaive des Machabées, allez
» mériter une récompense éternelle. Si vous triomphez de
» vos ennemis, les royaumes de l'Orient seront votre par-
» tage; si vous succombez, vous aurez la gloire de mourir
» aux mêmes lieux que Jésus-Christ, et Dieu n'oubliera
» point qu'il vous aura trouvés dans sa milice sainte. Voici
» le moment de montrer si vous êtes animés d'un vrai
» courage; voici le moment d'expier tant de violences com-
» mises au sein de la paix, tant de victoires achetées aux
» dépens de la justice et de l'humanité. Puisqu'il vous faut
» du sang, baignez-vous dans le sang infidèle; je vous le
» dis avec dureté, parce que mon ministère m'y oblige :
» soldats de l'enfer, devenez les soldats du Dieu vivant.
» Quand Jésus-Christ vous appelle à sa défense, que de
» lâches affections ne vous retiennent point dans vos foyers;
» ne voyez que la honte et les maux des chrétiens; n'écoutez
» que les gémissements de Jérusalem, et ressouvenez-vous
» de ce qu'a dit le Seigneur : *Celui qui aime son père ou*
» *sa mère plus que moi, n'est pas digne de moi; quiconque*
» *abandonnera sa maison, ou son père, ou sa mère, ou sa*
» *femme, ou ses enfants, ou son héritage pour mon nom,*
» *sera récompensé au centuple, et possédera la vie éter-*
» *nelle.* »

A ces paroles, les auditeurs d'Urbain montrèrent un enthousiasme que jamais l'éloquence humaine n'avait inspiré.
L'assemblée se leva tout entière, et lui répondit par un

cri unanime : *Dieu le veut, Dieu le veut.* « Oui, sans doute,
» Dieu le veut, poursuivit l'éloquent Pontife; vous voyez
» aujourd'hui l'accomplissement de la parole du Sauveur,
» qui a promis de se trouver au milieu des fidèles assem-
» blés en son nom; c'est lui qui vous a dicté ces paroles
» que je viens d'entendre; qu'elles soient votre cri de
» guerre, et qu'elles annoncent partout la présence du Dieu
» des armées. » En achevant ces mots, le Pontife montra
à l'assemblée des chrétiens le signe de leur rédemption :
« C'est Jésus-Christ lui-même, leur dit-il, qui sort de son
» tombeau et qui vous présente sa croix : elle sera le signe
» élevé entre les nations, qui doit rassembler les enfants
» dispersés d'Israël; portez-la sur vos épaules ou sur votre
» poitrine; qu'elle brille sur vos armes et sur vos étendards;
» elle deviendra pour vous le gage de la victoire ou la
» palme du martyre; elle vous rappellera sans cesse que
» Jésus-Christ est mort pour vous, et que vous devez
» mourir pour lui. »

Lorsqu'Urbain eut cessé de parler, de vives acclamations
se firent encore entendre. La pitié, le désespoir, l'indignation, agitaient à la fois l'assemblée tumultueuse des fidèles;
les uns versaient des larmes sur Jérusalem et sur le sort
des chrétiens; les autres juraient d'exterminer la race des
Musulmans; mais tout à coup, au signal du Souverain
Pontife, il régna un profond silence. Le cardinal Grégoire,
qui monta depuis sur la chaire de saint Pierre, sous le nom
d'Innocent II, prononça à haute voix une formule de con-
fession générale; tous les assistants se prosternèrent à genoux, se frappèrent la poitrine, et reçurent l'absolution de
leurs péchés.

Adémar de Monteil, évêque du Puy, demanda le premier à entrer dans la *voie de Dieu*, et prit la croix des

mains du Pape; plusieurs évêques suivirent son exemple.
Raymond, comte de Toulouse, s'excusa, par ses ambassadeurs, de n'avoir pu assister au Concile de Clermont; il
avait déjà combattu les Sarrasins en Espagne; il promettait
d'aller les combattre en Asie, suivi de ses plus fidèles
guerriers. Les barons et les chevaliers qui avaient entendu
les exhortations d'Urbain, firent tous le serment de venger
la cause de Jésus-Christ; ils oublièrent leurs propres querelles, et ceux même qui se faisaient la guerre, n'eurent
plus d'autres ennemis que les Musulmans. Tous les fidèles
promirent de respecter les décisions du Concile, et déco-
rèrent leurs habits d'une croix rouge. Dès lors, ceux qui
s'engageaient à combattre les infidèles furent appelés des
croisés, et la guerre sainte prit le nom de *croisade*. Les
fidèles sollicitèrent Urbain de se mettre à leur tête; mais
le Pontife, qui n'avait point encore triomphé de l'antipape
Guibert, qui poursuivait à la fois, par ses anathèmes, le
roi de France et l'empereur d'Allemagne, ne pouvait quitter
l'Europe sans compromettre la puissance du Saint-Siége.
Il refusa d'être le chef de la croisade, et nomma l'évêque
du Puy, son légat apostolique auprès de l'armée des chrétiens.

Il promit à tous les croisés la rémission entière de leurs
péchés. Leurs personnes, leurs familles, leurs biens, furent
mis sous la protection de l'Église et des apôtres saint Pierre
et saint Paul. Le Concile déclara que toute violence exercée
envers les soldats de Jésus-Christ, devait être punie par
l'anathème, et recommanda ses décrets en faveur des croisés, à la vigilance des prêtres et des évêques. Il régla la
discipline, le départ de ceux qui s'étaient enrôlés dans la
milice sainte, et menaça d'excommunication tous ceux qui
ne rempliraient par leurs serments.

La renommée publia partout la guerre qu'on venait de déclarer aux infidèles. Quand les évêques furent de retour dans leurs diocèses, ils ne cessèrent de bénir des croix pour la foule des chrétiens qui demandaient à marcher à la conquête de la Terre-Sainte. Urbain parcourut lui-même plusieurs provinces de France pour achever son ouvrage, si heureusement commencé. Dans les villes de Rouen, de Tours, de Nîmes, il tint des Conciles où il déplora le sort des chrétiens d'Orient; partout le peuple et les grands, la noblesse et le clergé, obéirent aux pressantes exhortations du Pontife, et promirent de prendre les armes contre les Musulmans.

CHAPITRE III.

Départ des premières bandes de croisés. Pierre l'Ermite.
Gauthier sans avoir. Gothelscalc.

(1096.)

ON se tromperait, dit Michaud, si l'on croyait que la religion n'était pas alors le mobile qui agissait le plus puissamment sur le grand nombre des croisés. Dans les temps ordinaires, les hommes suivent leurs penchants naturels, et n'obéissent qu'à la voix de leur propre intérêt; mais, au temps des croisades, la ferveur religieuse était une passion ardente qui parlait plus haut que toutes les autres. La religion ne permettait point à ses zélés défenseurs de voir une autre gloire, une autre félicité que celles qu'elle présentait à leur imagination exaltée. L'amour de la patrie, les liens de la famille, les plus tendres affections du cœur, furent sacrifiées aux idées et aux opinions qui entraînaient alors toute l'Europe. La modération était une lâcheté, l'indifférence une trahison, l'opposition un attentat sacrilége. Le pouvoir des lois n'était compté pour rien parmi ceux qui croyaient combattre pour la cause de Dieu. Les sujets reconnaissaient à peine l'autorité des princes et des seigneurs dans tout ce qui concernait la guerre sainte; le maître et l'esclave n'avaient d'autre titre que celui de chrétien, d'autre devoir à remplir que celui de défendre la religion les armes à la main.

Ceux que leur âge ou leur état semblait retenir en Europe, et que le Concile avait dispensés des périls et des travaux de la croisade, faisaient parler le ciel qui les appelait à la guerre sainte. Les femmes, les enfants s'imprimaient des croix sur leurs membres faibles et délicats, pour montrer la volonté de Dieu. Les moines désertaient les cloîtres dans lesquels ils avaient fait serment de mourir, et se croyaient entraînés par une inspiration divine; les ermites et les solitaires sortaient des forêts et des déserts, et venaient se mêler à la foule des croisés. Ce qu'on aura peine à croire, les voleurs, les brigands quittaient leurs retraites inconnues, venaient confesser leurs forfaits, et promettaient, en recevant la croix, d'aller les expier dans la Palestine.

L'Europe ne semblait plus qu'une terre d'exil que tout le monde s'empressait de quitter. Les artisans, les marchands, les laboureurs, abandonnaient la profession qui les faisait subsister; les barons et les seigneurs renonçaient aux domaines de leurs pères. Les terres, les villes, les châteaux, pour lesquels on s'était fait la guerre, perdirent tout à coup leur prix aux yeux de leurs possesseurs, et furent donnés pour des sommes modiques à ceux que la grâce de Dieu n'avait point touchés, et qui n'étaient point appelés au bonheur de visiter les Saints-Lieux et de conquérir l'Orient.

Les auteurs contemporains racontent plusieurs miracles

qui contribuèrent à échauffer l'esprit de la multitude. On vit tomber des étoiles du firmament; on remarqua dans le ciel des traces de sang; on aperçut dans les nuages, des villes, des armées, des cavaliers revêtus de la croix. Le moine Robert rapporte que le jour même où la croisade fut décidée au Concile de Clermont, cette décision avait été proclamée au-delà des mers. « Cette nouvelle, ajoute-t-il, avait relevé le courage des chrétiens en Orient, et porté tout à coup le désespoir chez les peuples de l'Arabie. » Pour comble de prodiges, les saints et les rois des âges précédents étaient sortis de leurs tombeaux, et plusieurs Français avaient vu l'ombre de Charlemagne exhortant les chrétiens à combattre les infidèles.

Le Concile de Clermont, qui s'était tenu au mois de novembre de l'an 1095, avait fixé le départ des croisés à la fête de l'Assomption de l'année suivante. Pendant l'hiver on ne s'occupa que des préparatifs du voyage pour la Terre-Sainte; tout autre soin, tout autre travail fut suspendu dans les villes et dans les campagnes. Au milieu de l'effervescence générale, la religion, qui animait tous les cœurs, veillait à l'ordre public. Tout à coup on n'entendit plus parler de vols, de brigandages. L'Occident se tut, pour nous servir d'une expression de l'Écriture, et l'Europe jouit pendant quelques mois d'une paix qu'elle n'avait jamais connue.

Ceux qui avaient pris la croix s'encourageaient les uns les autres, et s'adressaient des lettres et des ambassades pour presser leur départ. Les bénédictions du Ciel semblaient être promises aux croisés qui se mettraient les premiers en marche pour Jérusalem. Ceux même qui, dans les premiers moments, avaient blâmé l'élan de la croisade, s'accusèrent de leur indifférence pour la cause de la religion, et ne

montrèrent pas moins de ferveur que ceux qui leur avaient
donné l'exemple. Tous étaient impatients de vendre leurs
possessions, et ne trouvaient plus d'acheteurs. Les croisés
dédaignaient tout ce qu'ils ne pouvaient emporter avec
eux ; les produits de la terre se vendaient à vil prix, ce
qui ramena tout à coup l'abondance au milieu même de
la disette.

Dès que le printemps parut, rien ne put contenir l'impatience des croisés ; ils se mirent en marche pour se
rendre dans les lieux où ils devaient se rassembler. Le
plus grand nombre allaient à pied ; quelques cavaliers paraissaient au milieu de la multitude ; plusieurs voyageaient
montés sur des chars ; d'autres côtoyaient la mer, descendaient les fleuves dans des barques ; ils étaient vêtus
diversement, armés de lances, d'épées, de javelots, de
massues de fer, etc. La foule des croisés offrait un mélange bizarre et confus de toutes les conditions et de tous
les rangs. On voyait la vieillesse à côté de l'enfance,
l'opulence près de la misère ; le casque était confondu
avec le froc ; la mître avec l'épée. Près des villes, près
des forteresses, dans les plaines, sur les montagnes,
s'élevaient des tentes et des pavillons ; partout se déployait
un appareil de guerre et de fête. Ici on entendait le
bruit des armes et le son des trompettes ; plus loin on
chantait des psaumes et des cantiques. Depuis le Tibre
jusqu'à l'Océan, et depuis le Rhin jusqu'au-delà des Pyrénées, on ne voyait que des troupes d'hommes revêtus
de la croix, jurant d'exterminer les Sarrasins, et d'a-
vance chantant leurs conquêtes. De toutes parts se faisait
entendre le cri de guerre des croisés : *Dieu le veut, Dieu
le veut.*

Les pères conduisaient eux-mêmes leurs enfants, et leur

faisaient jurer de vaincre ou de mourir pour Jésus-Christ. **Les guerriers** s'arrachaient des bras de leurs épouses et de leurs familles, et promettaient de revenir victorieux. **Les femmes**, les vieillards, dont la faiblesse restait sans **appui**, accompagnaient leurs fils ou leurs époux dans la ville la plus voisine, et, ne pouvant se séparer des objets de leur affection, prenaient le parti de les suivre jusqu'à **Jérusalem.** Ceux qui restaient en Europe enviaient le sort **des croisés**, et ne pouvaient retenir leurs larmes; ceux **qui** allaient chercher la mort en Asie étaient pleins d'es- **pérance** et de joie. Des familles, des villages entiers par- **taient** pour la Palestine, et entraînaient dans leur marche **tous** ceux qu'ils rencontraient sur leur passage. Ils mar- **chaient sans** prévoyance, et ne pouvaient croire que Celui **qui nourrit** les petits des oiseaux laissât périr de misère **des** pèlerins revêtus de sa croix. Leur ignorance ajoutait **à** leur illusion, et prêtait à tout ce qu'ils voyaient un air d'enchantement; ils croyaient sans cesse toucher au terme de leur pèlerinage. Les enfants des villageois!, lorsqu'une ville ou un château se présentait à leurs yeux, deman- daient si *c'était là Jérusalem.* Beaucoup de grands sei- **gneurs**, qui avaient passé leur vie dans leurs donjons rus- **tiques**, n'en savaient guère plus que leurs vassaux ; ils **faisaient** conduire avec eux leurs équipages de pêche et **de chasse**, et marchaient précédés d'une meute, portant **leur faucon** sur le poing. Ils espéraient atteindre Jérusalem **sans coup** férir et étaler aux yeux de l'Asie étonnée le luxe grossier de leurs châteaux.

La foule des chrétiens qui avaient pris la croix dans la **plupart** des contrées de l'Europe, formait de grandes armées **capables** d'affamer les pays qu'elles allaient traverser, les **princes** et les capitaines convinrent qu'ils ne partiraient pas

tous ensemble et qu'ils suivraient des routes différentes
pour se réunir à Constantinople. Mais une multitude impatiente voulut devancer les autres croisés et prit pour chef
Pierre l'Ermite lui-même. D'orateur Pierre devint général
et se vit à la tête d'une foule d'Italiens, de Lombards,
d'Allemands et de Français. Il prit pour lieutenant un gentilhomme français nommé Gauthier et surnommé *Sans avoir*,
parce qu'il n'avait d'autre bien que son épée. Il lui fit
prendre les devants avec une partie de son peuple, pour
lui ouvrir les passages. Gauthier partit le 8 mars (1096),
et prit sa route par l'Allemagne et la Hongrie, où il fut
bien reçu par le roi Caloman, qui lui permit le commerce
des vivres. Seize de ses gens s'arrêtèrent à son insu en
deçà de la Save pour acheter des armes. Quelques Hongrois
les trouvant éloignés de leur armée, se jettent sur eux,
les volent, les dépouillent et les renvoient en chemise.
Gauthier qui était déjà sur les terres de l'empire, à Belgrade, première ville de Bulgarie, les voyant arriver en
cet état, ne jugea pas à propos de retourner sur ses pas
pour en tirer vengeance, de peur de retarder son voyage.
Mais ne pouvant obtenir du commandant de Belgrade la
liberté d'acheter des subsistances, il se mit à enlever les
troupeaux dispersés dans les campagnes. Les Bulgares
sonnent l'alarme, et bientôt attroupés au nombre de cent
quarante mille, ils courent sus aux Français. Soixante sont
brûlés dans une chapelle où ils s'étaient réfugiés ; les autres
couverts de blessures s'enfuient au travers des forêts avec
leur capitaine, qui laissant partout sur sa route des débris
de son armée, gagne au bout de huit jours la ville de Nisse,
résidence du gouverneur de Bulgarie. Cet officier, nommé
Nicétas, écoute ses plaintes, promet justice, lui fait présent
d'armes et d'argent, et lui donne des guides jusqu'à Cons-

tantinople. Gauthier se présente à l'empereur, qui lui permet de camper aux portes de la ville, pour y attendre Pierre l'Ermite.

L'apôtre de la croisade devenu général, suivi de quarante mille hommes, sans compter une multitude de clercs, de moines, de femmes, d'enfants, de vieillards, se mit en chemin, et ayant traversé la Lorraine, la Franconie, la Bavière et l'Autriche, arriva sur la frontière de Hongrie. Caloman lui accorda le passage, à condition qu'il paierait ses subsistances, sans faire aucun tort aux habitants. Tout se passa avec bienveillance de part et d'autre jusqu'à l'embouchure de la Save. C'était là que les seize soldats de Gauthier avaient été maltraités ; leurs dépouilles étaient suspendues comme un trophée aux murs d'une ville que les historiens des Croisades nomment Maleville, et qui n'était séparée de Belgrade que par la Save. Ce spectacle insultant, et ce qu'ils apprennent de l'outrage fait à leurs camarades, les mettent en fureur. Pierre lui-même les exhorte à la vengeance. On marche à la ville enseignes déployées ; on abat à coups de traits ceux qui paraissent sur la muraille. Geoffroi Burel d'Étampes, capitaine de deux cents hommes vole à la tête et monte à l'escalade. Toute l'armée force l'entrée. Sept mille Hongrois sortent par la porte Orientale et vont se réfugier sur un rocher au bord du Danube. Ceux qui ne peuvent les suivre sont égorgés. Ils sont eux-mêmes poursuivis sur leur rocher, massacrés ou précipités dans le Danube. Il périt quatre mille Hongrois, et les croisés ne perdent que cent hommes. Pierre abandonne la ville au pillage ; il y séjourne cinq jours et en enlève quantité de blé, de bestiaux, de chevaux. Le gouverneur de Belgrade prend l'épouvante et s'enfuit à Nisse avec les habitants. Pierre averti que toute la nation Hongroise s'assemblait pour tomber sur lui, passe la Save avec son butin et perd au passage bon nombre de ses gens, tués à coups de flèches par les Hongrois postés en embuscade. Les croisés en prennent sept, que Pierre fait massacrer en sa présence. Il traverse de vastes forêts, et après sept jours d'une marche pénible, il arrive à Nisse.

On envoie demander au gouverneur la permission d'acheter des vivres. Nicétas l'accorde moyennant des otages pour assurer qu'on ne fera nulle violence. Les habitants font même des aumônes aux pauvres soldats, et la nuit se passe tranquillement. On rend les otages et Pierre se remet en marche. Mais cent Allemands, qui avaient eu querelle le soir de la veille avec un marchand Bulgare, étant restés derrière, mettent le feu à quelques maisons. Le peuple vient à grands cris s'en plaindre à Nicétas, qui fait prendre les armes et poursuivre l'armée. On massacre les traîneurs, on enlève plusieurs chariots de bagage. Un cavalier court porter cette nouvelle à Pierre qui était déjà avancé. Il reconnaît la faute des Allemands et rebrousse chemin avec toute sa troupe pour faire excuse au gouverneur et lui demander la paix. Il campe en deçà d'un fleuve qui coulait près de la ville et va parler à Nicétas. Tandis qu'il confère pacifiquement avec lui, et qu'il le prie de rendre les prisonniers et les chariots, deux mille mutins sortent du camp, passent le fleuve, et vont attaquer la ville. En vain Pierre court au-devant d'eux pour les arrêter; ils n'écoutent rien et commencent à battre la porte. Les Bulgares sortent sur eux, et les culbutent dans le fleuve. Le reste des troupes voyant leurs camarades si mal menés, ne peuvent se contenir. Malgré Pierre ils volent au pont; il se livre un combat sanglant. Les Bulgares, maîtres du pont, les repoussent et leur ferment le passage.

Pierre vient à bout d'apaiser le gouverneur, qui fait rentrer les habitants. La conférence continuait, lorsque l'armée impatiente se met à charger les chariots pour se mettre en route. Pierre accourt encore avec les principaux officiers et veut les retenir. Les soldats refusent d'obéir, et tandis qu'ils disputent ensemble, les habitants sortent de nouveau, les mettent en fuite, les poursuivent, en font un grand carnage. La caisse de l'armée est prise et conduite à Nisse. On emmène, on enchaîne les femmes, les filles, les enfants. On massacre les hommes; on partage les dépouilles. Pierre et ceux qui échappent se sauvent au travers des forêts et des montagnes. Il n'est suivi que de cinq cents hommes. On rappelle au son des trompettes et des cors ceux qui s'étaient dispersés; il se rassemble trente mille hommes. On en avait perdu dix mille. Tous mouraient de faim. Les chariots chargés de provisions et des bagages, au nombre de deux mille, étaient pris. Le pays était désert par la fuite des habitants. On vécut pendant trois jours du blé qu'on coupait et qu'on faisait rôtir faute de moulins. C'était au mois de juillet.

L'empereur instruit de ces désordres en témoigna son indignation par une lettre adressée à Pierre, qui était pour lors à Sterniz en Bulgarie. Il lui défendait de séjourner dans aucune ville plus de trois jours, avant que d'arriver à Constantinople. *Cependant*, disait-il, *nous vous pardonnons les violences que la férocité de vos soldats ont commises jusqu'à ce jour, parce que nous savons que vous en avez été assez punis, et comme vous êtes chrétiens, nous ordonnons à toutes les villes qui se trouveront sur votre passage de vous vendre des vivres paisiblement et de ne faire aucun obstacle à votre voyage.* Pierre ne put lire cette lettre sans verser des larmes de joie, voyant qu'il en était quitte

pour une réprimande qu'il n'avait que trop méritée. Il
harangua le peuple assemblé, et demanda pardon pour ses
gens d'un ton si pathétique, que les Bulgares, touchés de
compassion, leur firent quantité d'aumônes, et leur donnèrent des chevaux et des mulets chargés de provisions.
Il continua donc sa route et s'arrêta aux portes d'Andrinople. Le troisième jour il reçut une lettre de l'empereur
qui l'invitait à se rendre à Constantinople. Alexis brûlait
d'envie de le voir. Le 30 juillet, dès qu'il fut arrivé, il
eut ordre de faire camper son armée hors de la ville, et de
venir lui-même à l'audience de l'empereur. Il s'y présenta
avec un de ses capitaines. Sa mine basse et sa petite taille
le fit regarder de toute la Cour avec mépris. Mais la force
des paroles qui sortaient de sa bouche lui attira bientôt
l'attention et le respect. Après avoir salué l'empereur au
nom de Jésus-Christ, il lui exposa avec une éloquente simplicité le motif qui lui avait fait entreprendre ce voyage,
les traverses qu'il avait essuyées jusqu'alors. Il ajouta
qu'il allait incessamment être suivi des plus puissants et des
plus nobles personnages de l'Occident, princes, ducs, comtes,
enflammés du même désir de délivrer le Saint-Sépulcre des
mains des infidèles. L'empereur lui ayant demandé ce qu'il
désirait de lui, il le pria de vouloir bien pourvoir à leur
subsistance; l'imprudence et l'indocilité de ses gens lui
ayant fait perdre toutes ses provisions. Touché de sa misère, l'empereur lui fit donner deux cents besants d'or, et
distribuer à ses troupes des monnaies de cuivre qu'on nommait tartarons. Pierre, satisfait de cette réception favorable, retourne au camp. Gauthier vient le joindre, et les
deux armées se réunissent. Leur dessein était de passer
sur-le-champ en Asie. Mais Alexis leur conseilla d'attendre
les autres bandes qui devaient les suivre pour être en état

de tenir tête aux Turcs, dont les forces étaient formidables.

Alexis ne fut pas longtemps sans se repentir d'avoir sollicité les secours de l'Occident. Outre les violences dont cette portion de croisés avait ensanglanté son passage, il ne vit qu'avec indignation celles qu'il essuya pendant les cinq jours qu'elle campa devant la ville. Une multitude sans frein et sans discipline, commandée par un ermite qu'elle ne respectait pas, abusa du charitable accueil qu'on lui faisait à Constantinople, pour insulter à ses bienfaiteurs. Non contents de piller les maisons de plaisance et les palais dont étaient embellis les environs de cette grande ville, ils y mettaient le feu. Aussi impies que les infidèles auxquels ils allaient porter la guerre, ils dépouillaient les églises, ils en découvraient le toit pour en vendre le plomb aux Grecs. Ces brigandages donnèrent à l'empereur une cruelle défiance, dont il ne revint jamais, et qui passa dans le cœur de ses successeurs. Par ce premier essai de la brutale insolence des croisés, il jugea de ce qu'il devait attendre de ce grand nombre de vaillants hommes qu'on lui annonçait. Le Pape lui mandait qu'il y avait déjà sur pied trois cent mille croisés sous la conduite des plus braves princes de l'Europe. C'était un secours dont l'idée seule le faisait trembler. Il en vint à craindre moins les Turcs que de tels libérateurs; et s'il est vrai, comme l'ont prétendu les Occidentaux, qu'il forma dans la suite de secrètes intelligences avec les infidèles, pour faire périr les croisés, ceux-ci devaient s'en accuser eux-mêmes; ils l'avaient horriblement prévenu contre eux; et s'il fut perfide à leur égard, c'est un de ces crimes que la politique n'avouera jamais, mais qu'elle se garderait bien de ne pas commettre.

Pour se délivrer de ces hôtes malfaisants, Alexis qui venait de leur conseiller d'attendre les autres croisés, les pressa de passer le Bosphore, et leur fournit des vaisseaux qui les débarquèrent à Nicomédie. Ils allèrent de là au port de Cibotus, que les historiens appellent Civitot. C'était une ville nouvellement bâtie ou rétablie par Alexis; mais les courses des Turcs l'avaient empêché de l'achever. Il avait eu dessein d'y établir les Anglais, qui s'étaient réfugiés sur les terres de l'empire lors de l'invasion de Guillaume le Conquérant. Les croisés, tranquilles dans ce lieu, y trouvèrent toutes les choses nécessaires à la vie. Les marchands Grecs y abordaient sans cesse et leur vendaient les provisions à un prix raisonnable. Alexis les avertissait encore de ne pas approcher de Nicée jusqu'à l'arrivée de leurs camarades; et suivant ce conseil salutaire ils passèrent près de deux mois en paix, sans rien craindre de l'ennemi. Enfin le repos et l'abondance les ramenèrent à leur indocilité naturelle. Sans écouter les défenses de Pierre, qui était allé à Constantinople demander une diminution sur le prix des vivres, ils entrent sur le territoire de Nicée, où régnait Soliman. Ils enlèvent les troupeaux des Turcs et des Grecs sujets des Turcs. Sept mille fantassins Français, accompagnés de trois cents chevaux, vont piller jusqu'aux portes de Nicée; et s'il en faut croire Anne Comnène, ils exercent sur les malheureux qui tombent entre leurs mains, les plus horribles cruautés. A l'exemple des Français, trois mille Allemands et deux cents cavaliers, sous la conduite d'un capitaine nommé Renaud, vont attaquer à quatre milles au-delà de Nicée un château appartenant à Soliman. Ils l'emportent l'épée à la main, égorgent les Musulmans et ne font de quartier qu'aux Grecs. De là ils courent tout le pays. Soliman, qui à la première nouvelle des mouvements qui se faisaient en Occident, avait rassemblé des forces de tout l'Orient, arrive trois jours après à la tête de quinze mille hommes. C'était le 29 de septembre. Il force à son tour le château, et passe tout au fil de l'épée. Renaud, chef de ces pèlerins, se fait musulman pour sauver sa vie. Les Français de Civitot, affligés de ce désastre, veulent sur-le-champ courir à Soliman. Gauthier les retient avec peine pendant huit jours ; il cède enfin à l'impatience de toute l'armée, qui lui reprochait le sang des chrétiens massacrés tous les jours par les Turcs de Nicée. Les croisés sortent du camp au nombre de vingt-cinq mille hommes, n'ayant avec eux que cinq cents chevaux. Ils marchent à Soliman qui vient à leur rencontre avec une armée beaucoup plus nombreuse. Après un sanglant combat ils sont enveloppés et taillés en pièces. Gauthier y périt avec ses plus braves capitaines. Les Turcs pénètrent jusqu'au camp, et massacrent les malades, les clercs, les moines, les femmes, les enfants, ne se réservant que les jeunes filles et les jeunes garçons, condamnés à des outrages plus affreux que la mort. Il ne restait que trois mille Français, qui se sauvèrent dans un fort demi-ruiné au bord de la mer. Ils s'y défendirent en désespérés. La nuit suivante ils envoyèrent à Constantinople avertir Pierre de l'extrémité à laquelle ils étaient réduits. Quoiqu'Alexis ressentît une maligne joie de la destruction de cette armée, dont il avait reçu tant d'insultes, cependant aux instantes sollicitations de Pierre il envoya ses vaisseaux chargés de troupes, pour délivrer ces malheureux restes de tant de chrétiens. A la vue de cette flotte, les Turcs se retirèrent avec leur butin et leurs prisonniers, qu'ils dispersèrent dans des provinces éloignées, mandant aux princes et aux peuples que cette troupe de Latins qui venaient insulter l'Asie, n'était qu'un vil amas de misérables et de poltrons, sans aucune expérience militaire. Alexis reçut les vaincus à Constantinople et acheta toutes leurs armes pour les mettre hors d'état de faire du mal aux habitants du pays. Tel fut le sort de cette première bande, qui se perdit par son audace imprudente, après avoir, par ses brigandages, prévenu toute la Grèce contre l'entreprise des croisades.

Les Allemands de l'armée de Pierre n'étaient qu'un petit nombre d'aventuriers, qui se trouvant en deçà du Rhin dans le mouvement général de la nation Française, s'étaient laissés entraîner par l'amour de la guerre et l'espérance du pillage. Comme le Pape était le chef et l'âme de la croisade, le schisme qui entretenait alors une haine mutuelle entre les Romains et les Allemands, avait fermé l'entrée du pays aux prédications de Pierre. Les Saxons, les Thuringiens, les Bavarois, les Autrichiens se moquaient même d'abord de ce voyage comme d'une folie nationale. Ils ne pouvaient voir sans étonnement tant de cavaliers, tant de fantassins abandonner leur labourage pour une conquête qui n'avait rien de certain que le danger, et renoncer à leurs possessions pour aller envahir celles d'autrui. Peu à peu ils se laissèrent persuader par ces passagers; et lorsqu'ils eurent une fois goûté cette entreprise, ils ne furent pas longtemps sans apercevoir dans le ciel des signes de la volonté de Dieu. Un prêtre allemand nommé Gothescalc, ayant ramassé quinze mille hommes traversait la Hongrie. On les traitait avec amitié et tout se passait en paix de part et d'autre, lorsque quelques Bavarois s'étant enivrés dans une ville de leur passage, se mirent à la piller, et trouvant de la résistance, massacrèrent les habitants. Ils poussèrent la fureur jusqu'à empaler au milieu de la place un jeune Hongrois. Toute la nation prend les armes; on attaque les pèlerins; ils se défendent avec vi-

gueur. Comme on ne pouvait les forcer, on les prend par
ruse. On leur fait savoir que pour obtenir la paix, il faut
qu'ils remettent leurs armes au roi de Hongrie; qu'autrement ils n'ont point de quartier à espérer. Ces hommes
brutaux, mais de bonne foi, ne se défiant pas d'un peuple
chrétien, donnent dans le piége. Mais dès qu'ils ont livré
leurs armes, on les massacre sans pitié. Le prêtre Gothescalc se sauve presque seul et regagne l'Allemagne, fort
dégoûté du métier de capitaine.

Son exemple ne rendit pas plus sage une autre bande
de près de deux cent mille croisés, Français, Anglais,
Flamands, Lorrains, ramassés de toutes parts; mélange
confus d'aventuriers, de moines apostats, d'imposteurs et
de faux prophètes, auxquels se joignit Emicon, comte d'un
pays voisin du Rhin, à la tête de douze mille hommes,
qu'il avait séduits par le récit de prétendues révélations.
Ces deux chefs s'étonnèrent qu'on allât faire la guerre aux
Musulmans, qui retenaient sous leur loi le tombeau de
Jésus-Christ, tandis qu'on laissait en paix un peuple qui
avait crucifié son Dieu. Pour enflammer les passions, ils
eurent soin de faire parler le Ciel et d'appuyer leur opinion de visions miraculeuses. Le peuple, pour lequel les
Juifs étaient partout un objet de haine et d'horreur, ne se
montrait déjà que trop disposé à les persécuter. Le commerce qu'ils faisaient presque seuls avait mis entre leurs
mains une grande partie de l'or qui circulait en Europe.
La vue de leurs richesses devait irriter les croisés, la
plupart réduits à implorer la charité des fidèles. Il est
probable aussi que les Juifs insultèrent, par leurs railleries, à l'enthousiasme des chrétiens pour la croisade. Tous
ces motifs, réunis à la soif du pillage, allumèrent le feu
de la persécution. Émicon et Volkmar donnèrent le signal

et l'exemple. A leur voix, une multitude furieuse se répandit dans les villes voisines du Rhin et de la Moselle; elle massacra impitoyablement tous les Juifs qu'elle rencontra sur son passage. Dans leur désespoir, un grand nombre de ces victimes aimèrent mieux se donner la mort que de la recevoir de leurs ennemis. Plusieurs s'enfermèrent dans leurs maisons et périrent au milieu des flammes qu'ils avaient allumées; quelques-uns attachaient de grosses pierres à leurs vêtements et se précipitaient avec leurs trésors dans le Rhin et dans la Moselle. Les mères étouffaient leurs enfants à la mamelle, en disant qu'elles aimaient mieux les envoyer dans le sein d'Abraham, que de les voir livrés à la fureur des chrétiens. Les femmes, les vieillards, sollicitaient la pitié pour les aider à mourir. Tous ces malheureux imploraient le trépas, comme les autres hommes demandent la vie. Au milieu de ces scènes de désolation, l'histoire se plaît à célébrer le zèle éclairé des évêques de Worms, de Trèves, de Mayence, de Spire, qui firent entendre la voix de la religion et de l'humanité, et dont le palais fut un asile ouvert aux Juifs contre la poursuite des meurtriers et des bourreaux.

Les soldats d'Émicon s'applaudissaient de leurs exploits, et les scènes de carnage les enivraient d'orgueil. Fiers comme s'ils avaient vaincu les Sarrasins, ils se mirent en marche chargés de butin, invoquant le Ciel qu'ils avaient si cruellement outragé. Ils étaient livrés à la plus brutale superstition, et se faisaient précéder d'une chèvre et d'une oie, auxquelles ils attribuaient quelque chose de divin. Ces vils animaux à la tête des bataillons étaient comme leurs chefs, et partageaient le respect et la confiance de la multitude avec tous ceux qui donnaient l'exemple des plus horribles excès. Les peuples fuyaient à l'approche de ces redoutables champions de la Croix. Les chrétiens que ceux-ci rencontraient sur leur route, étaient forcés d'applaudir à leur zèle et tremblaient d'en être les victimes. Cette multitude effrénée, sans connaître les peuples et les contrées qu'elle avait à traverser, ignorant même les désastres de ceux qui l'avaient précédée dans cette périlleuse carrière, s'avançait comme un violent orage vers les plaines de la Hongrie. Mersbourg leur ferma ses portes, et leur refusa des vivres. Ils s'indignèrent qu'on eût si peu d'égards pour les soldats de Jésus-Christ, et se mirent en devoir de traiter les Hongrois comme ils avaient traité les Juifs.

Mersbourg, située sur la Leytha, rivière qui va se jeter dans le Danube, était défendue par des marais. Les croisés traversent le fleuve, abattent une forêt, et forment une chaussée qui les conduit jusque sous les murs de la place. Après quelques préparatifs le signal est donné ; les échelles sont dressées contre les remparts ; on donne un assaut général. Les assiégés opposent une vive résistance, et font pleuvoir sur leurs ennemis une grêle de traits, de pierres, et des torrents d'huile bouillante. Les croisés redoublent d'ardeur, se pressent au pied des murailles, impatients de les franchir. La victoire allait se déclarer pour eux, lorsque tout à coup quelques échelles fléchissent sous le poids des assaillants, et entraînent dans leur chute les créneaux et les débris des tours que les béliers avaient ébranlées. Les cris des blessés, le fracas des ruines, répandent une terreur panique parmi les croisés. Ils abandonnent les remparts à demi ruinés, derrière lesquels tremblaient leurs ennemis, et se retirent dans le plus grand désordre.

« Dieu lui-même, dit Guillaume de Tyr, répandit l'effroi » dans leurs rangs, pour châtier leurs crimes, et pour ac- » complir cette parole du Sage : *L'impie fuit sans qu'il*

» *soit poursuivi.* » Les habitants de Mersbourg, étonnés
de leur victoire, sortent enfin de leurs remparts, et trouvent la campagne couverte de fuyards qui avaient jeté leurs
armes. Un grand nombre de ces furieux, à qui rien jusqu'alors n'avait pu résister, se laissent égorger sans défense. Plusieurs périssent engloutis dans les marais. Les
eaux du Danube et de la Leytha sont rougies de leur
sang et couvertes de leurs cadavres.

L'avant-garde de cette armée éprouva le même sort chez
les Bulgares, sur le territoire desquels elle était parvenue.
Dans les villes, dans les campagnes, ces indignes croisés
trouvèrent partout des hommes qui les surpassaient en férocité, et qui semblaient, pour rappeler ici l'esprit des
historiens du temps, avoir été placés sur le passage des
pèlerins, comme des instruments de la colère divine. Un
très-petit nombre put échapper au carnage. Parmi ceux
qui trouvèrent leur salut dans la fuite, les uns retournèrent dans leur pays, où ils furent accueillis par les railleries de leurs compatriotes; les autres arrivèrent jusqu'à
Constantinople, où les Grecs apprirent les nouveaux désastres des Latins avec d'autant plus de joie qu'ils avaient
eu beaucoup à souffrir des excès auxquels s'était livrée l'armée de Pierre l'Ermite.

Cette armée, réunie à la troupe de Gauthier, avait reçu
sous ses drapeaux des Pisans, des Vénitiens et des Génois;
elle pouvait compter cent mille combattants. Le souvenir
de leur misère leur fit respecter quelque temps les ordres
de l'empereur et les lois de l'hospitalité; mais l'abondance,
l'oisiveté, la vue des richesses de Constantinople, ramenèrent dans leur camp la licence, l'indiscipline et la soif
du brigandage. Impatients de recevoir le signal de la guerre,
ils pillèrent les maisons, les palais, et même les églises

des faubourgs de Byzance. Pour délivrer sa capitale de ces hôtes destructeurs, Alexis leur fournit des vaisseaux, et les fit transporter au-delà du Bosphore.

On ne devait rien attendre d'une troupe, mélange confus de toutes les nations, et des débris de plusieurs armées indisciplinées. Un grand nombre de croisés, en quittant leur patrie, n'avaient songé qu'à accomplir leur vœu, et ne soupiraient qu'après le bonheur de voir Jérusalem; mais ces pieuses dispositions s'étaient évanouies dans la route. Quel que soit le motif qui les rassemble, lorsque les hommes ne sont contenus par aucun frein, les plus corrompus sont ceux qui ont le plus d'empire, et les mauvais exemples font la loi. Aussitôt que les soldats de Pierre eurent passé le détroit, tous ceux qu'ils rencontrèrent dans leur marche furent des ennemis, et les sujets de l'empereur grec eurent plus à souffrir que les Turcs de leurs premiers exploits. Dans leur aveuglement, ils alliaient la superstition et la licence, et, sous les bannières de la croix, commettaient des crimes qui font frémir la nature (1). Bientôt la discorde éclata parmi eux, et leur rendit tous les maux qu'ils avaient faits aux chrétiens.

Ils avaient établi leur camp dans les campagnes fertiles qui bordent le golfe de Nicomédie. Chaque jour des partis se répandaient dans le voisinage et revenaient chargés de dépouilles. Le partage du butin excitait entre eux de fréquentes querelles. Les Français, d'un caractère présomptueux et railleur, s'attribuaient tout le succès de la

---

(1) Il y avait dans l'armée de l'ermite Pierre, dit Anne Comnène, dix mille Normands, qui firent d'horribles violences aux environs de Nicée. Ils hachèrent des enfants en pièces, ils en mirent d'autres à la broche, et exercèrent toutes sortes de cruautés contre des personnes plus âgées. (Voyez l'*Alexiade*, liv. X.) Nous n'avons pas besoin de dire ici qu'il faut se défier de l'exagération d'Anne Comnène, toujours prête à accuser les croisés.

guerre commencée, et traitaient avec mépris les Italiens
et les Allemands. Ceux-ci se séparèrent de l'armée, et,
sous la conduite d'un chef appelé Renand, ils s'avancèrent
vers les montagnes qui avoisinent Nicée. Là, ils se rendirent maîtres d'une forteresse dont ils massacrèrent la
garnison, et, quoique leur troupe fût peu nombreuse, et
qu'elle manquât de vivres, ils osèrent attendre l'armée
ennemie qui vint les assiéger. Ils ne purent résister aux
premières attaques des Turcs, et furent presque tous pas-
sés au fil de l'épée; leur général et quelques-uns de ses
soldats n'obtinrent la vie qu'en embrassant la foi de Mahomet, et en faisant le honteux serment de combattre les
chrétiens.

Lorsque la nouvelle de ce désastre parvint dans le camp
des croisés, elle y porta l'agitation et le trouble. Les Français, qui, peu de jours auparavant, ne pouvaient supporter les Allemands et les Italiens, pleurèrent leur sort tragique, et voulurent se mettre en marche pour les venger.
En vain Gauthier, qui les commandait, leur représenta que
les croisés dont ils déploraient la perte étaient morts victimes de leur imprudence, et qu'il fallait surtout éviter
leur exemple; rien ne pouvait contenir l'impatience et l'ardeur aveugle de ses soldats. Ceux-ci croyaient déjà voir
les Turcs fuir devant eux, et craignaient de ne pouvoir
les atteindre. Des murmures s'élevèrent dans l'armée chrétienne contre un général qu'on accusait de manquer de
courage, parce qu'il prévoyait des revers. On passa des
murmures à la révolte, et l'ordre du départ et de l'attaque fut arraché par la violence. Gauthier suivit en gémis-
sant une multitude indocile qui marcha en désordre vers
Nicée, et que les Turcs devaient bientôt punir du mépris
qu'elle montrait pour ses chefs.

Le sultan de Nicée, prévoyant leur imprudence, s'était avancé avec son armée, et les attendait dans une plaine couverte de bois. Après quelques heures de marche dans un pays inconnu, les chrétiens sont attaqués à l'improviste par les Turcs qu'ils croyaient en fuite. Ils se forment à la hâte en bataille, et se défendent d'abord vaillamment; mais l'ennemi avait l'avantage de la position et du nombre : ils furent bientôt enveloppés de toutes parts et mis en déroute. Le carnage fut horrible; Gauthier, qui était digne de commander à de meilleurs soldats, tomba percé de sept flèches. A l'exception de trois mille hommes qui se réfugièrent dans un château voisin de la mer, toute l'armée périt dans un seul combat, et ne fut bientôt plus, dans la plaine de Nicée, qu'un monceau d'ossements entassés pêle-mêle, déplorable monument qui devait montrer aux autres croisés le chemin de la Terre-Sainte.

Tel fut le sort de cette multitude de pèlerins qui menaçaient l'Asie, et ne purent voir les lieux qu'ils allaient conquérir. Par leurs excès, ils avaient prévenu toute la Grèce contre l'entreprise des croisades; et, par leur manière de combattre, ils avaient appris aux Turcs à mépriser les armes des chrétiens de l'Occident.

CHAPITRE IV.

Godefroi de Bouillon et les autres chefs des croisés
à Constantinople.

(1096-1097.)

ES premières troupes mal conduites et sans discipline n'étaient propres qu'à décrier la croisade. Nous allons désormais voir des armées régulières, commandées par des chefs illustres, pleins de valeur et de science militaire, dont les exploits qu'ils regardaient comme méritoires pour le ciel, leur ont du moins acquis la renommée de conquérants. Le premier qui se mit en marche fut Godefroi de Bouillon, duc de la basse Lorraine, qui mérita de donner son nom à la première croisade. Pour fournir aux dépenses nécessaires, il vendit Bouillon quinze cents marcs d'argent à l'évêque de Liège. Accompagné de son frère Baudouin et d'un grand nombre de seigneurs, qui lui amenaient la noblesse de France, de Lorraine et d'Allemagne, il partit le 15 août 1096 avec dix mille chevaux et soixante-dix mille hommes de pied, tous aguerris. Arrivé le 20 septembre sur les confins de l'Autriche et de la Hongrie, il n'entra dans le pays qu'après une entrevue avec le roi

Caloman. Ce prince traita Godefroi avec respect; il se justifia des hostilités exercées sur les troupes précédentes, dont
il avait fallu réprimer les brigandages. Il promit de donner
un passage libre, non-seulement à l'armée de Godefroi,
mais aussi à tous les croisés qui viendraient après lui. Godefroi de son côté donna parole qu'il ne permettrait de faire
aucun dégât, et son frère demeura pour otage. Tout fut
exécuté de bonne foi, et l'armée arriva sur la frontière de
Bulgarie. En y entrant, Godefroi reçut une lettre d'Alexis,
qui le priait de ne permettre aucun pillage. Il l'assurait
qu'il aurait toute liberté de commerce. A Nice, l'empereur
fit donner gratis à Godefroi tout ce qu'il fallait pour sa subsistance, et à ses troupes la liberté d'acheter des vivres.
On leur fit le même traitement dans toute la Bulgarie jusqu'à
Philippopolis où l'armée s'arrêta huit jours.

Ce fut là qu'on apprit que Hugues le Grand était avec
plusieurs seigneurs prisonnier à Constantinople. Ce prince,
frère de Philippe, roi de France, avait levé des troupes
en son nom pour les conduire à la conquête de la Terre-
Sainte. Les plus puissants vassaux de la couronne de
France, tels que Robert, duc de Normandie, fils de Guillaume le Conquérant; Étienne, comte de Chartres et de
Blois; Eustache, comte de Boulogne et frère de Godefroi
de Bouillon, s'étaient joints à lui avec leurs soldats; ce
qui composait une armée nombreuse. Ils prirent leur route
par les Alpes, reçurent à Lucques la bénédiction du Pape,
visitèrent à Rome les tombeaux des saints Apôtres; et
n'étant arrivés dans la Pouille qu'au mois de novembre,
ils mirent leurs troupes en quartier aux environs de Bari,
à dessein de passer en Grèce au retour du printemps.
Hugues, trop impatient pour attendre ce terme, voulut
reconnaître le pays par lui-même. Il s'embarque à Bari,

seulement avec trois seigneurs, et passe au rivage de
Dyrrachium, que nous nommerons désormais *Duras*. Le
duc Jean, gouverneur de cette ville, instruit de l'arrivée
des croisés dans la Pouille, avait répandu des corps-de-
garde le long des côtes, pour observer leur passage. Dès
que le prince a quitté son vaisseau, on vient à lui, on
le salue humblement, on le prie d'honorer de sa visite
le gouverneur qui souhaite ardemment de le voir et de
lui rendre tous les honneurs dûs à son illustre naissance.
Hugues, flatté de ces hommages, prend la route de Duras.
Jean vient au-devant de lui, l'aborde avec toutes les
marques du plus profond respect, le conduit à la citadelle en l'entretenant de sa brillante entreprise, qui doit
le combler de gloire en ce monde et en l'autre. Il lui
fait un magnifique festin; mais lorsque le prince songeait
à se retirer, il lui déclare dans les termes les plus hon-
nêtes qu'il ne peut laisser partir un prince de son rang,
sans avoir reçu les ordres de l'empereur, et qu'il a déjà
envoyé un courrier à Constantinople. Hugues et les seigneurs, étonnés de se trouver prisonniers, se récrient en
vain, et prennent patience jusqu'au retour du courrier.
Il ne tarda pas à revenir; mais il amenait avec lui Butumite, qui avait ordre de les conduire à Constantinople
avec une bonne escorte, et de prendre une route dé-
tournée, pour ne pas rencontrer quelque bande de croisés.
Alexis, qui n'épargnait pas les démonstrations de bienveillance, lors même qu'il n'en avait aucun sentiment dans
le cœur, s'empressa de leur faire l'accueil le plus honorable; mais bien résolu de ne pas se défaire d'otages de
cette importance, qui lui répondaient de la conduite des
croisés, il les fit garder à vue. Anne Comnène prétend
que Hugues se reconnut vassal de l'empereur et qu'il lui

jura foi et hommage. Dans ce qui concerne les croisés, cette princesse qui n'avait alors que douze ans, ne s'accorde pas en plusieurs circonstances avec les historiens Occidentaux. A-t-elle altéré l'exacte vérité pour favoriser son père? Ou doit-on imputer cette faute aux Latins? Comme l'intérêt filial me semble être encore plus vif que celui de nation, j'en croirai plutôt des auteurs, dont quelques-uns sont assez sincères, pour blâmer leurs compatriotes en ce qui est répréhensible.

Depuis un mois, Hugues et les seigneurs se voyaient avec grande impatience détenus loin de leur armée, lorsque Godefroi, informé de leur aventure, envoya demander leur liberté. En même temps il marche en avant et passe Andrinople. Sur le refus de l'empereur, la guerre est déclarée. Pendant huit jours on ravage, on brûle tous les environs de Sélymbrie, à cinquante-six kilomètres de Constantinople. Ces hostilités mettent l'empereur à la raison. Il promet de rendre les prisonniers. Le ravage cesse, et Godefroi, deux jours avant Noël, va camper à la vue Constantinople. Les prisonniers viennent aussitôt le joindre avec une grande joie de toute l'armée. Des envoyés de l'empereur invitent Godefroi à se rendre au palais avec quelques seigneurs. Mais des Français, établis à Constantinople, l'avertissent secrètement de n'en rien faire, et de se défier même des présents de l'empereur, qui pourraient être empoisonnés. Sur cet avis, Godefroi se dispense de sortir du camp. Alexis, offensé de cette injurieuse défiance, interdit tout commerce avec l'armée. Baudouin la voyant prête à manquer de tout, force l'empereur par le pillage des terres à lever cette défense. C'était le temps de Noël, et conformément à l'esprit de la fête, on se réconcilie, et ces jours se passent en paix de part et d'autre.

Cette bonne intelligence ne fut pas de longue durée. Les vues d'Alexis et celles des princes croisés étaient trop opposées. L'empereur craignait pour lui-même ce déluge d'étrangers, dont les flots successifs se réunissant auraient assez de force pour submerger l'empire. C'était l'Europe entière qui, se renversant sur l'Asie, pouvait dans ce terrible choc écraser Constantinople. De plus, ce prince artificieux voulait profiter des exploits des croisés sans qui lui en coûtât rien, et faire revenir à l'empire les conquêtes qu'ils feraient sur les Turcs. Pour réussir dans ces deux objets, il voulait faire passer en Asie ces diverses bandes de croisés à mesure qu'elles arrivaient, avant qu'elles se fussent multipliées devant sa capitale; et comme il tenait les clefs du passage, il était bien résolu de ne l'ouvrir qu'à des conditions conformes à ses vues politiques. Au contraire, les croisés pour être en état de lui donner la loi, avaient dessein de s'attendre les uns, les autres dans la plaine de Thrace; mais quant à leurs conquêtes, leur intention n'était pas de répandre leur sang pour le service des Grecs, mais pour s'établir à eux-mêmes un nouvel empire sur les ruines des peuples infidèles. Dans des projets si différents, il n'est pas étonnant qu'il soit survenu entre eux des querelles, et qu'ils ne se soient accordés ensuite qu'en apparence, sans se réunir dans un intérêt commun. Comme les croisés campés devant la ville faisaient craindre à tout moment qu'il ne leur prît envie d'y entrer et de s'en rendre maîtres, Alexis, sous prétexte de les mettre à l'abri des neiges et des pluies dont leurs tentes étaient inondées, leur offrit de les loger au-delà du pont de Blaquernes dans les maisons et les palais qui s'étendaient le long du golfe de Céras : ce qu'ils acceptèrent volontiers. Il les tenait par ce moyen séparés de la ville, et comme enfermés entre le golfe et le

Bosphore. Alors l'empereur invite de nouveau Godefroi à se rendre au palais. Le duc, toujours en défiance, lui députe trois seigneurs pour lui faire ses excuses. L'empereur supprime de nouveau les vivres, et envoie sur des barques le long du golfe des archers qui blessent et tuent même à coups de flèches ceux qui paraissent aux fenêtres, ou qui s'approchent du rivage. Godefroi, convaincu des mauvais desseins d'Alexis, songe à les prévenir. Son frère Baudouin, à la tête de cinq cents hommes, se rend maître du pont de Blaquernes. Les autres mettent le feu aux palais et aux maisons où ils avaient logé au-delà du golfe, jusqu'à plus de huit kilomètres. S'étant ensuite réunis il passent le pont à la suite de Godefroi, et trouvent dans la plaine au pied des murs une armée innombrable de Grecs prête à combattre. Comme ce n'étaient que des troupes bourgeoises sans expérience et sans courage, elles furent bientôt repoussées, quoiqu'en dise Anne Comnène, qui leur fait grand honneur de leur bravoure, et surtout à Constantin Ducas, auquel elle fut fiancée. Les croisés campent et se retranchent. Le lendemain Godefroi détache une partie de ses troupes pour aller chercher, l'épée à la main, les subsistances que l'empereur leur refusait. Ceux-ci enlèvent tout dans les campagnes jusqu'à quarante-huit ou soixante kilomètres, et reviennent six jours après chargés de butin.

Enfin Alexis, fatigué de tant de pillages et d'incendies, députe à Godefroi, pour le prier de cesser ses ravages et de le venir trouver. Il offre des otages pour la sûreté de sa personne et promet satisfaction. Godefroi y consent, pourvu que les otages soient de qualité à lui donner toute assurance. A peine les députés sont-ils sortis du camp, qu'il en reçoit d'autres de Boëmond, qui était déjà en Macédoine. Il priait le duc de ne faire aucun accommo-

dement avec l'empereur grec; mais de se retirer en Bulgarie pour y passer le reste de l'hiver. Il lui promettait
de se rendre auprès de lui avec toutes ses troupes au
commencement de mars, pour aller ensemble mettre à la
raison ce méchant prince et s'emparer de ses États. Ce
projet de Boëmond justifiait assez les défiances d'Alexis.
Godefroi, d'un caractère plus doux et plus équitable, répondit, « qu'ils avaient quitté leur patrie non pour faire des
» conquêtes sur les chrétiens, mais pour aller sous les aus-
» pices de Jésus-Christ délivrer Jérusalem du joug des infi-
» dèles : qu'il souhaitait d'exécuter ce dessein avec le secours
» de l'empereur même, s'il pouvait recouvrer et conserver
» l'amitié de ce prince. » L'empereur, instruit de cette députation de Boëmond, en fut plus ardent à solliciter une
réconciliation. Il offrit de donner son fils en otage, si Godefroi voulait venir en personne conférer avec lui. Sur
une proposition si honorable, Godefroi décampa de devant
Constantinople, et retourna faire cantonner ses troupes au-
delà du golfe, ordonnant à ses soldats de ne causer aucun
dommage, et de payer tout ce qui leur serait nécessaire.
Le lendemain, le fils de l'empereur lui étant mis entre
les mains, il passa le golfe et se rendit au palais avec
plusieurs seigneurs. Baudouin n'y entra pas; il se tint sur
le rivage avec une escorte. Godefroi et son cortége se présentèrent superbement vêtus. L'empereur, sans se lever du
trône où il était assis, les admit au baiser; ils y vinrent
à genoux. Après cette cérémonie orientale, il fit revêtir
Godefroi des habits impériaux, et lui adressant la parole :
« Je suis informé, lui dit-il, que vous êtes un prince
» puissant dans votre pays, plein de prudence et de droi-
» ture. Je vous adopte donc pour fils, et je me repose sur
» votre bonne foi, dans la confiance que par votre secours

» mon empire se maintiendra en sûreté au milieu de cette
» multitude d'étrangers qui m'environnent déjà et qui doi-
» vent encore arriver. » Ces paroles pacifiques effacèrent
tout ressentiment dans le cœur du duc. Il se donna à l'empereur non-seulement pour fils, selon l'usage des Grecs,
mais pour homme-lige, en mettant ses mains dans celles
d'Alexis. Les autres seigneurs rendirent le même hommage. Aussitôt on distribua, tant à Godefroi qu'à son cortége, de magnifiques présents. Le traité se réduisit à deux
articles. Alexis promettait avec serment « d'aider les princes
» de ses forces qu'il conduirait même en personne; de leur
» fournir des vivres à un prix raisonnable, et de ne pas
» souffrir qu'on fît tort à aucun des croisés. » Les princes
s'engageaient réciproquement « à ne rien faire contre le
» service de l'empereur; à lui remettre les principales places
» de l'empire qu'ils prendraient en Asie; et pour les autres
» terres que l'intérêt de la conquête de Jérusalem les obli-
» gerait de retenir, ils promettaient de lui prêter foi et
» hommage; bien entendu qu'ils ne seraient tenus de leur
» serment qu'autant que l'empereur serait fidèle au sien. »

Depuis cette union d'amitié jusqu'au temps où l'armée
marcha au siége de Nicée, c'est-à-dire jusqu'à l'Ascension,
pendant l'espace de cinq mois, il venait au camp toutes
les semaines deux hommes chargés de besants d'or, et d'autres apportaient dix boisseaux de Tartarons, à distribuer
au duc, aux seigneurs, aux soldats. Mais cet argent employé à l'achat des subsistances retournait au trésor du
prince, et y entraînait encore toutes les richesses des croisés. Car ce prince financier s'était rendu maître des grains,
du vin, de l'huile et de toutes les denrées, dont il était
seul marchand, sous le ministère furtif de ces âmes viles
qui se prostituaient à son avarice; et ce monopole aussi

flétrissant qu'il était lucratif l'enrichissait du sang de ses **peuples**. Godefroi, de retour au-delà du golfe, renvoya le **fils** de l'empereur. Le duc fit crier le lendemain dans son **camp** ordre de maintenir la paix avec les Grecs, le respect **envers** l'empereur, et d'observer toute justice dans le commerce. L'empereur de son côté fit publier à Constantinople défense, sous peine de la vie, de faire aucun tort aux Latins, et de commettre aucune fraude dans les poids, les mesures et le prix des denrées. Malgré la vigilance de Godefroi, cette multitude indisciplinée causait toujours quelque désordre. D'ailleurs les autres armées étaient en chemin, et Alexis craignait un orage s'il laissait tant de nuées d'étrangers se rassembler sur Constantinople. Il pressa donc Godefroi de passer en Asie, et lui fournit des navires. Les croisés y consentirent, et vers le 15 mars (1097), ils allèrent camper à Chalcédoine. Dès que la crainte fut éloignée, la cherté des vivres commença d'augmenter tous les jours. Le duc entendant les murmures de ses troupes, retournait souvent à Constantinople pour se plaindre à l'empereur, qui feignant d'ignorer le renchérissement, faisait baisser le prix pour le moment : mais c'était un jeu de l'avarice d'Alexis; le prix rehaussait bientôt, et on en était toujours à recommencer. Chalcédoine était si proche de Constantinople, qu'on pouvait passer d'une ville à l'autre deux ou trois fois en un jour.

Anne Comnène rapporte que le premier chef des croisés qui arriva près de Constantinople après le départ de Godefroi, fut un certain comte Raoul, qu'elle ne fait pas connaître autrement, et qui amenait quinze mille hommes. Les historiens des croisades n'en disent pas un mot. Voici ce qu'en raconte cette princesse. Ce capitaine campé le long du Bosphore paraissait résolu d'y attendre les autres croisés, contre l'intention d'Alexis. Pour le forcer de passer en Asie, Opus, un des meilleurs généraux de l'empire, alla lui signifier la volonté de l'empereur, à la tête d'un corps de troupes au moins égal en nombre. Raoul reçut fort mal cette invitation, à laquelle il ne répondit que par des menaces. On en vint aux mains, et les Grecs pliaient déjà, lorsqu'il leur vint fort à propos un secours imprévu. Pégasius arrivait en ce moment avec une flotte destinée à transporter cette nouvelle bande en Asie, si l'on pouvait l'engager à partir. Il s'aperçoit du désavantage des Grecs, débarque aussitôt et prend à dos les Latins, qui se voyant enveloppés, regagnent leur camp avec une grande perte. Cet échec abattit la fierté de Raoul. Il demanda lui-même le passage. Mais l'empereur craignant que s'il allait joindre Godefroi, il ne le portât à la vengeance, lui offrit de le faire conduire au Saint-Sépulcre par la voie de la mer, beaucoup plus courte et moins dangereuse. Le comte accepta la proposition et fit voile vers la Palestine. Tel est le récit d'Anne Comnène. Ce qui en diminue la vraisemblance, c'est non-seulement le silence des autres écrivains, mais encore l'impossibilité d'aborder alors en Palestine, dont tous les ports étaient possédés par les Turcs ou les Sarrasins, lorsque la grande armée des croisés arriva par terre en Syrie. Anne Comnène me paraît si mal instruite de ce qui se passa dans cette première arrivée des croisés, les Grecs lui avaient débité à ce sujet tant de mensonges, elle est si peu d'accord avec les autres historiens et quelquefois avec elle-même, elle jette dans son récit tant de confusion, que je l'abandonne ici presque entièrement, pour suivre les auteurs Latins. Le concours de ceux-ci est d'un grand poids par rapport à des événements dont plusieurs d'entre eux ont été témoins oculaires.

De tous les princes croisés celui qu'Alexis redoutait davantage était Boëmond, prince de Tarente, fils du fameux Robert Guiscard. Il avait éprouvé sa valeur naissante dans la guerre d'Illyrie, où ce prince avait fait ses premières armes au service de son père. Les batailles de Joannine, d'Arta, de Larisse, dans lesquelles Alexis s'était trouvé en personne, avaient laissé dans son âme une profonde impression de terreur. Il savait d'ailleurs que la politique de Boëmond, aussi peu scrupuleuse que la sienne, ne dédaignait pas d'employer la ruse et même l'injustice, et qu'il avait sollicité Godefroi de se joindre à lui pour s'emparer de l'empire. C'était un bonheur pour Alexis que Boëmond ne fût pas arrivé le premier, et qu'il eût été devancé par un guerrier juste et sage, capable de lui imposer et d'arrêter sa fougue naturelle. Les préparatifs nécessaires l'avaient retardé. Il était au siége d'Amalfi avec son oncle Roger, comte de Sicile, lorsqu'il apprit que les princes d'Occident passaient en Grèce. Il prend la croix aussitôt ; le même enthousiasme saisit tout le camp ; la plupart des soldats demandent et reçoivent la croix. Boëmond part à leur tête ; et son oncle presque abandonné est contraint de lever le siége et de retourner en Sicile. Boëmond, malgré son impatience, ne put s'embarquer que vers la fin de l'année 1096, lorsque Godefroi approchait déjà de Constantinople. Il débarqua dans la partie de l'Albanie nommée autrefois la Chaonie en Épire, auprès de l'Andrinople d'Albanie, qui était l'ancienne Phénicie. Son armée était de dix mille chevaux avec une nombreuse infanterie. Ses deux cousins, le vaillant Tancrède et Richard, comte du Principat, s'étaient joints à lui. On marche à Castorie, où l'on célèbre la fête de Noël. Pendant le séjour que les troupes y firent, les habitants qui les prenaient pour des brigands

plutôt que pour des pèlerins, comme en effet on pouvait
s'y méprendre, refusant de leur vendre des vivres, les
croisés, forcés par le besoin, se mirent à enlever sur les
terres les grains et les bestiaux. Animés par ce premier pillage, ils avancent en Pélagonie, où, rencontrant un château rempli de provisions, ils l'attaquent et le brûlent avec
les habitants. Sur cette nouvelle, l'empereur, qui avait en
Macédoine un assez grand corps de troupes, mande au général de prendre toutes les occasions de détruire l'armée
des croisés. Mais en même temps qu'il donne ces ordres
secrets, il envoie faire des compliments à Boëmond, il le
prie de ménager ses sujets, l'invite à venir au plus tôt à
Constantinople recevoir les marques les plus honorables de
son amitié, et lui promet de faire vendre sur toute la route
des vivres à son armée. Boëmond, qui connaissait Alexis,
paie ses civilités de remercîments aussi peu sincères, et
marche au Vardar, où il arrive le 18 février. La plus
grande partie de l'armée était déjà passée, lorsque les
troupes de l'empereur qui la côtoyaient, viennent fondre
sur le reste qu'ils espéraient écraser. Aux cris des combattants, Tancrède qui était déjà sur l'autre bord, repasse
le fleuve, suivi de deux mille cavaliers : il fond sur les
Grecs, en tue un grand nombre, fait les autres prisonniers
et les conduit à Boëmond. Interrogés, ils avouent qu'ils
ont agi par l'ordre de l'empereur. Toute l'armée indignée
veut faire une guerre ouverte. Boëmond, pour ne pas se
susciter de nouveaux obstacles, dissimule son ressentiment
et renvoie les prisonniers. Alexis intimidé, et n'espérant
plus arrêter ce torrent dans son cours, envoie un de ses
principaux officiers, avec ordre de fournir des vivres pour
de l'argent.

Après avoir traversé la Macédoine et une partie de la

Thrace, Boëmond vint camper près de la ville d'Apres. Irrité contre Alexis, qu'il haïssait depuis longtemps, il aurait volontiers entrepris de le détrôner, s'il avait eu assez de forces pour espérer y réussir malgré Godefroi. Il ne s'occupait que de projets de vengeance, lorsqu'il reçut une invitation de venir à Constantinople avec quelques-uns de ses officiers, mais sans son armée. Alexis témoignait un grand désir de le voir et de conférer avec lui. Le prince n'y était nullement disposé, et ne songeait qu'au moyen d'éviter cette entrevue, lorsque Godefroi, à la prière d'Alexis, vint le trouver accompagné de vingt autres seigneurs. Ils le pressèrent vivement de donner cette satisfaction à l'empereur, dont ils ne pouvaient se faire un ennemi, sans courir un risque évident d'échouer dans leur entreprise. Le respect de Boëmond pour Godefroi qui se rendit caution de sa sûreté, le détermina enfin à venir à la cour. Il y fut reçu avec de grands témoignages d'estime et d'amitié, dont Alexis n'était jamais avare. On lui avait préparé un logement dans le monastère de Saint-Côme et Saint-Damien, situé aux portes de Constantinople sur le golfe de Céras. La magnificence des bâtiments en faisait un palais, et les remparts dont il était environné, une forteresse. Le séjour du prince le fit nommer dans la suite le château de Boëmond. En y entrant, Boëmond trouva une table superbement servie de toutes les sortes de viandes que pouvait fournir Constantinople. Mais ce qui l'étonna davantage, ce fut de voir dans la même salle autant d'animaux fraîchement tués, qu'il y en avait d'apprêtés sur la table. On lui dit que l'empereur craignant qu'il ne s'accommodât pas de la cuisine grecque, lui envoyait les mêmes viandes sans apprêt, afin qu'il eût la liberté de les faire apprêter à son gré. Mais ce n'était qu'une raison apparente. Alexis connaissant les défiances de Boëmond, soupçonnait qu'il pourrait craindre le poison. En effet, Boëmond ne fit usage que des viandes préparées par ses cuisiniers.

En peu de jours Alexis, aidé des sollicitations de Godefroi, sut si bien agir sur le prince de Tarente, que par son adresse il l'amena enfin à lui jurer foi et hommage. Ce fut apparemment en cette occasion qu'arriva ce que raconte Anne Comnène. Un jeune comte français, choqué de voir Alexis assis sur son trône, tandis que tant de seigneurs illustres étaient debout devant lui, eut l'audace d'y monter et de s'asseoir à côté de l'empereur. Alexis n'en fit que rire ; mais Baudouin, prenant cet étourdi par la main, le fit descendre en l'avertissant que loin de faire honneur à la nation française, c'était la déshonorer que de violer les usages reçus dans celle où l'on se trouvait. Alexis, charmé d'avoir engagé à la soumission un cœur altier et intraitable, combla Boëmond de présents. Il promit de lui faire un puissant établissement en Asie, et de lui céder après la conquête un territoire de quinze journées en longueur et de huit en largeur en deçà d'Antioche. Boëmond passa ensuite le Bosphore, où son armée était déjà réunie à celle des autres princes. Pendant la cérémonie de l'hommage, le fier Tancrède rougissant pour Boëmond, et regardant cet acte de soumission comme une bassesse indigne de sa naissance et de sa valeur, s'était dérobé du palais avec Richard du Principat, pour n'être pas obligés d'en faire autant ; et s'étant mis à la tête des troupes ils les avaient fait passer en Asie. L'empereur, pour ne pas renouveler la querelle, voulut paraître l'ignorer, et continua de traiter honorablement Boëmond jusqu'à son départ.

Peu de temps après, le comte de Flandres amena des troupes encore plus nombreuses. Il avait déjà fait amitié avec Alexis neuf ans auparavant, et nul prince n'avait contribué davantage à émouvoir l'Occident pour former la croisade. Il suivit sans répugnance l'exemple de Godefroi et de Boëmond, reçut de l'empereur des présents considérables, et se rendit à Chalcédoine. Sur la fin de mars (1097) arrivèrent Robert, duc de Normandie, Étienne, comte de Chartres et de Blois, Eustache, comte de Boulogne. Après avoir passé l'hiver sur les côtes de la Pouille, ils s'étaient embarqués et avaient pris terre à Duras. Marchant sur les traces de Boëmond, mais sans faire aucun dégât ni rencontrer aucun obstacle, ils parvinrent à Constantinople, où ils ne firent nulle difficulté de prêter l'hommage. L'empereur les aida d'argent, de chevaux et d'habits; mais il ne laissait entrer dans la ville que cinq ou six seigneurs à la fois. Foucher, un des historiens de cette croisade, qui était à la suite du comte Étienne, se récrie sur la beauté de cette grande ville, sur la magnificence des édifices, le nombre des palais et des monastères, l'abondance des richesses, l'activité du commerce, et sur son immense population. Alexis avait soin de faire passer les croisés à mesure qu'ils arrivaient, afin qu'il n'y eût jamais deux armées ensemble devant Constantinople.

Un des plus puissants princes croisés et le seul qui pût le disputer à Godefroi en autorité, en sagesse, en expérience, était Raymond, comte de Toulouse et de Saint-Gilles, nommé aussi comte de Provence, dont il possédait une partie. Il avait été le premier à prendre la croix; il ne partit que le dernier, parce qu'il lui fallut rassembler les troupes de ses domaines, éloignés les uns des autres. Ce prince vénérable par ses cheveux blancs et renommé pour sa valeur, accompagné d'Aimar, évêque du Puy, légat du Saint-Siége pour la croisade, de Guillaume évêque d'Orange, et

de quantité de seigneurs de France et d'Espagne, prit sa
route à la tête de cent mille hommes par la Lombardie, le
Frioul, l'Istrie, et vint en Dalmatie. C'était le temps de
l'hiver, dont les frimas incommodèrent beaucoup l'armée
dans ce pays froid et humide, toujours couvert de brouil-
lards épais. Les habitants, la plupart pâtres et presque
sauvages; se sauvant dans les bois et les montagnes emportaient avec eux toutes les subsistances, et ne se mon-
traient que pour tomber sur les traîneurs qu'ils massacraient.
Raymond avec les seigneurs couvraient la queue de l'armée,
et courant à toutes les attaques, ils repoussèrent ces brigands, dont ils tuèrent un grand nombre. On en prit plusieurs auxquels Raymond fit couper les pieds et les mains
pour intimider les Barbares par cette horrible cruauté.
Après trois semaines de fatigues presque continuelles, arrivé
à Scodra, il y trouva Bodin roi du pays, qu'il espéra gagner
par des présents. Ce prince, en effet, lui promit la liberté
du commerce pour les vivres. Mais soit mauvaise foi de sa
part, soit qu'il ne fût pas obéi de ses sujets, les croisés
n'en furent pas mieux traités. Ils eurent beaucoup à souffrir
jusqu'à Duras, où ils n'arrivèrent qu'après quarante jours
de marche. Raymond se crut alors en sûreté, le gouverneur promettait un libre passage, et l'on reçut des lettres
de l'empereur qui ne parlait que d'amitié, de fraternité, du
désir extrême qu'il avait de le recevoir, de l'honorer, de
traiter avec lui des affaires de la chrétienté. Sur cette confiance on entre en Pélagonie; mais on s'aperçut bientôt que
ce n'était que des paroles perfides. Des essaims de Barbares,
Comans, Bulgares, Uzes, Patzinaces au service de l'empereur, voltigeaient de toutes parts, et dépouillaient, massacraient ceux qu'ils pouvaient surprendre. Deux des principaux seigneurs, Ponce Renard et Pierre son frère furent

tués. L'évêque du Puy, qui s'était séparé du gros de l'armée, fut attaqué, jeté à bas de sa mule, meurtri de coups; et il y aurait laissé la vie, si aux cris des Barbares qui se disputaient sa dépouille, on ne fût accouru à son secours. Il fallut en quelques endroits s'ouvrir un passage l'épée à la main. Pendant ces hostilités on ne cessait de recevoir des lettres pacifiques de l'empereur. Enfin on passa devant Thessalonique. Rossa, dont les habitants agissaient en ennemis, fut prise de force et saccagée. Il fallut entrer à main armée dans Rhédeste sur la Propontide, pendant que les troupes de l'empire chargeaient l'armée par derrière. On les mit en fuite et l'on pilla la ville. Les députés de l'empereur revinrent en ce lieu avec des lettres par lesquelles Alexis promettait à Raymond de le dédommager de toutes ses pertes, s'il voulait venir à Constantinople, sans être suivi de ses troupes. Godefroi, Boëmond et les autres seigneurs lui faisaient la même prière. Ils lui mandaient qu'Alexis avait pris la croix, et qu'il avait donné parole de se mettre à la tête des troupes chrétiennes.

Raymond se rendit donc à Constantinople, laissant son armée près de Rhédeste. Il fut bien reçu de l'empereur. Mais lorsqu'il fut question du serment de fidélité, il répondit « qu'il n'était pas venu au Levant pour y chercher » un maître : que si l'empereur voulait joindre ses forces » à celles des croisés et se mettre à leur tête, il lui obéirait » comme à son général; mais qu'il ne le reconnaîtrait ja- » mais pour son souverain. » Une réponse si fière piqua vivement Alexis, qui, selon son caractère, dissimula son ressentiment; et tandis qu'il amusait Raymond par de feintes caresses, il fit de nuit attaquer son armée. D'abord plusieurs soldats furent surpris et tués pendant leur sommeil. Bientôt l'alarme s'étant répandue, on repoussa les Grecs et on en tua un grand nombre. Quantité d'officiers et de soldats de cette armée, rebutés de tant de difficultés, songeaient déjà à retourner dans le pays. Raymond, au désespoir, sollicitait les autres princes de se joindre à lui pour se défaire une bonne fois de ce traître, plus à craindre pour eux que les infidèles. Mais faute de vaisseaux ils ne pouvaient faire repasser leurs troupes en Europe. Alexis y avait pourvu en faisant revenir sur-le-champ les navires qui conduisaient en Asie les diverses bandes des croisés, ou qui leur transportaient des vivres. Le comte ne put donc se venger que par les reproches qu'il fit faire à l'empereur. Cette querelle aurait eu des suites fâcheuses pour Alexis, s'il n'eût, à force de prières, engagé Godefroi, Boëmond et le comte de Flandres à calmer Raymond. Il fallut même, pour désarmer le comte, que Boëmond le menaçât de se ranger du côté de l'empereur, s'il en venait aux extrémités. L'empereur, de son côté, en présence du comte, des princes et de toute sa cour, désavoua les hostilités, et promit une entière satisfaction. Raymond, apaisé et pressé par les instances des princes, consentit à faire le serment; mais avec une restriction qui leur fit honte, en montrant qu'avec la même fermeté ils se seraient épargné ce qu'il y avait d'humiliant dans cette démarche : il jura *qu'il ne ferait jamais rien contre l'honneur et la vie d'Alexis, tant qu'Alexis tiendrait lui-même ses engagements.* Quant à l'hommage il protesta qu'il mourrait plutôt que de le rendre. Alexis fut obligé de se contenter de cette déclaration. Après la réconciliation, l'armée de Raymond eut la liberté d'approcher de Constantinople. On la fit bientôt passer à Chalcédoine. Le comte, aussi franc chevalier qu'il était fier et entier sur l'article de l'honneur, oublia de bonne foi tous les mauvais procédés d'Alexis. Celui-ci, de son côté, s'efforça de le re-

gagner par les traitements les plus honorables; il le combla
de présents; et de tous les princes croisés il n'y en eut
aucun dans la suite qui soutînt plus hautement les intérêts
de l'empereur. Il demeura quelques jours à Constantinople
avec Boëmond pour solliciter les convois des vivres, dont
l'armée manquait à Chalcédoine, et pour presser l'empereur de venir la commander en personne selon sa promesse. Mais Alexis s'en excusa toujours sur le danger
auquel son absence exposerait Constantinople de la part
des Barbares. Boëmond partit le premier, et dès qu'il fut
arrivé à Chalcédoine, on se mit en marche pour commencer
l'expédition par le siége de Nicée. On passa trois jours à
Nicomédie, où Pierre l'Ermite vint joindre les croisés
avec une poignée de malheureux échappés au glaive de
Soliman. Le récit de son désastre excita beaucoup de compassion; on s'empressa de lui fournir les secours dont lui
et sa petite troupe avaient grand besoin. De Nicomédie les
troupes marchèrent à Nicée, où l'on arriva en quatre jours.
Le siége commença le 15 mai, lendemain de l'Ascension, en
l'absence de Raymond, qui avait prié les croisés d'attendre
son arrivée. On lui répondit qu'on lui garderait sa place
dans la circonvallation; mais qu'on ne pouvait différer l'attaque. Il arriva bientôt et se distingua par son courage
dans cette fameuse entreprise.

Alexis refusant de marcher en personne, voulut au moins
joindre quelques troupes à celles des croisés, ne fût-ce que
pour ne pas paraître leur ennemi. Il en donna le commandement à Tatice, que les historiens des croisades nomment
Tatin, et dont ils font le portrait le plus affreux. C'était,
selon eux, le confident des perfidies d'Alexis, un vil scélérat,
chargé de crimes et d'infamie, dont la commission était de
rendre compte à son maître de toutes les démarches des

princes, et de mettre tout en œuvre pour les traverser. Cependant Anne Comnène nous donne une toute autre idée de ce Tatice; et nous avons vu que c'était un guerrier sage et vaillant, déjà célèbre par plusieurs victoires. La haine que les croisés avaient conçue contre Alexis, a rejailli sur son général. Ils ont attribué à l'empereur presque tous leurs désastres; et n'ont voulu voir dans Tatice qu'un fourbe subalterne.

CHAPITRE V.

*Les croisés dans l'Asie-Mineure. Siége et prise
de Nicée. Victoire de Dorylée.*

(1097.)

OUTES les forces des croisés se trouvaient assemblées devant la ville de Nicée. Elles montaient à
600,000 hommes de pied et 100,000 cavaliers. Le
siége, commencé le 15 mai 1097, le lendemain de l'Ascension, fut poussé avec une grande activité. C'était une belle
et grande ville, éloignée de Nicomédie d'environ soixante
kilomètres, située dans une plaine fertile et agréable, et en-
tourée de hautes montagnes, excepté vers l'Occident, où elle
était défendue par un grand lac qui lui procurait les denrées
des pays voisins. Elle avait encore, pour sa défense, un
peuple nombreux et guerrier, des remparts et des tours si
élevées, que les croisés ne purent s'empêcher d'en manifester leur étonnement. Elle était alors au pouvoir de Soli-
man-Sha, fondateur de la troisième dynastie des Turcs
Seljoucides. La première capitale de ce prince musulman
était Cogni, l'ancienne *Iconium;* et ses États s'étendaient
depuis l'Hellespont jusqu'à Tarse en Cilicie; de manière qu'à

la vue même de Constantinople, il faisait lever des impôts et payer le droit de passage à ceux qui se rendaient d'Europe en Asie.

Dès que ce sultan avait été informé du dessein de l'armée chrétienne sur sa capitale, il en avait renforcé la garnison de ses meilleures troupes, et s'était rendu auprès de tous les princes de sa nation pour solliciter leur secours. Ses propres soldats, et ceux que ces princes lui envoyèrent, composèrent une armée de quatre cent mille hommes, à la tête desquels il se porta sur les montagnes en présence des croisés.

Ceux-ci, ayant formé la circonvallation de la place, excepté du côté du lac, par où elle pouvait recevoir des vivres, commencèrent brusquement l'attaque avec toutes sortes de machines. L'action dura bien avant dans la nuit, et l'on recommença le lendemain avec aussi peu de succès. Soliman crut devoir profiter du découragement où il pensait que les assiégeants se trouvaient, pour descendre des montagnes où il s'était posté, et venir attaquer le comte Raymond, qui gardait, avec ses troupes, la partie méridionale du camp. Il fut reçu avec tant de vigueur par les braves Provençaux, qu'après une perte considérable, il fut contraint de se retirer. Un grand corps qu'il avait envoyé contre le quartier de Godefroi, ne fut pas plus heureux. Le lendemain, il renouvela son attaque contre les troupes de Raymond, à la tête de soixante mille hommes d'élite, soutenus par tout le reste de l'armée, qui était descendue dans la plaine. Avertis de son dessein, les autres princes marchent tous ensemble au secours du comte de Toulouse, et attaquent les Musulmans avec tant de résolution, qu'ils les mettent en déroute après en avoir tué un grand nombre. Après cette victoire, les vainqueurs, pour engager les assiégés à se rendre, lancèrent dans la ville, à l'aide des machines de guerre, les têtes de plusieurs centaines de vaincus, et en envoyèrent mille à l'empereur, qui, en échange de ce présent, leur fit passer des étoffes précieuses, des vivres et de l'argent.

Soliman, perdant l'espérance de faire lever le siége, s'éloigna de la ville, après avoir fait dire aux assiégés qu'il leur permettait de se rendre, s'ils ne trouvaient pas d'autre moyen de sauver leur vie et l'honneur de leurs femmes et de leurs filles. Abandonnés de leur prince, ils continuèrent néanmoins de se défendre avec beaucoup de courage et d'opiniâtreté, parce que le lac étant libre, ils pouvaient recevoir de temps en temps quelques secours. Parmi ceux de leurs guerriers qui se signalaient le plus par leur bravoure, il y en eut un qui attira sur lui, par une intrépidité vraiment héroïque, les regards et l'admiration de toute l'armée.

Ce vaillant homme, qui ressemblait à un géant par l'énorme masse de son corps, par sa force prodigieuse et par son air féroce et menaçant, s'était chargé de la défense d'une tour élevée, à laquelle le comte Raymond livrait de furieuses attaques. Debout sur la plate-forme, il lançait contre les chrétiens, avec une extrême raideur, des traits d'une grosseur démesurée, auxquels il n'y avait ni cuirasse, ni bouclier qui pussent résister. Dans son orgueil, il insultait même aux malheureux qui tombaient sous ses coups ; et, ajoutant les injures aux railleries, il reprochait aux soldats et aux officiers leur faiblesse et leur lâcheté. Il fit plus : voyant que son arc et ses traits ne pouvaient plus lui servir contre ceux qui, en faisant la tortue, s'étaient avancés jusqu'au pied de la tour, il jeta son bouclier et ses armes ; et, saisissant de ses deux mains des pierres d'une énorme grosseur, il les faisait tomber sur ceux qui sapaient la muraille. Chose incroyable ! mais attestée par un témoin oculaire, ayant la poitrine hérissée de flèches qu'on lui avait

tirées, il ne cessa ni de jeter des pierres aux assiégeants,
ni de leur crier des injures. Enfin, Godefroi, qui était accouru de son quartier dans cet endroit, ne pouvant souffrir
l'insolence de ce barbare, l'ajusta si bien, qu'il lui perça le
cœur d'un coup de flèche et le fit tomber dans le fossé.

Sa mort n'empêcha pas les assiégés de continuer à se
défendre avec une grande valeur. Afin de leur ôter la ressource du lac qui bordait la ville au couchant, les croisés
y firent transporter, avec la permission de l'empereur, des
bateaux qui se trouvaient en grand nombre dans le port de
Cybottus. Quand, à la pointe du jour, les infidèles, entendant le son des trompettes, portèrent leurs regards sur le
lac d'où venait le bruit, ce ne fut qu'avec le plus grand
étonnement qu'ils le virent couvert d'une flotte. Toutefois
ils ne perdirent pas courage pour le moment; mais, lorsque
enfin le comte de Toulouse eut fait tomber la grosse tour
qu'il attaquait depuis longtemps, ils traitèrent avec Butumite, ministre de l'empereur, dont la flottille était maîtresse
du lac. Dès le commencement du siége, cet homme les
avait sollicités de se rendre à son maître plutôt qu'aux
croisés, en leur faisant de belles promesses, et en assurant la
femme et la sœur de Soliman, renfermées dans la place,
du traitement le plus honorable. On avait caché avec soin
aux croisés cette perfide négociation, afin que la ville s'é-
tant rendue à l'empereur, ce prince pût avoir un prétexte
plausible pour ne pas exécuter la promesse qu'il avait faite
de leur abandonner le butin des villes dont ils se rendraient maîtres.

De larges ouvertures avaient été faites aux murs de la
place, et l'on était sur le point de monter à l'assaut, lorsque
Butumite, ayant conclu le traité avec les habitants, les troupes
grecques, qui étaient sur le lac, entrèrent dans la ville.

Au bruit imprévu des instruments guerriers et des acclamations de joie, les croisés suspendent leur attaque. La vue
des enseignes impériales arborées sur les remparts révolte
les esprits, on se récrie contre la mauvaise foi d'Alexis,
qui prétend jouir seul d'une conquête pour laquelle on a
versé des torrents de sang; et les soldats en fureur se disposent à forcer la ville et à la conquérir de nouveau sur
leurs perfides alliés. Ainsi, une place où l'on épargnait le
sang des infidèles, allait être inondée de celui des Grecs,
si les princes n'eussent arrêté la fougue de leurs soldats.
Cependant Alexis, voulant couvrir sa perfidie de belles ap-
parences, envoya des présents magnifiques à tous les chefs,
et fit de grandes largesses à leurs troupes, pour les dédommager des dépouilles des vaincus dont il s'était emparé.
Mais ce qui fit le plus de plaisir à l'armée, ce fut la liberté
à laquelle furent rendus les prisonniers, restes infortunés
de la défaite de Gauthier sans avoir et de Pierre l'Ermite.

Le siége de Nicée avait duré de sept semaines à cinquante-
deux jours. Il coûta la vie à treize mille chrétiens et à deux
cent mille Musulmans. Quand on eut réglé tout ce qui
concernait l'armée, les princes se rendirent à Constantinople, d'après l'invitation d'Alexis, qui, toujours dissimulé,
leur fit un accueil qu'ils auraient cru sincère, s'ils avaient
moins connu son penchant à la dissimulation. Cependant le
fier Tancrède ne put résister aux marques d'honneur et
d'affection dont il était l'objet; il consentit enfin à faire le
serment de foi et hommage pour lequel il avait montré la
plus forte répugnance. Quelques jours après, les seigneurs
prirent congé d'Alexis, emmenant avec eux Tatice et un
renfort de troupes grecques, commandées par cet espion,
qui était chargé de prendre, au nom de l'empereur, possession des places dont on ferait la conquête.

La ville de Nicée s'était rendue le 20 juin 1097 ; sur la fin de ce mois, l'armée se mit en marche vers la Syrie. Trois jours après, elle se sépara avant le jour en deux grands corps, qui ne devaient s'éloigner l'un de l'autre que d'environ huit kilomètres. La facilité de se procurer des vivres et des fourrages était le motif de cette séparation. Boëmond, le duc de Normandie, Tancrède, et Hugues, comte de Saint-Paul, prirent la gauche ; Godefroi et les autres chefs marchèrent à droite.

L'armée marchait ainsi sur deux lignes parallèles, quand Boëmond, qui s'était engagé dans une vallée près de Dorylée, en Phrygie, fut averti le troisième jour par ses éclaireurs qu'il allait avoir sur les bras toute l'armée de Soliman, forte de cent cinquante mille chevaux, et de deux cent mille hommes de pied. A peine avait-il entendu ce rapport, que, levant les yeux sur les montagnes qu'il avait à gauche, il y vit s'élever un gros nuage de poussière, et entendit les cris effroyables que poussaient une multitude de Barbares, dans l'intention de jeter la terreur parmi les chrétiens. Bientôt parut Soliman, à la tête de ses meilleures troupes, descendant de la montagne pour attaquer l'armée de Boëmond, qu'il croyait frappée de terreur et en désordre. Ce prince, qui, dans les circonstances les plus périlleuses, conservait sa présence d'esprit, prit sur-le-champ toutes les mesures qu'exigeait le danger où il se trouvait. Après avoir expédié à Godefroi quelques cavaliers pour l'informer de sa situation, il ordonna à son infanterie de rétablir le camp qu'elle venait de quitter, de le palissader et de le fortifier encore, quoiqu'il fût placé entre un large ruisseau et un grand marais. Il se mit ensuite avec le duc de Normandie et le comte de Blois à la tête de la cavalerie, et marcha fièrement aux ennemis, qui s'arrêtèrent suivant l'ordre qu'ils avaient reçu de Soliman.

A la première attaque, les Turcs font pleuvoir sur les croisés une grêle de traits, en poussant des cris affreux. Ceux-ci fondent sur eux avec tant d'impétuosité, qu'ils les obligent à prendre la fuite. Les Barbares, accoutumés à combattre en fuyant, font volte-face contre ceux qui les poursuivent, et reviennent à la charge avec plus de fureur encore qu'auparavant. Cette manière de se battre, inconnue aux chrétiens, leur causa une grande perte, par le peu de précaution qu'ils prirent dans la poursuite.

Pendant que l'on se battait ainsi d'un côté, un corps d'ennemis attaquait le camp, le forçait et massacrait sans pitié les femmes, les enfants, les ecclésiastiques, et autres personnes sans défense qui y étaient restées. Tout était perdu, si Boëmond ne fût accouru promptement pour soutenir les soldats, qui, disputant le terrain pas à pas, étaient sur le point de céder au grand nombre. Soliman profita du départ de ce prince pour se jeter sur ses troupes, affaiblies par celles qu'il avait emmenées avec lui, et les fit plier après une longue résistance. Dans cette extrémité, le duc de Normandie, qui les commandait, ne consulte que son courage; il arrache la cornette blanche, bordée d'or, des mains du cavalier qui la portait et se laissait entraîner par la foule des fuyards. *Dieu le veut!* *Dieu le veut!* s'écrie ce brave prince; et en même temps il se précipite au milieu des bataillons ennemis, suivi d'une troupe d'autres braves qui s'étaient assemblés autour de lui. A ce spectacle, les soldats qui fuyaient, rougissent de leur frayeur; ils s'animent d'un nouveau courage; ils s'élancent contre les escadrons des infidèles, et renversent tout ce qui se trouve sur leur passage.

Cette ardeur ne fit qu'augmenter au retour de Boëmond.
Après avoir repoussé les ennemis qui pillaient le camp,
il se joignit au duc de Normandie, comme il venait de
rétablir le combat. L'acharnement des Turcs était si grand,
et leur nombre, qui croissait sans cesse, si considérable,
que les croisés se trouvèrent bientôt enfermés dans une
circonvallation qui ne leur laissait d'espace libre que du
côté de leur camp. Dans cette circonstance, périrent un
bon nombre de braves soldats, atteints par les flèches
ennemies qui volaient de tous côtés. Parmi cette multitude de combattants et d'autres personnes que le danger
commun enflammait d'une égale ardeur, chacun avait sa
fonction, chacun s'efforçait de faire éclater le zèle le plus
courageux. Les soldats s'animaient de plus en plus en
voyant leurs chefs braver à la tête des colonnes les efforts
de l'ennemi; les prêtres et les clercs imploraient à grands
cris, et en versant des larmes, le secours du Dieu des
armées; et les femmes elles-mêmes signalaient leur courage, les unes en portant de l'eau aux soldats, que la
soif tourmentait, les autres en relevant les blessés, et en
les portant au camp sur leurs épaules.

Mais quels que fussent les efforts de ce corps d'armée, il
aurait infailliblement succombé si Godefroi de Bouillon ne
fût arrivé à son secours. Ce prince était accompagné du
comte de Toulouse, de Hugues le Grand, de ses deux frères
Baudouin et Eustache, et de quarante mille cavaliers d'é-
lite. Dès que ces troupes parurent au sommet de la montagne, les soldats de Boëmond, qui pliaient de tous côtés,
reprirent le courage qui les abandonnait; et les ennemis
se retirèrent sur les hauteurs d'où ils étaient descendus.

Quand l'infanterie, qui suivait la cavalerie, eut débouché
dans la vallée, les princes rangèrent l'armée en bataille

sans donner le temps aux soldats qui avaient combattu de prendre de la nourriture. En faisant leurs dispositions, ils encourageaient les troupes, en leur montrant la croix qui paraissait sur leurs drapeaux et sur leurs casaques. « Les » ennemis que vous avez devant les yeux, leur criaient- » ils, sont les mêmes que vous avez vaincus deux fois sous » les murs de Nicée. Quelle crainte peuvent vous inspirer » de lâches Arabes qui méritent bien plus le nom de voleurs » que celui de soldats? Voyez combien leur contenance est » mal assurée, maintenant qu'ils savent que ce n'est plus » à une faible portion de l'armée, mais à l'armée tout » entière qu'ils vont avoir affaire. Si cette considération ne » suffit pas, rappelez-vous le vœu que vous avez fait de » vaincre ou de mourir pour la cause de Jésus-Christ : » pensez à ce généreux dévouement par lequel vous avez » renoncé à votre patrie, à vos parents, à vos femmes, à » vos enfants, à vous-mêmes. Si vous mourez les armes à » la main, vous trouverez dans le ciel la digne récompense » d'une si belle mort. Quelle gloire vous attend, si vous » êtes vainqueurs! De quel courage vous vous sentirez » animés pour de nouveaux exploits! Que de richesses vous » procureront les dépouilles de l'ennemi! Quel que soit » votre sort, morts ou vainqueurs, vous avez tout à espé- » rer, la gloire et le bonheur. Que rien donc ne vous » inquiète! que rien ne vous arrête! Précipitez-vous sur » cette méprisable armée : ce n'est qu'un tas de paille que » votre souffle aura bientôt dissipé. » A cette courte ha- rangue, les princes firent succéder le cri de *Dieu le veut!* *Dieu le veut!* Toute l'armée, enflammée d'ardeur, y répondit par un cri semblable, dont retentirent les montagnes et les vallées des environs. Lorsqu'elle eut fait la prière et reçu la bénédiction des évêques, elle se mit en marche dans le plus bel ordre et à petits pas vers l'ennemi, qui se tenait ferme et immobile dans la position qu'il avait prise.

Dès qu'elle eut essuyé la première décharge des infidèles, le comte Raymond, qui commandait le corps de bataille, fit promptement avancer sa cavalerie, la lance baissée, contre les escadrons qui lui étaient opposés. Ceux-ci, ne pouvant soutenir un si rude choc, furent bientôt enfoncés. L'infanterie acheva leur défaite. Dans ce moment Godefroi et Boëmond, qui avaient étendu et courbé les deux ailes, placées sous leur commandement, battaient avec le plus grand succès les deux flancs de l'ennemi, qui, attaqué sur ses derrières par le corps sous les ordres de l'évêque Adhémar, se mit dans une déroute complète. Ainsi fut dispersée, comme dans un clin d'œil, cette armée de Soliman, qui avait été sur le point de détruire tout le corps de Boëmond. On poursuivit les fuyards jusqu'à la nuit; et le camp des ennemis, qui était à huit kilomètres de là, tomba au pouvoir des croisés. Les vainqueurs y trouvèrent beaucoup de vivres, des tentes magnifiquement ornées, d'immenses trésors, toutes sortes de bêtes de somme, et surtout un grand nombre de chameaux. La vue de ces animaux, qu'on ne connaissait point en Occident, leur causa autant de surprise que de joie. Ils montèrent les chevaux des Sarrasins pour poursuivre les débris de l'armée vaincue. Vers le soir ils revinrent dans leur camp, chargés de butin et précédés de leurs prêtres, qui chantaient des hymnes et des cantiques en actions de grâces. Les chefs et les soldats s'étaient couverts de gloire dans cette journée. Nous avons nommé les principaux de l'armée. Les historiens en citent plusieurs autres, tels que Baudouin de Beauvais, Galon de Calmon, Gaston de Béarn, Gérard de Chérisi; tous signalèrent leur bravoure par des exploits, dont la mémoire, dit Guillaume de Tyr, ne périra jamais.

Le lendemain de la victoire, les croisés se rendirent sur le champ de bataille pour enterrer les morts. Ils avaient perdu quatre mille de leurs compagnons ; ils leur rendirent les derniers devoirs en versant des larmes. Le clergé fit pour eux des prières, et l'armée les honora comme des martyrs. On passa bientôt de ces cérémonies funèbres aux transports d'une joie folle. En dépouillant les Sarrasins, on se disputa leurs habits sanglants. Dans l'excès de leur ivresse, tantôt les soldats chrétiens endossaient l'armure de leurs ennemis, et se revêtaient des robes flottantes des Musulmans ; tantôt ils s'asseyaient dans les tentes des vaincus, et se moquaient du luxe et des usages de l'Asie. Ceux qui n'avaient point d'armes prirent les épées et les sabres recourbés des Sarrasins, et les archers remplirent leur carquois des flèches qu'on leur avait lancées dans le combat.

L'ivresse de la victoire ne les empêcha point cependant de rendre justice à la bravoure des Turcs, qui se vantaient dès lors d'avoir une origine commune avec les Francs. Les historiens contemporains, qui ont loué la valeur des Turcs, ajoutent qu'il ne manquait à ceux-ci que d'être chrétiens pour être en tout comparables aux croisés. Ce qui prouve d'ailleurs que les croisés avaient une haute idée de leurs ennemis, c'est qu'ils attribuèrent leur victoire à un miracle. Deux jours après la bataille, dit Albert d'Aix, les infidèles fuyaient encore sans que personne les poursuivît, *si ce n'est Dieu lui-même*. Après la victoire, l'armée chrétienne invoqua les noms de saint Georges et de saint Démétrius, qu'on avait vus, disait-on, combattre dans les rangs des chrétiens. Cette pieuse fable s'accrédita parmi les Latins et même parmi les Grecs. Longtemps après la bataille, les Arméniens élevèrent une église dans le voisinage de Dorylée. Le peuple s'y rassemblait chaque année le premier

vendredi de mars, et croyait voir paraître saint Georges à
cheval et la lance à la main.

Tandis que les croisés se félicitaient de leur victoire, le
sultan de Nicée, qui n'osait plus se mesurer avec les chrétiens, entreprit de ravager le pays qu'il ne pouvait défendre.
A la tête des débris de son armée vaincue, et suivi de dix
mille Arabes qui étaient venus le joindre, il devança les
croisés et dévasta ses provinces. Les Turcs brûlaient les
moissons, pillaient les villes, les bourgs et les églises des
chrétiens; ils entraînaient à leur suite les femmes et les enfants des Grecs, qu'ils gardaient en otage. Les rives du
Méandre et du Caïstre, la Cappadoce, la Pisidie, l'Isaurie,
tout le pays jusqu'au mont Taurus fut livré au pillage et
ravagé de fond en comble.

Quand les croisés se remirent en marche, ils résolurent
de ne plus se séparer comme ils l'avaient fait en entrant
dans la Phrygie. Cette dernière résolution les mettait à
l'abri de toute surprise; mais elle exposait une armée trop
nombreuse à périr de faim et de misère dans un pays dévasté par les Turcs. Les chrétiens, qui marchaient sans
prévoyance, et n'étaient jamais approvisionnés que pour
quelques jours, ne tardèrent pas à manquer de vivres. Ils
ne trouvèrent sur leur chemin que des campagnes dé-
sertes, et n'eurent bientôt pour subsister que les racines
des plantes sauvages et quelques gerbes de blé échappées
au ravage des Sarrasins. Le manque d'eau et de fourrages fit périr le plus grand nombre des chevaux de
l'armée.

La plupart des chevaliers qui méprisaient les fantassins, furent obligés, comme eux, de marcher à pied et
de porter leurs armes, dont le poids suffisait pour les
accabler. L'armée chrétienne offrit alors un étrange spec-

tacle : on vit des chevaliers montés sur des ânes et sur des bœufs, s'avancer à la tête de leurs compagnies. Des béliers, des chèvres, des porcs, des chiens, tous les animaux qu'on pouvait rencontrer étaient chargés des bagages, qui, pour la plupart, restèrent abandonnés sur les chemins.

Les croisés traversaient alors la partie de la Phrygie que les anciens appelaient la *Phrygie brûlée*. Lorsque leur armée arriva dans le pays de Sauria, elle y éprouva toutes les horreurs de la soif; les plus robustes soldats ne pouvaient résister à ce terrible fléau. On lit dans Guillaume de Tyr, que cinq cents personnes périrent dans un seul jour. On vit alors, disent les historiens, des femmes accoucher avant le temps, au milieu d'une campagne brûlante; on en voyait d'autres se désespérer auprès de leurs enfants qu'elles ne pouvaient plus nourrir, implorer la mort par leurs cris, et, dans l'excès de leur désespoir, se rouler par terre à la vue de l'armée. Les auteurs du temps n'oublient pas, dans leurs récits, les faucons et les oiseaux de chasse dont les chevaliers se faisaient suivre en Asie, et qui périrent presque tous sous un ciel dévorant. Les croisés invoquèrent en vain les miracles que Dieu avait autrefois opérés dans le désert pour son peuple choisi. Les stériles vallées de la Pisydie retentirent pendant plusieurs jours de leurs prières, de leurs plaintes, et peut-être aussi de leurs blasphèmes.

Au milieu de ces campagnes embrasées, ils firent enfin une découverte qui pouvait sauver l'armée, mais qui fut sur le point de lui devenir aussi funeste que les horreurs mêmes de la soif.

Les chiens qui suivaient les croisés avaient abandonné leurs maîtres, et s'égaraient dans les plaines et les mon-

tagnes pour chercher une source. Un jour qu'on en vit
revenir au camp plusieurs dont le poil paraissait couvert
d'une poussière humide, on jugea qu'ils avaient trouvé de
l'eau; quelques soldats les suivirent, et découvrirent une
rivière. Toute l'armée s'y précipita en foule; les croisés,
accablés de chaleur et de soif, se jetèrent dans l'eau et se
désaltérèrent sans précaution. Plus de trois cents d'entre eux
en moururent presque subitement; plusieurs autres tombèrent gravement malades et ne purent continuer leur route.

Enfin l'armée chrétienne arriva devant Antiochette, qui
lui ouvrit ses portes. Cette ville, capitale de la Pisydie, était
située au milieu d'un territoire coupé de prairies, de rivières et de forêts. La vue d'un pays riant et fertile engagea
les chrétiens à se reposer quelques jours, et leur fit bientôt oublier tous les maux qu'ils avaient soufferts.

Comme le bruit de leur marche et de leurs victoires s'é-
tait répandu dans tous les pays voisins, la plupart des
villes de l'Asie-Mineure, les unes par crainte, les autres
par affection pour les chrétiens, leur envoyèrent des députés pour leur offrir des secours et leur jurer obéissance.
Alors ils se virent maîtres de plusieurs pays dont ils ignoraient les noms et la position géographique. La plupart
des croisés étaient loin de savoir que les provinces qu'ils
venaient de soumettre avaient vu les armées d'Alexandre et
les armées de Rome, et que les Grecs, habitants de ces
contrées, descendaient des Gaulois, qui, au temps du second Brennus, étaient partis de l'Illyrie et des rives du
Danube, avaient traversé le Bosphore, pillé la ville d'Héraclée, et fondé une colonie sur les rives du Halys. Sans
rechercher les traces de l'antiquité, les nouveaux conquérants firent relever les églises des chrétiens, et parcoururent
le pays pour amasser des vivres.

Pendant leur séjour à Antiochette, la joie de leurs conquêtes fut un moment troublée par la crainte qu'ils eurent de
perdre deux de leurs chefs les plus renommés. Raymond,
comte de Toulouse, tomba dangereusement malade. Comme
on désespérait de sa vie, on l'avait déjà étendu sur la
cendre, et l'évêque d'Orange récitait les litanies des mou-
rants, lorsqu'un comte saxon vint annoncer que Raymond
ne mourrait point de cette maladie, et que les prières de
saint Gilles avaient obtenu pour lui *une trève avec la mort.*
Ces paroles, dit Guillaume de Tyr, rendirent l'espérance à
tous les assistants, et bientôt Raymond se montra aux
yeux de l'armée, qui célébra sa guérison comme un miracle.

Dans le même temps, Godefroi, qui s'était un jour égaré
dans une forêt, avait couru le plus grand danger en défendant un soldat attaqué par un ours. Vainqueur de la
bête féroce, mais blessé à la cuisse, et perdant tout son
sang, il fut ramené mourant dans le camp des croisés. La
perte d'une bataille aurait répandu moins de consternation
que le douloureux spectacle qui s'offrit alors aux yeux des
chrétiens. Tous les croisés versaient des larmes et faisaient
des prières pour la vie de Godefroi. La blessure ne se trouva
pas dangereuse; mais affaibli par la perte de son sang, le
duc de Bouillon resta longtemps sans reprendre ses forces.
Le comte de Toulouse eut, comme lui, une longue conva-
lescence, et tous deux furent, pendant plusieurs semaines,
obligés de se faire porter à la suite de l'armée dans une
litière.

De plus grands malheurs menaçaient l'armée des croisés.
Jusqu'alors la paix avait régné parmi eux, et leur union
faisait leur force. Tout à coup la discorde éclata entre
quelques chefs, et fut sur le point de gagner toute l'armée. Tancrède, et Baudouin, frère de Godefroi, l'un con-

duisant une troupe de guerriers Flamands, l'autre des soldats Italiens, furent envoyés à la découverte, soit pour
dissiper les bandes éparses des Turcs, soit pour protéger
les chrétiens, et obtenir d'eux des secours et des vivres (1).
Ils avaient pris différents chemins pour entrer en Cilicie.
L'un était suivi de six cents cavaliers et d'un moindre
nombre de fantassins; l'autre avait un peu moins de cavalerie et d'infanterie. Tancrède suivit le chemin de la mer,
et arriva le premier devant la ville de Tarse, capitale de
la province. Il s'en rendit maître, après avoir mis en déroute la garnison turque, qui était sortie pour le combattre;
et, du consentement des habitants qui presque tous étaient
chrétiens, il fit arborer sa bannière sur la principale tour.

Baudouin, qui avait pris le chemin des montagnes, arriva quelques jours après, et reçut de Tancrède un accueil
plein d'amitié. Cette bonne intelligence ne fut pas de longue
durée. Le lendemain au matin, Baudouin ayant aperçu la
bannière de Tancrède qui flottait sur la grande tour, son
orgueil en fut si vivement blessé, qu'il le menaça de le
chasser de la ville, s'il ne la faisait enlever pour faire place
à la sienne. Tancrède, qui n'était pas le plus fort, crut devoir dissimuler son ressentiment; il enleva sa bannière,
partit avec sa troupe, et se porta sur Mamistra, l'ancienne
Mopsueste, et en chassa les Turcs, quoiqu'elle fût une des
plus fortes places de la province.

Après s'être assuré la possession de Tarse, Baudouin se
remit en marche pour faire de nouvelles conquêtes, et vint
camper auprès de Mamistra, au moment où Tancrède donnait ses ordres soit pour en réparer, soit pour en augmenter les fortifications. Cette nouvelle insulte excite dans le

(1) Michaud.

cœur de celui-ci le sentiment de la plus violente fureur. Il fait prendre les armes à ses soldats contre leurs frères, et court se jeter sur la troupe de Baudouin, qui se dispose promptement à repousser cette attaque avec vigueur. Après un combat rude et sanglant, où périrent plusieurs braves guerriers des deux partis, Tancrède se vit contraint de céder au nombre et d'abandonner la place. Richard, prince de Salerne, son cousin, et Robert d'Anse, tombèrent avec plusieurs autres entre les mains du vainqueur.

Quand la nuit fut venue et que les deux chefs eurent le loisir de faire des réflexions sur ce malheureux événement, ils ne purent s'empêcher, chacun de leur côté, d'en prévoir les funestes conséquences pour les intérêts communs de l'armée et pour le succès de l'expédition. Aussi, dès la pointe du jour, s'envoyèrent-ils mutuellement quelques-uns de leurs amis pour conclure la paix. Comme ils y étaient également disposés, elle fut bientôt faite. Les prisonniers furent rendus de part et d'autre, et ces deux rivaux s'embrassèrent en se faisant mille protestations de repentir et d'amitié. Baudouin alla ensuite rejoindre le gros de l'armée; et Tancrède, ayant réuni à sa troupe des pirates flamands et hollandais, qui, après être débarqués à Tarse, s'étaient joints aux soldats de Baudouin, conquit aisément tout le reste de la Cilicie jusqu'à Alexandrette.

Après la guérison de Godefroi, la grande armée quitta la Pisydie et entra dans la Lycaonie, où elle s'empara de la ville de Cogni. De cette dernière province, elle se porta sur Héraclée, et ensuite sur la Cappadoce, dont la capitale, Césarée, tomba en son pouvoir. De là elle fit son entrée dans la petite Arménie, et y remporta plusieurs avantages contre les Turcs. Pendant cette marche aussi longue que pénible, elle avait soumis un grand nombre de villes et de places fortes. Comme l'empereur Alexis ne tenait aucun des engagements qu'il avait contractés avec les chefs de la croisade, ceux-ci établirent dans toutes leurs conquêtes des gouverneurs, pour y commander sous leur autorité.

De hautes montagnes s'élevaient à la droite de l'armée, entre elle et la ville d'Antioche. Après avoir employé plusieurs jours à les traverser, elle arriva à Marésie, place située à soixante kilomètres en avant de cette ville, et dont les habitants sortirent en foule au-devant d'elle, en faisant retentir les airs de leurs acclamations. Pendant qu'elle se délassait dans cet endroit de ses fatigues au milieu de l'abondance de tous les biens, Baudouin, frère de Godefroi, se laissant persuader par un soldat arménien, se mit à la tête de deux cents cavaliers et d'un plus grand nombre de gens de pied, et se dirigea vers le nord. Comme les chrétiens, dont le pays était rempli, favorisaient sa marche, il arriva bientôt et sans obstacle sur les bords de l'Euphrate.

La grande renommée de ce prince fit espérer aux habitants d'Edesse, ville située sur l'emplacement de l'ancienne Ragès, et qui alors se trouvait isolée au milieu des pays envahis par les infidèles, qu'ils auraient en lui un puissant protecteur contre leurs ennemis. Ils lui envoyèrent donc des députés pour l'inviter à leur prêter son secours. Baudouin accepte leur proposition, et, suivi seulement de quatre-vingts cavaliers, il se rend à Edesse, où il est reçu comme en triomphe et aux acclamations de tous les habitants. Le prince, qui était un Grec avancé en âge et incapable de les défendre, l'adopte aussitôt pour son fils, le désigne pour son successeur, et partage avec lui toute son autorité. L'attachement des Édesséniens pour leur nouveau prince excita bientôt la jalousie de l'ancien, qui ne voulut plus traiter Baudouin que comme un chef d'aventuriers qu'il avait pris à sa solde. Indigné de cette mauvaise foi, celui-ci se disposait à quitter la ville, lorsque les habitants, informés de sa résolution, s'opposèrent unanimement à son départ. Il se rendit à leur vœu et les délivra même des vexations d'un Turc qui commandait dans une ville du voisinage : pour lui témoigner leur reconnaissance, ils ôtèrent la vie à leur prince, et se mirent entièrement sous son obéissance.

Le premier usage que Baudouin fit de son autorité et des trésors de son prédécesseur, fut l'acquisition de la forte place de Samosate sur l'Euphrate, que le Musulman qui la possédait aima mieux vendre que de s'exposer à la perdre par un siége. Ce prince prit ensuite à sa solde de bonnes troupes avec lesquelles il s'empara de toutes les places qui, par leur voisinage, pouvaient inquiéter la capitale de sa principauté. Ce fut ainsi que, le premier des seigneurs croisés, il fonda en Orient un État qui fut borné à l'Occident par la Cappadoce; à l'Orient, par la Mésopotamie; au Midi, par Séleucie sur le Tigre; et au Nord, par les places fortes du mont Taurus : encore eut-il le bonheur de les réunir à sa principauté par le mariage qu'il contracta avec la nièce d'un prince d'Arménie, après la mort de sa femme qui, l'ayant suivi à la croisade, venait de mourir à Marésie.

CHAPITRE VI.

Siége et prise d'Antioche par les croisés.
(1097-1098.)

ANDIS que Baudouin s'occupait d'agrandir sa principauté par des conquêtes, la grande armée chrétienne, réduite à trois cent mille hommes par la disette, par le manque d'eau, par les attaques continuelles qu'elle avait eues à soutenir, continuait sa marche vers Antioche. Arrivée sur les bords de l'Oronte, nommé alors le Farfar, elle passa ce fleuve malgré les Musulmans; et, au son des trompettes et toutes les enseignes déployées, elle alla camper à une petite distance de la ville, le mercredi 21 octobre.

Antioche, dont il ne reste plus aujourd'hui que d'assez belles ruines, était encore alors une grande et forte ville, dont la plupart des habitants étaient chrétiens. Elle était située dans une contrée fertile et délicieuse, entre les monts Amanus et Oronte, et sur le fleuve de ce dernier nom, qui arrosait ses remparts du côté de l'Occident. Sa longueur de l'Est à l'Ouest, sans y comprendre les faubourgs, était de 4 kilomètres, et sa largeur un peu moindre. Elle enfermait deux collines, l'une au Midi et l'autre à l'Orient, et deux éminences moins considérables. Ses murailles, qui étaient d'une hauteur et d'une épaisseur extraordinaires, étaient fortifiées de plus de quatre cents tours, d'un fossé très-profond, et d'une contrescarpe bien palissadée. Un marais et un étang en défendaient les approches du côté de la plaine. De plus, elle renfermait une armée de sept mille cavaliers et de soixante et dix mille hommes d'infan-terie, et de deux châteaux forts situés sur une montagne, dont l'un servait de palais au soudan Assian qui y régnait depuis quatorze ans, époque où les Turcs avaient enlevé cette ville aux Arabes. C'était donc une entreprise extrê-mement difficile, que la conquête d'une telle place.

Après en avoir reconnu les dehors, les princes s'assem-blèrent et dressèrent ainsi le plan du siége qui commença le 27 octobre. Comme il n'était pas possible d'attaquer la ville du côté du Midi, à cause des montagnes et des rochers escarpés qui la défendaient, on se contenta de l'en-tourer du côté de la plaine, en commençant au pied de la montagne vers l'Orient, et en tirant par le Nord vers l'Oc-cident, entre les murs et la rivière. Boëmond et Tancrède prirent poste vis-à-vis de la porte orientale, appelée de Saint-Paul. Hugues le Grand, le duc de Normandie, les comtes de Blois et de Flandres s'établirent à leur droite, vers le Nord et jusqu'à la porte du Chien. Le comte Raymond et l'évêque du Puy campèrent devant cette porte et occupè-rent tout l'espace compris entre elle et une troisième qu'on nomma dans la suite la porte du Duc, parce que Gode-froi s'y posta avec les Lorrains et les Allemands, qui s'étendirent jusqu'à l'endroit où l'Oronte commence à tour-ner du Nord vers l'Occident. Cette disposition de l'armée laissait libre aux assiégés la porte qui conduisait vers un pont de pierre, et celle de Saint-Georges à l'Occident, parce que l'Oronte coulait entre elle et les assiégeants, qui commirent la faute de ne pas élever des forts de leur côté, pour achever la circonvallation en face de ce pont.

Pendant que ces dispositions s'exécutaient, le silence le plus profond régnait dans la ville. On ne voyait personne, ni sortir des portes, ni monter sur les remparts. Les croisés, s'imaginant alors que la garnison et les habitants perdaient tout à la fois le courage et l'espérance, et que sans doute ils faisaient leurs préparatifs pour évacuer la place, se répandirent dans tous les environs, ne songeant qu'à piller et à se divertir, et tout le camp ne présenta plus que l'image de l'indiscipline et du désordre. Les assiégés, bien informés de ce qui se passait par des renégats Arméniens et Syriens, qui, feignant d'être persécutés par les Musulmans, se rendaient au camp pour examiner la situation de l'armée, envoyèrent leur cavalerie par la porte du pont contre ceux qui avaient traversé le fleuve, et qui ne pouvaient être secourus à temps, parce qu'on ne pouvait le passer ailleurs qu'à gué ou à la nage. Ceux des infidèles qui étaient restés dans la ville, en sortirent en bataille pour attaquer les postes qu'ils savaient être mal gardés, ou dressèrent des embuscades dans les jardins et les vergers, pour surprendre ceux des croisés qui s'y allaient promener sans méfiance. Ce fut ainsi que tombèrent entre leurs mains Albéron, archidiacre de Metz, jeune prince, parent de l'empereur d'Allemagne et une dame de distinction avec laquelle il jouait aux dés dans un jardin. Ils coupèrent la tête au premier, et emmenèrent la dame, à laquelle ils firent souffrir le même genre de mort, après avoir assouvi sur elle leur brutalité.

Honteux de s'être laissés prévenir, les princes résolurent d'emporter la place de vive force, en faisant jouer toutes les machines et par un assaut général : mais ce moyen n'ayant eu aucun succès, on se décida à faire un siége dans toutes les formes. On construisit à cet effet sur l'Oronte un pont de bois, à environ trois kilomètres du pont de pierre qui était au pouvoir des assiégés ; on éleva des forts pour les empêcher de sortir dans la campagne, et l'on prit tous les moyens possibles pour leur couper les vivres.

La famine, à laquelle on s'efforçait de les réduire, fit bientôt éprouver ses horreurs à l'armée chrétienne, qui, livrée toute entière à l'intempérance et au désordre, ne prenait aucun soin de conserver pour elle et pour les animaux les subsistances qu'elle s'était procurées par le pillage des campagnes voisines d'Antioche. Ce fléau, qui succédait à la plus grande abondance, fit de si rapides progrès, malgré les provisions, fruit des courses que Boëmond et le comte de Flandres firent au loin, que bientôt les soldats se virent forcés de se nourrir de la chair de leurs chevaux, dont le nombre fut bientôt réduit à moins de deux mille. A cette calamité toujours croissante se joignirent des pluies froides, qui, tombant sans interruption, mettaient en lambeaux les tentes et les vêtements, et forçaient, au mois de décembre, les malheureux croisés de camper en plein air, sur un terrain fangeux, et en proie à toutes les injures d'une saison rigoureuse.

Afin de se soustraire à ces maux, auxquels plusieurs milliers d'hommes avaient déjà succombé, un grand nombre de croisés se rendirent, ou en Cilicie, ou dans la principauté d'Édesse, auprès de Baudouin. Tatice, lieutenant de l'empereur Alexis, fut des premiers à se retirer. Quelques-uns des principaux officiers de l'armée suivirent son exemple, entre autres Guillaume, vicomte de Melun, surnommé le Charpentier, à cause de la force des coups qu'il portait ;

mais ce qui surprend davantage, c'est que Pierre l'Ermite, qui avait engagé tous les autres à prendre la croix, ne fut pas moins pressé de déserter ; et que ce solitaire, que l'austérité de sa vie faisait regarder comme un saint, ne put supporter un jeûne nécessaire auquel se résignaient les princes et les soldats. Tancrède, prévoyant les dangereuses conséquences d'une telle lâcheté, courut après Guillaume et Pierre, et ramena devant lui ces coupables déserteurs dans la tente de son cousin Boëmond. Après leur avoir adressé les reproches qu'ils méritaient, et leur avoir fait jurer sur les Évangiles qu'ils ne quitteraient pas l'armée avant la conquête du Saint-Sépulcre, ce prince leur rendit la liberté.

Ce fut dans ce temps de calamité que, pour surcroît de douleur, les princes apprirent la triste nouvelle que les troupes de Soliman avaient surpris et taillé en pièces, dans un bois de la Phrygie, quinze cents cavaliers que Suénon, fils du roi de Danemark, amenait au camp pour y partager les travaux de l'armée, et que ce prince et une jeune princesse à laquelle il était fiancé, avaient péri dans cette malheureuse affaire.

Comme la contagion, suite de la mortalité causée dans le camp par la famine, commençait à y exercer des ravages, les princes tinrent un grand conseil de guerre (1098) pour délibérer sur les moyens de faire cesser de si terribles fléaux. Conformément à leurs délibérations, et pour apaiser la colère du Ciel, l'évêque du Puy, légat du Saint-Siége, et les autres évêques, ordonnèrent un jeûne général de trois jours. Cet espace de temps écoulé, les princes séquestrèrent de l'armée toutes les filles de joie, défendirent, sous peine de mort, les adultères et toute espèce de débauche, les excès dans les repas, l'ivrognerie, les jeux de hasard, les juremrents, la fraude dans les poids et mesures, ainsi que toute autre espèce de tromperie, de larcin et de vol. En publiant ces ordonnances, les princes établirent un tribunal pour juger ceux qui se seraient permis de les enfreindre. Cependant, quelque rigoureuses qu'elles fussent, il se trouva des hommes assez audacieux pour les violer. Leur châtiment suivit de près leur désobéissance, et ces exemples, devenus nécessaires, en inspirant de la terreur à toute l'armée, introduisirent un changement admirable dans les mœurs des soldats. Une réforme si salutaire parut avoir calmé le courroux du Ciel. Godefroi, qui jusqu'alors avait langui des blessures qu'il avait reçues de l'ours, reprit toute son ancienne vigueur; le prince de Tarente et le comte de Toulouse, à la tête de six cents cavaliers partagés en six escadrons, mirent en déroute une nombreuse cavalerie qui s'était portée contre le quartier du premier de ces deux princes, dans l'espérance de le forcer. Après cette victoire, ils retournèrent à leur camp chargés de butin, et emmenant avec eux un grand nombre de chevaux et de prisonniers, parmi lesquels se trouvaient environ cent Turcs de distinction auxquels ils firent trancher la tête, pour montrer ces tristes restes aux assiégés, comme un trophée de leur victoire.

Ce fut aussi dans ce même temps que le soudan d'Égypte, un des plus puissants princes mahométans par ses richesses et par le nombre de ses troupes, envoya des ambassadeurs aux chefs de l'armée. Ce prince, dont les États comprenaient toute l'Égypte et les pays qui s'étendaient depuis la frontière de cette vaste contrée jusqu'à Laodicée en Syrie, était l'ennemi du calife de Bagdad, avec lequel il différait de croyance en fait de mahométisme, et dont l'agrandissement successif l'obligeait souvent à prendre les armes. Il ne pouvait donc que s'intéresser au succès des croisés contre la ville d'Antioche, qui dépendait de ce calife. Ses ambassadeurs, qui étaient chargés d'offrir son amitié, son alliance et ses secours aux princes, furent accueillis dans le camp avec toute la distinction due à leur caractère et au but de leur mission. Mais, quelques honneurs qu'on leur rendît, quelque amitié qu'on leur témoignât, ils ne purent s'empêcher de manifester l'inquiétude que leur causait ce nombre immense de soldats auxquels les princes commandaient, leur mine guerrière, leur excellente discipline, et l'espèce d'arme dont ils se servaient, armure inconnue en Orient, et dont la vue seule inspirait la terreur. Dès ce moment leurs sentiments changèrent avec leurs idées, et leur maître, qu'ils informèrent, à leur retour, de ce qu'ils avaient vu, perdit les bonnes dispositions qu'il avait à l'égard des croisés.

La nouvelle de l'arrivée de quelques bâtiments pisans et génois, chargés de vivres, dans le port de Saint-Siméon, situé à l'embouchure de l'Oronte, causa une vive allégresse dans l'armée. Une foule de soldats et d'autres personnes, voulant s'en assurer, courent vers les vaisseaux. Ils revenaient sans méfiance et chargés de provisions, lorsqu'ils tombèrent dans une embuscade que les ennemis, informés de cette sortie, avaient dressée à quelque distance de leur chemin. Comme ils n'avaient que leur épée pour se défendre, un grand nombre d'entre eux restèrent sur le champ de bataille. En vain Boëmond et Raymond coururent à leur secours avec quelques troupes, ils se virent forcés de fuir vers le camp, pendant que les autres se dispersaient dans les bois et les montagnes, abandonnant sur les chemins les vivres qu'ils avaient apportés du port.

Au bruit qui se répandit avec rapidité dans le camp, que tous ceux qui revenaient de la mer avaient péri dans une embuscade des ennemis, et comme personne ne pou-

vait donner des nouvelles certaines du comte de **Toulouse**
et du prince de Tarente, Godefroi fit prendre aussitôt **les**
armes à toute l'armée. Il forma quatre grands corps **de**
l'infanterie, qu'il fit soutenir par toute sa cavalerie. Il **en**
donna le commandement à Hugues le Grand, au comte **de**
Flandres, au duc de Normandie et à son frère Eustache.
Après avoir passé le pont de bois et harangué les troupes,
il marcha aux ennemis avec d'autant plus de résolution,
que les deux princes qu'il croyait morts vinrent l'un après
l'autre se réunir à lui.

Assian, informé de la victoire du détachement qu'il **avait**
envoyé contre les croisés sur la route du port de Saint-
Siméon, et craignant qu'il n'eût sur les bras, à son retour, toute l'armée chrétienne, avait fait sortir de la ville,
pour le soutenir, tous les hommes en état de porter **les**
armes, leur avait ordonné de se rassembler en dehors **de**
la porte du pont, et avait fait fermer cette porte sur **eux**,
pour les forcer à vaincre ou à mourir. A la vue de cette
armée, Godefroi s'écrie : *A moi! Dieu le veut;* et en **même**
temps il ordonne à ses soldats de ne se servir que de leur
épée. En vain les infidèles font tomber sur les troupes
une horrible grêle de traits; garanties par leurs boucliers,
elles s'avancent avec une effrayante audace. Rien ne résiste à leur premier choc : cavalerie, infanterie, **tout est**
culbuté, tout est mis en déroute. Ceux qui se sauvent **vers**
la ville, oubliant que la porte est fermée, sont coupés
dans leur retraite par les troupes de Godefroi, postées entre eux et le pont. Ces malheureux, poursuivis par **les**
autres princes et accablés par la cavalerie du duc de Lorraine, périssent presque tous, ou par le glaive, **ou dans**
l'Oronte. Enfin la porte s'ouvre, et le petit nombre **des**
leurs qui ont eu le bonheur d'échapper, rentrent dans la ville.

Entre autres preuves brillantes de la valeur et de la force extraordinaire que Godefroi de Bouillon fit éclater dans cette circonstance, nous ne devons pas oublier celle que rapporte le moine Robert, un des historiens des Croisades, comme un prodige qui excita l'étonnement des chrétiens et des infidèles. Un Turc, plus hardi que tous les autres, et qui l'emportait sur eux par sa taille gigantesque et sa force prodigieuse, voyant le carnage que ce prince faisait des siens, poussa contre lui son cheval tout couvert de sang, et lui déchargea sur la tête un si furieux coup, que son bouclier en fut partagé en deux, et que, s'il ne se fût détourné, l'armée chrétienne eût eu à pleurer sa mort. Godefroi, enflammé de fureur, se dresse aussitôt sur ses étriers, lève son épée contre l'ennemi, et l'en frappe avec tant de force, qu'il le coupe en deux depuis l'épaule gauche jusqu'au-dessus de la cuisse droite. Cette moitié du corps de l'infidèle, à laquelle tenait la tête, étant tombée par terre, le cheval emporta l'autre dans la ville; spectacle affreux qui y répandit l'horreur et la consternation. Dans cette journée les chrétiens perdirent environ mille hommes; mais la perte des Turcs fut beaucoup plus considérable. Le fils d'Assian et douze de leurs chefs, avec un grand nombre d'officiers et d'autres personnes, y perdirent la vie.

Le lendemain de cette victoire, qui répandit l'allégresse dans toute l'armée, les princes n'oublièrent pas d'en faire rendre au Dieu des armées de solennelles actions de grâces. Ils ordonnèrent ensuite la construction de deux forts, l'un en face du pont de pierre, et l'autre devant la porte occidentale, pour empêcher les assiégés de sortir de la ville; mesures qu'ils auraient dû ordonner dès le commencement du siége. Le comte de Toulouse se chargea de la défense du premier fort, et Tancrède de celle du second. Comme la disette se faisait toujours sentir dans le camp, on profita de la consternation et du découragement des assiégés, qui d'ailleurs étaient contenus par les forts, pour s'emparer d'un grand nombre de chevaux et de bestiaux que gardaient plusieurs milliers de Turcs à seize ou vingt kilomètres de la ville. Ce butin, et un grand convoi de vivres que Baudouin envoya au camp, y ramenèrent l'abondance, au moins pour quelque temps.

Les assiégés, entièrement resserrés dans la place depuis la construction des forts dont nous venons de parler, se seraient sans doute décidés à la livrer, s'ils n'avaient reçu la nouvelle que le sultan du Korassan avait mis sur pied une armée innombrable avec laquelle il marchait à leur secours. Effectivement, ce prince, gagné par les continuelles sollicitations de Soliman et d'un fils d'Assian, avait levé, dans toute l'étendue de ses États, une armée de trois cent soixante mille hommes, dont il avait donné le commandement à un nommé Kerboghâ, général d'une grande réputation parmi les Turcs. Cette armée, après avoir attaqué inutilement pendant trois semaines la ville d'Édesse, vaillamment défendue par Baudouin, avait passé l'Euphrate et s'avançait vers Antioche, grossie des troupes des soudans de Damas et de Jérusalem.

Le bruit de cette marche passa bientôt de la ville dans le camp, et répandit la terreur parmi un grand nombre de soldats; et même quelques-uns des principaux seigneurs ne purent se défendre d'un vif sentiment de crainte. Alors on vit avec douleur Étienne, comte de Chartres et de Blois, qui s'était acquis, par sa prudence, une grande considération dans les conseils de l'armée, se couvrir d'une tache ineffaçable en se retirant à Alexandrette avec quatre mille des siens, sous prétexte d'une maladie, mais dans l'intention de s'y embarquer pour la France. Pour empêcher qu'un si dangereux et si honteux exemple ne trouvât des imitateurs, les princes, assemblés en conseil, déclarèrent à l'unanimité que quiconque s'éloignerait du camp sans y être autorisé, serait dévoué à l'infamie et puni du dernier supplice, comme sacrilège et meurtrier. Cette rigoureuse, mais nécessaire défense, produisit l'effet que les princes en attendaient, et personne dans le camp ne refusa de s'y soumettre.

Cependant Antioche, après six mois de siège allait, dit Michaud, échapper aux armes des chrétiens, si la ruse, la politique et l'ambition n'avaient fait pour la cause des croisés ce que n'avaient pu faire la patience et la bravoure. Boëmond, que le désir d'accroître sa fortune avait entraîné dans la croisade, cherchait partout l'occasion de réaliser ses projets. La fortune de Baudouin avait éveillé sa jalousie, et le poursuivait dans son sommeil; il osa jeter ses vues sur Antioche, et fut assez heureux pour trouver un homme qui favorisa ses désirs ambitieux. Cet homme, qui se nommait Phirous, était, quoi qu'en disent plusieurs historiens qui lui donnent une noble origine, le fils d'un Arménien, dont le métier consistait à faire des cuirasses. D'un caractère inquiet et remuant, il aspirait sans cesse à changer de condition et d'état. Il avait abjuré la religion chrétienne par esprit d'inconstance et dans l'espoir d'avancer sa fortune; il était doué d'un sang-froid admirable, d'une audace à toute épreuve, et toujours prêt à faire pour de l'argent ce qu'on pouvait à peine attendre du plus ardent fanatisme. Pour satisfaire son ambition et son avarice, rien ne lui paraissait injuste ou impossible. Comme il était actif, adroit et insinuant, il avait obtenu la confiance d'Assian, qui l'admettait à son conseil. Le prince d'Antioche lui avait confié le commandement de

trois des principales tours de la place. Il les défendit d'a-
bord avec zèle, mais sans avantage pour sa fortune; il se
lassa d'une fidélité stérile, dès qu'il put penser que la trahison pouvait lui être plus profitable.

Dans l'intervalle des combats, il avait eu plusieurs fois
l'occasion de voir le prince de Tarente. Ces deux hommes
se devinèrent à la première vue, et ne tardèrent pas à se
confier l'un à l'autre. Dans les premiers entretiens, Phirous se plaignit des outrages qu'il avait reçus des Musulmans; il s'affligea d'avoir abandonné la religion de Jésus-Christ, et pleura sur les persécutions qu'éprouvaient
les chrétiens d'Antioche. Il n'en fallait pas davantage au
prince de Tarente pour connaître les secrètes pensées de
Phirous. Il loua ses remords et ses sentiments, et lui fit
les plus magnifiques promesses. Alors le renégat lui ouvrit son cœur. Ils se jurèrent l'un à l'autre un inviolable
attachement, et promirent d'entretenir une active correspondance. Ils se revirent ensuite plusieurs fois, et toujours
dans le plus grand secret. A chaque entrevue, Boëmond
disait à Phirous que le sort des croisés était entre ses
mains, et qu'il ne tenait qu'à lui d'en obtenir de grandes
récompenses. De son côté, Phirous protestait de son désir
de servir les croisés, qu'il regardait comme ses frères, et,
pour assurer le prince de Tarente de sa fidélité, ou pour
excuser sa trahison, disait que Jésus-Christ, qui lui était
apparu, lui avait conseillé de livrer Antioche aux chrétiens. Boëmond n'avait pas besoin d'une pareille protes-
tation. Il n'eut pas de peine à croire ce qu'il désirait avec
ardeur; et lorsqu'il fut convenu avec Phirous des moyens
d'exécuter les projets qu'ils avaient longtemps médités, il
fit assembler les principaux chefs de l'armée chrétienne.
Il leur exposa avec chaleur les maux qui jusqu'alors avaient

désolé les croisés, et les maux plus grands encore dont ils étaient menacés. Il ajouta qu'une puissante armée s'avançait au secours d'Antioche; que la retraite ne pouvait se faire sans honte et sans danger; qu'il n'était plus de salut pour les chrétiens que dans la conquête de la ville. La place, il est vrai, était défendue par d'inexpugnables remparts; mais on devait savoir que toutes les victoires ne s'obtenaient pas par les armes et sur le champ de bataille; que celles qu'on obtenait par l'adresse n'étaient pas les moins importantes et les moins glorieuses. Il fallait donc séduire ceux qu'on ne pouvait vaincre, et prévenir les ennemis par une entreprise adroite et courageuse. Parmi les habitants d'Antioche, différents de mœurs et de religion, opposés d'intérêts, il devait s'en trouver qui seraient accessibles à la séduction et à des promesses brillantes. Il s'agissait d'un service si important pour l'armée chrétienne, qu'il était bon d'encourager toutes les tentatives. La possession même d'Antioche ne lui paraissait pas d'un trop haut prix pour récompenser le zèle de celui qui serait assez habile ou assez heureux pour faire ouvrir les portes de la ville aux croisés.

Boëmond ne s'expliqua pas plus clairement; mais il fut deviné par l'ambition jalouse de quelques chefs qui avaient peut-être les mêmes desseins que lui. Raymond repoussa surtout avec force les adroites insinuations du prince de Tarente. « Nous sommes tous, dit-il, des frères » et des compagnons; il serait injuste qu'après avoir tous » couru la même fortune, un seul d'entre nous recueillît » le fruit de nos travaux. Pour moi, ajouta-t-il, en jetant » un regard de colère et de mépris sur Boëmond, je » n'ai pas traversé tant de pays, bravé tant de périls, » je n'ai pas prodigué mon sang, mes soldats et mes

» trésors, pour payer du prix de nos conquêtes quelque
» artifice grossier, quelque stratagème honteux dont il faut
» laisser l'invention à des femmes. » Ces paroles véhé-
mentes eurent tout le succès qu'elles devaient avoir parmi
des guerriers accoutumés à vaincre par les armes, et qui
n'estimaient une conquête que lorsqu'elle était le prix du
courage. Le plus grand nombre des chefs rejetèrent la
proposition du prince de Tarente, et mêlèrent leurs railleries à celles de Raymond. Boëmond, que l'histoire a
surnommé l'Ulysse des Latins, fit tout ce qu'il put pour
se contenir et cacher son dépit. Il sortit du conseil en
souriant, persuadé que la nécessité rappellerait bientôt les
croisés à son avis.

Rentré dans sa tente, il envoie des émissaires dans
tous les quartiers pour semer les nouvelles les plus alarmantes. Comme il l'avait prévu, la consternation s'empare des chrétiens. Quelques-uns des chefs de l'armée
sont envoyés à la découverte pour reconnaître la vérité
des bruits répandus dans le camp. Ils reviennent bientôt
annoncer que Kerboghâ, sultan de Mosoul, s'avance vers
Antioche avec une armée de deux cent mille hommes
rassemblés sur les rives de l'Euphrate et du Tigre. Cette
armée qui avait menacé la ville d'Édesse et ravagé la Mésopotamie, n'était plus qu'à sept journées de marche. A
ce récit, la crainte redouble parmi les croisés. Boëmond
parcourt les rangs, exagère le péril; il affecte de montrer plus de tristesse et d'effroi que tous les autres; mais
au fond du cœur, il se rassure, et sourit à l'idée de voir
bientôt ses espérances accomplies. Les chefs se réunissent
de nouveau, pour délibérer sur les mesures qu'ils ont à
prendre dans une circonstance si périlleuse. Deux avis
partagent le conseil. Les uns veulent qu'on lève le siége,

et qu'on aille à la rencontre des Sarrasins ; les autres, qu'on divise l'armée en deux corps, qu'une partie marche contre Kerboghâ, et que l'autre reste à la garde du camp. Ce dernier avis allait prévaloir, lorsque Boëmond demande à parler. Il n'a point de peine à faire sentir les inconvénients des deux partis opposés. Si on levait le siége, on allait se trouver entre la garnison d'Antioche et une armée formidable. Si on continuait le blocus de la ville, et que la moitié de l'armée seulement allât à la rencontre de Kerboghâ, on devait éprouver une double défaite. « Les plus grands périls, ajouta le prince de Ta-
» rente, nous environnent. Le temps presse ; demain, peut-
» être, il ne sera plus temps d'agir ; demain nous aurons
» perdu le fruit de nos travaux et de nos victoires ; mais,
» non, je ne puis le penser ; Dieu qui nous a conduits
» jusqu'ici par la main, ne permettra pas que nous ayons
» combattu en vain pour sa cause. Il veut sauver l'armée
» chrétienne, il veut nous conduire jusqu'au tombeau de
» son Fils. Si vous accueillez la proposition que j'ai à
» vous faire, demain l'étendard de la Croix flottera sur
» les murs d'Antioche, et nous marcherons en triomphe
» à Jérusalem. »

En achevant ces paroles, Boëmond montra les lettres de Phirous, qui promettait de livrer les trois tours qu'il commandait. Phirous déclarait qu'il était prêt à tenir sa promesse ; mais il ne voulait avoir affaire qu'au prince de Tarente. Il exigeait pour prix de ses services, que Boëmond restât maître d'Antioche. Le prince italien ajouta qu'il avait déjà donné des sommes considérables à Phirous ; que lui seul avait obtenu sa confiance, et qu'une confiance réciproque était le plus sûr garant du succès dans une entreprise aussi difficile. « Au reste, poursuivit-il, si on trouve un

» meilleur moyen de sauver l'armée, je suis prêt à l'ap-
» prouver, et je renoncerai volontiers au partage d'une
» conquète d'où dépend le salut de tous les croisés. »

Le péril devenait tous les jours plus pressant. Il était
honteux de fuir, imprudent de combattre, dangereux de
temporiser. La crainte fit taire tous les intérêts de la riva-
ité. Plus les chefs avaient montré d'abord d'opposition au
projet de Boëmond, plus ils trouvèrent alors de bonnes
raisons pour l'adopter. Une conquète partagée n'était plus
une conquète. Le partage d'Antioche pouvait d'ailleurs faire
naître une foule de divisions dans l'armée, et la mener à
sa perte. On ne donnait que ce qu'on n'avait point encore ;
on le donnait pour assurer la vie des chrétiens. Il valait
mieux qu'un seul profitàt des travaux de tous, que de
périr tous pour s'opposer à la fortune d'un seul. Au surplus,
la prise d'Antioche n'était point le but de la croisade ; on
n'avait pris les armes que pour délivrer Jérusalem. Tout
retard était contraire à ce que la religion espérait de ses
soldats, à ce que l'Occident attendait de ses plus braves
chevaliers. Tous les chefs, excepté l'inflexible Raymond,
se réunirent pour accorder à Boëmond la principauté
d'Antioche, et le conjurèrent de presser l'exécution de
son projet.

A peine sorti du conseil, le prince de Tarente fait avertir
Phirous, qui lui envoie son propre fiis en otage. L'exécution
du complot est fixée au lendemain. Pour laisser la garnison
d'Antioche dans la plus grande sécurité, on décide que
l'armée chrétienne quittera son camp, qu'elle dirigera d'a-
bord sa marche vers la route par laquelle doit arriver le
prince de Mosoul, et qu'au retour de la nuit elle se réunira
sous les murs d'Antioche. Le lendemain, au point du jour,
les troupes reçoivent l'ordre de préparer leur départ. Les

croisés sortent du camp quelques heures avant la nuit ; ils s'éloignent, les trompettes sonnantes et les enseignes déployées. Après quelques moments de marche, ils retournent sur leurs pas, et reviennent en silence vers Antioche. Au signal du prince de Tarente, ils s'arrêtent dans un vallon situé à l'Occident, et voisin de la tour des Trois-Sœurs, où commandait Phirous. Ce fut là qu'on déclara à l'armée chrétienne le secret de la grande entreprise qui devait lui ouvrir les portes de la ville.

Cependant, les projets de Phirous et de Boëmond avaient été sur le point d'échouer. Au moment où l'armée chrétienne venait de quitter son camp, et que tout se préparait pour l'exécution du complot, le bruit d'une trahison se répand tout à coup dans Antioche. On soupçonne les chrétiens et les nouveaux Musulmans; on prononce le nom de Phirous; on l'accuse sourdement d'entretenir des intel_ligences avec les croisés. Il est obligé de paraître devant Assian, qui l'interroge et tient les yeux fixés sur lui pour pénétrer ses pensées; mais Phirous dissipe tous les soupçons par sa contenance. Il propose lui-même des mesures contre les traîtres, et conseille à son maître de changer les commandants des principales tours. On applaudit à ce conseil, qu'Assian se propose de suivre dès le jour suivant. En même temps, des ordres sont donnés pour charger de fers et mettre à mort, pendant les ténèbres de la nuit, les chrétiens qui se trouvent dans la ville. Le renégat est renvoyé ensuite à son poste, comblé d'éloges pour son exactitude et sa fidélité. A l'approche de la nuit, tout paraissait tranquille dans Antioche, et Phirous, échappé au plus grand danger, attendait les croisés dans la tour qu'il devait leur livrer.

Comme son frère commandait une tour voisine de la

sienne, il va le trouver, et cherche à l'entraîner dans son
complot. « Mon frère, lui dit-il, vous savez que les croisés
» ont quitté leur camp, et qu'ils vont au-devant de l'ar-
» mée de Kerboghâ. Quand je songe aux misères qu'ils ont
» éprouvées, et à la mort qui les menace, je ne puis me
» défendre d'une sorte de pitié. Vous n'ignorez pas non
» plus que cette nuit même tous les chrétiens qui habitent
» Antioche, après avoir souffert toutes sortes d'outrages,
» vont être massacrés par les ordres d'Assian. Je ne puis
» m'empêcher de les plaindre; je ne puis oublier que nous
» sommes nés dans la même religion, et que nous fûmes
» autrefois leurs frères. » Ces paroles de Phirous ne produisirent pas l'effet qu'il en attendait. « Je m'étonne, lui
» répondit son frère, de vous voir plaindre des hommes
» qui doivent être pour nous un objet d'horreur. Avant que
» les croisés fussent arrivés devant Antioche, nous étions
» comblés de biens. Depuis qu'ils assiégent la ville, nous
» passons notre vie au milieu des dangers et des alarmes.
» Puissent les maux qu'ils ont attirés sur nous retomber
» sur eux! Quant aux chrétiens qui habitent parmi nous,
» ignorez-vous que la plupart d'entre eux sont traîtres, et
» qu'ils ne songent qu'à nous livrer au fer de nos ennemis? »
En achevant ces mots, il jette sur Phirous un regard menaçant. Le renégat voit qu'il est deviné. Il ne reconnaît plus
son frère dans celui qui refuse d'être son complice, et, pour
toute réponse, il lui plonge son poignard dans le cœur.

Enfin, on arrive au moment décisif. La nuit était obscure; un orage qui s'était élevé augmentait encore l'épaisseur des ténèbres. Le vent qui ébranlait les toits, les éclats
de la foudre ne permettaient aux sentinelles d'entendre
aucun bruit autour des remparts. Le ciel paraissait enflammé vers l'Occident, et la vue d'une comète qu'on aper-

çut alors sur l'horizon, semblait annoncer à l'esprit su-
perstitieux des croisés les moments marqués pour la ruine
et la destruction des infidèles.

Ils attendaient le signal avec impatience. La garnison
d'Antioche était plongée dans le sommeil. Phirous seul veillait et méditait son complot. Un Lombard, nommé Payen,
envoyé par Boëmond, monte dans la tour par une échelle
de cuir. Phirous le reçoit, lui dit que tout est préparé; et
pour lui donner un témoignage de sa fidélité, lui montre le
cadavre de son propre frère qu'il venait d'égorger. Au
moment où ils s'entretenaient de leur complot, un officier
de la garnison vient visiter les postes. Il se présente avec
une lanterne devant la tour de Phirous. Celui-ci, sans laisser
paraître le moindre trouble, fait cacher l'émissaire de Boëmond, et vient au-devant de l'officier. Il reçoit des éloges
sur sa vigilance, et se hâte de renvoyer Payen avec des
instructions pour le prince de Tarente. Le Lombard revient
auprès de l'armée chrétienne, où il raconte ce qu'il a vu, et
conjure Boëmond, de la part de Phirous, de ne pas perdre
un moment pour agir.

Mais tout à coup la crainte s'empare des soldats. Au moment de l'exécution, ils ont vu toute l'étendue du danger.
Aucun d'eux ne se présente pour monter sur le rempart.
En vain Godefroi, en vain le prince de Tarente emploient
tour à tour les promesses et les menaces; les chefs et les
soldats restent immobiles. Boëmond monte lui-même par
l'échelle de corde dans l'espoir qu'il sera suivi par les plus
braves; personne ne se met en devoir de marcher sur ses
pas. Il arrive seul dans la tour de Phirous, qui lui fait les
plus vifs reproches sur sa lenteur. Boëmond redescend à
la hâte vers ses soldats, auxquels il répète que tout est prêt
pour les recevoir. Son discours, et surtout son exemple,

raniment enfin les courages. Soixante croisés se présentent
pour l'escalade. Ils montent par l'échelle de cuir, encouragés par un Foulcher de Chartres, que l'historien de Tancrède compare à un aigle conduisant ses petits et volant à
leur tête. Parmi ces soixante braves, on distingue le comte
de Flandres et plusieurs des principaux chefs. Bientôt
soixante autres croisés se pressent sur les pas des premiers; ils sont suivis par d'autres, qui montent en si grand
nombre et avec tant de précipitation, que le créneau auquel
l'échelle était attachée s'ébranle et tombe avec fracas dans
le fossé. Ceux qui touchaient au sommet des murailles re-
tombent sur les lances et les épées nues de leurs compagnons.
Le désordre, la confusion règnent parmi les assaillants; cependant les chefs du complot voient tout d'un œil tranquille.
Phirous, sur le corps sanglant de son frère, embrasse ses
nouveaux compagnons; il livre à leurs coups un autre frère
qui restait auprès de lui, et les met en possession des trois
tours confiées à son commandement. Sept autres tours sont
bientôt tombées en leur pouvoir. Phirous appelle alors à son
aide toute l'armée chrétienne; il attache au rempart une
nouvelle échelle, par laquelle montent les plus impatients;
il indique aux autres une porte qu'ils enfoncent, et par
laquelle ils pénètrent en foule dans la ville.

Godefroi, Raymond, le comte de Normandie sont bientôt
dans les rues d'Antioche à la tête de leurs bataillons. On
fait sonner toutes les trompettes, et sur ses quatre collines
la ville retentit du cri terrible : *Dieu le veut! Dieu le veut!*

Au bruit qui accompagne l'entrée des troupes, les Turcs
endormis se réveillent. Ils sortent en foule de leurs maisons
et cherchent leur salut dans la fuite; mais comme les portes
étaient occupées par les croisés, ils étaient obligés de revenir sur leurs pas, et de s'encombrer dans les rues et les

places publiques. Dans cet affreux tumulte, les vainqueurs n'eurent qu'à frapper. On fit main-basse sur tous les Musulmans; et les frères de Séir, qui ne pensaient pas comme lui, ne furent pas épargnés.

Assian, voyant sa ville au pouvoir des chrétiens, et perdant l'espérance de se maintenir dans le château qu'il occupait, sortit par une porte de derrière. Après avoir erré dans les campagnes voisines, sans trop savoir où se retirer, il fut arrêté dans les montagnes par des Arméniens et des Syriens qui le mirent à mort et portèrent sa tête à Boëmond. Cette conquête d'Antioche, qui ouvrait aux croisés celle de la Terre-Sainte, arriva le jeudi 3 juin 1098, après un siége d'un peu plus de sept mois.

CHAPITRE VII.

Les croisés assiégés dans Antioche repoussent les infidèles.
Boëmond est mis à la tête de cette principauté.

(1098.)

IL n'y avait que trois jours qu'Antioche était tombée au pouvoir des croisés, lorsque Kerboghà parut devant ses murs, à la tête de toute son armée. Après avoir fait entrer des troupes dans l'un des châteaux où s'étaient retirés un grand nombre de Turcs, et s'être emparé de toutes les avenues de la ville, ainsi que des forts que les croisés avaient élevés pendant le siége, il dressa son camp dans la plaine entre les montagnes et l'Oronte. L'armée chrétienne, entièrement bloquée par ces dispositions, se trouva bientôt réduite à une telle disette de subsistances, que, non-seulement une multitude de simples soldats sortirent de la place pendant la nuit pour se rendre aux ennemis et embrasser le mahométisme, mais encore plusieurs des principaux croisés, tels que Guillaume de Grandménil, beau-frère de Boëmond ; son frère Albéric ; ce même Guillaume le Charpentier, qui avait déjà déserté : Gui de Trussel, Lambert le Pauvre, et quelques

autres, qui étaient descendus des remparts avec des cordes,
allèrent s'embarquer au port de Saint-Siméon. Roger de
Barneville, qui était de la suite du duc de Normandie, se
signala par une conduite bien plus digne d'un guerrier
français. Aux premières approches des infidèles, il s'était
avancé pour les reconnaître à la tête d'un petit nombre de
cavaliers; et, surpris dans une embuscade, il s'était défendu après la mort de tous ceux qui l'accompagnaient,
avec tant de valeur contre une multitude d'ennemis, qu'il
n'avait succombé qu'après en avoir abattu plusieurs à ses
pieds.

Les seigneurs qui avaient pris si lâchement la fuite, non
contents d'avoir abandonné leurs frères, se rendirent auprès
de l'empereur Alexis, qui se trouvait alors à Philomélium,
en Phrygie, à la tête d'une armée. Quelque grand que fût
le danger de l'armée chrétienne, ils l'exagérèrent encore à
ce prince, et lui représentèrent sous de si vives couleurs
sa malheureuse situation, ainsi que les forces immenses
de Kerboghà, que, malgré les instances de Gui, frère de
Boëmond, qui s'était rendu au camp de Philomélium,
l'empereur, croyant avoir déjà sur les bras les Turcs victorieux, retourna aussitôt à Constantinople, dévastant et brû-
lant tout le pays depuis Icone jusqu'à Nicée, pour ôter aux
ennemis le moyen de le poursuivre.

Il était bien important de prévenir les suites funestes
du mauvais exemple de ces fuyards. L'évêque du Puy et
Boëmond crurent donc nécessaire de placer à toutes les
portes et sur les remparts des soldats braves et fidèles,
et de faire jurer tous les croisés, sans distinction, qu'ils
ne quitteraient pas l'armée avant la fin de cette guerre.
De plus, accompagnés d'une escorte nombreuse et sur laquelle ils pouvaient compter, ils se mirent à faire des rondes

fréquentes, pour s'assurer si la place était dans un bon état de défense.

Il y avait vingt-six jours que les assiégés étaient réduits à la plus triste situation, sans vivres et sans espérance d'être secourus par Alexis, lorsqu'un clerc provençal, nommé Pierre Barthélemi, vint trouver l'évêque du Puy et le comte de Toulouse. Il leur raconta que l'apôtre saint André lui était apparu en songe, et lui avait dit : « Va dans l'é- » glise de mon frère Pierre à Antioche. Près du maître- » autel, tu trouveras, en creusant la terre, le fer de la » lance qui perça le côté de notre Rédempteur. Dans trois » jours, cet instrument de salut éternel sera manifesté » à ses disciples. Le fer mystique, porté à la tête de » l'armée, opérera la délivrance des chrétiens, et percera » le cœur des infidèles. »

Adhémar, Raymond et les autres chefs des croisés crurent à cette apparition. Le bruit s'en répandit bientôt dans toute l'armée. Les soldats disaient entre eux que rien n'était impossible au Dieu des chrétiens : ils croyaient d'ailleurs que la gloire de Jésus-Christ était intéressée à leur salut, et que Dieu devait faire des miracles pour sauver ses disciples et ses défenseurs. Pendant trois jours, l'armée chrétienne se prépara par le jeûne et la prière à la découverte de la sainte lance.

Dès le matin du troisième jour, douze croisés, choisis parmi les plus respectables du clergé et des chevaliers, se rendirent dans l'église d'Antioche avec un grand nombre d'ouvriers pourvus des instruments nécessaires. On commença à creuser la terre sous le maître-autel. Le plus grand silence régnait dans l'église; à chaque instant on croyait voir briller le fer miraculeux. Toute l'armée, assemblée aux portes qu'on avait eu soin de fermer, atten-

dait avec impatience le résultat des recherches. Les fos-
soyeurs avaient travaillé pendant plusieurs heures, et creusé
la terre à plus de douze pieds de profondeur sans que la
lance s'offrît à leurs regards. Ils restèrent jusqu'au soir
sans rien découvrir. L'impatience des chrétiens allait toujours croissant. Au milieu de l'obscurité de la nuit, on
fait enfin une nouvelle tentative. Tandis que les douze
témoins sont en prières sur le bord de la fosse, Barthélemi s'y précipite, et reparaît, peu de temps après, tenant le fer sacré dans sa main. Un cri de joie s'élève
parmi les assistants; il est répété par l'armée, qui attendait aux portes de l'église, et retentit bientôt dans tous les
quartiers de la ville. Le fer auquel sont attachées toutes
les espérances est montré en triomphe aux croisés; il leur
paraît une arme céleste avec laquelle Dieu lui-même doit
disperser ses ennemis. Toutes les âmes s'exaltent; on ne
doute plus de la protection du Ciel. L'enthousiasme donne
une nouvelle vie à l'armée chrétienne, et rend la force et
la vigueur aux croisés. On oublie toutes les horreurs de
la famine, le nombre des ennemis. Les plus pusillanimes
sont altérés du sang des Sarrasins, et tous demandent à
grands cris qu'on les mène au combat.

Les chefs de l'armée chrétienne qui avaient préparé l'enthousiasme des soldats, s'occupèrent de le mettre à profit.
Ils envoyèrent des députés au général des Sarrasins, pour
lui proposer un combat singulier ou une bataille générale.
L'ermite Pierre, qui avait montré plus d'exaltation que
tous les autres, fut choisi pour cette ambassade. Reçu
avec mépris dans le camp des infidèles, il n'en parla pas
avec moins de hauteur et de fierté. « Les princes rassem-
» blés dans Antioche, dit l'ermite Pierre en s'adressant
» aux chefs des Sarrasins, m'envoient auprès de vous, et

» me chargent de vous demander justice. Ces provinces,
» marquées du sang des martyrs, ont appartenu à des
» peuples chrétiens, et, comme tous les peuples chrétiens
» sont frères, nous sommes venus en Asie pour venger les
» outrages de ceux qui sont persécutés, et pour défendre
» l'héritage de Jésus-Christ et de ses disciples. Le ciel a
» permis que les villes de la Syrie tombassent un moment
» au pouvoir des infidèles pour châtier les crimes de son
» peuple ; mais apprenez que la vengeance du Très-Haut
» est enfin apaisée ; apprenez que les larmes et les péni-
» tences des chrétiens ont arraché le glaive à la justice
» divine, et que le Dieu des armées s'est levé pour com-
» battre avec nous. Cependant, nous consentons encore à
» parler de paix ; je vous conjure, au nom du Dieu tout-
» puissant, d'abandonner le territoire d'Antioche, et de
» retourner dans votre pays. Les chrétiens vous promettent,
» par ma voix, de ne point vous inquiéter dans votre re-
» traite. Nous ferons des vœux pour que le vrai Dieu touche
» vos cœurs, et qu'il vous montre la vérité de notre foi.
» Si le ciel daigne nous écouter, combien il nous sera doux
» de vous donner le nom de frères, et de conclure avec vous
» une paix durable ! Mais si vous ne voulez connaître ni les
» douceurs de la paix, ni les bienfaits de la religion chré-
» tienne, que le sort des armes décide enfin de la justice
» de notre cause. Comme les chrétiens ne veulent point
» de surprise, et qu'ils ne sont point accoutumés à dérober
» la victoire, ils vous donnent le choix du combat. »

En achevant son discours, Pierre tenait les yeux fixés
sur le chef des Sarrasins : « Choisis, lui dit-il, les plus
» braves de ton armée, et fais-les combattre contre un pareil
» nombre de croisés ; combats toi-même contre un des princes
» chrétiens, ou donne le signal d'une bataille générale. Quel

» que puisse être ton choix, tu apprendras bientôt quels sont
» tes ennemis, et tu sauras quel est le Dieu que nous
» servons. »

Kerboghâ, qui connaissait la situation des chrétiens, et
qui ne savait point l'espèce de secours qu'ils avaient reçu
dans leur détresse, fut vivement surpris d'un pareil langage.
Il resta quelque temps muet d'étonnement et de fureur;
mais, à la fin, prenant la parole : « Retourne, dit-il à
» Pierre, auprès de ceux qui t'envoient, et dis-leur que
» les vaincus doivent recevoir les conditions, et non pas
» les dicter. De misérables vagabonds, des hommes exté-
» nués, des fantômes peuvent faire peur à des femmes.
» Les guerriers de l'Asie ne sont point effrayés par de
» vaines paroles. Les chrétiens apprendront bientôt que la
» terre que nous foulons nous appartient. Cependant, je
» veux bien conserver pour eux quelque pitié, et s'ils
» reconnaissent Mahomet, je pourrai oublier que cette ville,
» ravagée par la faim, est déjà en ma puissance; je pour-
» rai la laisser en leur pouvoir, et leur donner des armes,
» des vêtements, du pain, tout ce qu'ils n'ont pas; car le
» Coran nous prescrit de pardonner à ceux qui se soumet-
» tent à sa loi. Dis à tes compagnons qu'ils se hâtent, et
» qu'ils profitent aujourd'hui de ma clémence; demain, ils
» ne sortiront plus d'Antioche que par le glaive. Ils ver-
» ront alors si leur Dieu crucifié, qui n'a pu se sauver
» lui-même de la croix, les sauvera du sort qui leur est
» préparé. »

Ce discours fut vivement applaudi par les Sarrasins, dont
il réchauffa le fanatisme. Pierre voulut répliquer; mais le
sultan de Mossoul mit la main sur son sabre : il ordonna
qu'on chassât ces misérables mendiants qui réunissaient l'a-
veuglement à l'insolence. Les députés des chrétiens se re-

tirèrent à la hâte, et coururent plusieurs fois le danger de perdre la vie en traversant l'armée des infidèles.

Lorsque Pierre l'Ermite, à son retour, eut fait part aux princes de la réponse et de l'accueil que lui avait fait Kerboghâ, ceux-ci firent publier dans toute la ville que chacun eût à se tenir prêt à marcher au combat, le lendemain 28 juin, à la pointe du jour, veille de la fête des saints apôtres Pierre et Paul. Cet ordre fut reçu des troupes avec les démonstrations de la plus vive allégresse.

Afin de se rendre favorable le Dieu qui dispose du sort des batailles, les chefs et la plupart des soldats employèrent la plus grande partie de la nuit à recevoir les sacrements de l'Église des mains des évêques et des prêtres, et à se réconcilier avec leurs ennemis. L'accomplissement de ces devoirs religieux opéra dans toute l'armée un si admirable changement, que ceux qui, quelques jours auparavant, la veille même, étaient si découragés, si abattus par les plus pénibles travaux et les plus dures privations, qu'ils baissaient la tête et se cachaient pour s'abandonner sans témoin à leur désespoir, reparurent tout à coup animés d'un nouveau courage, reprirent de nouvelles forces, se saisirent gaiement de leurs armes, et ne songèrent plus qu'à bien combattre pour remporter la victoire. Enfin, dans une si grande multitude, il n'y eut aucun croisé, quelque fût son état, quelque avancé que fût son âge, qui ne s'animât lui-même à quelque exploit. Pour augmenter, s'il était possible, cette généreuse ardeur, les prêtres, vêtus de leurs habits sacerdotaux et portant des croix, profitèrent des moments où les bataillons se formaient, pour les exhorter et les bénir. Les évêques et les princes en firent autant, en adressant la parole, soit aux troupes en général, soit à chaque soldat en particulier.

Dès que le jour parut, l'armée, qui se trouvait réduite à moins de cent cinquante mille hommes, sortit par la porte du pont, divisée en six gros corps d'infanterie, qui, soutenus chacun par une division de cavalerie, marchaient les uns à la file des autres. Hugues le Grand, qui faisait porter devant lui le grand étendard de la croisade par son chapelain Raymond d'Agiles, commandait le premier, tout composé de Français, conjointement avec le comte de Flandres. Ce prince était alors si affaibli par les privations qu'il avait supportées pendant le siége, qu'à peine pouvait-il se soutenir. Comme on le priait de rester avec le comte de Toulouse, qui, quoique malade, s'était chargé de la défense du retranchement qu'on avait élevé contre le château : « A Dieu ne plaise, répon- » dit-il, que je perde une si belle occasion de mourir avec » gloire pour la cause de Jésus-Christ! Je veux combattre à » la tête de l'armée. Je serai trop heureux, si je mérite la » couronne du martyre. » Les Allemands et les Lorrains, sous les ordres de Godefroi, formaient le deuxième corps; le duc de Normandie marchait à la tête du troisième; l'évêque du Puy, qui, couvert d'une cuirasse, portait la lance qu'on avait déterrée dans l'église de Saint-Pierre, commandait le quatrième, formé de ses propres troupes et d'une partie de celles du comte de Toulouse; le brave Tancrède conduisait le cinquième, composé d'Italiens; et le sixième, qui devait soutenir les autres et servir de corps de réserve, obéissait à Boëmond.

Pendant que les bataillons défilaient en bon ordre, il survint une petite rosée, qui leur fit croire que Dieu leur envoyait ce rafraîchissement pour leur donner plus de forces et plus de courage à combattre. Cette idée excite un enthousiasme universel, et, d'une extrémité de l'armée à l'autre, ce seul cri se fait entendre : *Diex li volt! Diex li volt!*

Quand tous les corps furent sortis de la ville, ils tournèrent à l'Occident, et ensuite, par une demi-conversion à gauche, ils se portèrent vers le Nord. Des six corps on forma douze grands bataillons, qui, rangés sur deux lignes, occupèrent tout le terrain compris entre la montagne et l'Oronte. Hugues le Grand, le comte de Flandres et le duc de Normandie se placèrent à gauche, pour se couvrir de la montagne; Godefroi prit la droite qui s'étendait jusqu'au fleuve; l'évêque du Puy et Tancrède formèrent le centre ou corps de bataille.

Quand le général ennemi vit l'armée chrétienne s'avancer dans un si bel ordre pour lui livrer bataille, il se fit amener un renégat provençal qui lui avait représenté cette armée comme hors d'état de rien entreprendre. « Ne m'avais-tu pas » assuré, lui dit-il, que les Français n'oseraient jamais se » mesurer avec nous? Certes, ils n'ont pas l'air de gens dis- » posés à prendre la fuite. C'est une grande nation que ces » Français! Comme leur marche est imposante! comme ils » sont bien armés! J'ai bien peur qu'ils ne soient plus dé- » terminés à nous poursuivre qu'à nous obéir. Scélérat, que » de mensonges tu nous a débités à leur sujet! Par Maho- » met! tu en seras puni. » En achevant ces mots, Kerboghâ commanda à un soldat de trancher la tête à cet imposteur; ce qui fut aussitôt exécuté.

L'armée chrétienne continuait de marcher au petit pas et sans confusion, plus animée par la vue de la lance et par les cantiques des prêtres, que par le son des trompettes, lorsque les infidèles s'avancèrent en poussant des cris affreux, et s'étendirent sur leurs deux ailes, dans le dessein de l'envelopper. Ils commencent le combat en lançant une grêle prodigieuse de flèches contre les corps qui leur sont opposés; mais Hugues le Grand, le comte de Flandres, le duc de Normandie, et Baudouin, comte de Hainaut, ne leur laissent pas le temps de faire une seconde décharge. A leur voix et à leur exemple, les Français, les Normands, les Flamands et les Anglais se précipitent, la lance à la main, sur l'aile droite des Barbares, et l'enfoncent dans un instant. De son côté, Godefroi, par sa valeur personnelle et par celle de ses troupes, obtient le même succès contre l'aile gauche de l'ennemi, formée de ses meilleurs soldats. Le centre des infidèles ne résiste pas mieux aux troupes d'Adhémar et de Tancrède, qui, s'y précipitant l'épée à la main, le mettent bientôt dans un affreux désordre.

Déjà l'aile droite de Kerboghâ prenait la fuite; la gauche allait en faire autant, et les soldats du corps de bataille ne pouvaient plus rétablir leurs rangs, lorsqu'on vint annoncer à Hugues le Grand et à Godefroi que Boëmond était sur le point d'être défait par Soliman et les soudans de Damas et d'Alep, qui, à la tête de deux gros corps d'infanterie et de cavalerie, l'avaient surpris et attaqué sur ses derrières. Hugues le Grand arriva le premier au secours de ce prince. Voyant un des principaux d'entre les Sarrasins semer le carnage sur les flancs de Boëmond, il court à lui la lance baissée, le frappe entre la cuirasse et le casque, et lui perce le cou de part en part. Godefroi survient dans ce moment; et le combat, devenu encore plus sanglant, se termine enfin par la fuite des infidèles, qui se retirent avec précipitation vers les montagnes. Le reste de l'armée de Kerboghâ, contre lequel se réunirent les troupes victorieuses de Boëmond, ne tarda pas à suivre cet exemple.

Il y avait près du champ de bataille une petite vallée creusée par un torrent, qui, pendant l'hiver, s'y précipitait de la montagne. Les vaincus l'ayant traversée, s'arrêtèrent sur la hauteur pour s'y rallier; les croisés ne leur en donnèrent pas le temps. Ils n'hésitèrent pas de les attaquer dans cette forte position; le succès couronna leur audace, et les infidèles, aussitôt culbutés qu'attaqués, se mirent en pleine déroute.

Lorsque Kerboghà, qui s'était placé sur une éminence pour donner ses ordres pendant la bataille, vit son armée en partie taillée en pièces, en partie fuyant dans le plus affreux désordre, il fut saisi d'épouvante, et, par le conseil des officiers qui l'entouraient, il abandonna son camp, prit la fuite, sans trop s'inquiéter de ce qui lui restait de troupes, et se retira précipitamment vers l'Euphrate.

Comme l'armée victorieuse n'avait que quelques milliers de cavaliers, elle ne put se mettre à la poursuite des fuyards; Tancrède seul les suivit pendant plusieurs kilomètres : mais les Arméniens et les Syriens, leurs ennemis irréconciliables, en tuèrent un grand nombre. Cette victoire mémorable fut remportée le 28 juin. Les infidèles perdirent près de cent mille cavaliers et un nombre infini de gens de pied, et les chrétiens à peu près autant d'hommes qu'à la bataille de Dorylée. Les vainqueurs s'emparèrent du camp des vaincus et s'en partagèrent les immenses richesses; mais ce qui les réjouit davantage, ce furent les vivres qu'ils y trouvèrent en abondance, et dont ils avaient le plus pressant besoin.

Quand l'officier que Kerboghà avait chargé de la défense du château d'Antioche eut appris la défaite de ce général, il se hâta de demander au comte de Toulouse un étendard pour l'arborer sur les murs de cette forteresse. Ce prince lui envoya d'abord le sien, qui peu après fut remplacé par celui de Boëmond. Après avoir livré la place, il se fit instruire de la foi chrétienne, et fut ensuite baptisé avec tous ceux qui avaient suivi son exemple. Quant à ceux qui ne voulurent pas se faire chrétiens, Boëmond les renvoya sur les terres des infidèles.

La ville d'Antioche se trouvant ainsi délivrée, l'évêque du Puy et les autres prélats de la croisade s'occupèrent à y rétablir le culte divin. Ils purifièrent solennellement et réparèrent la grande église dédiée à saint Pierre, ainsi que les autres que les infidèles avaient profanées et dégradées. On prit, dans le butin, une certaine quantité d'or et d'argent pour en faire des calices, des croix, des chandeliers, et des étoffes précieuses pour les ornements des prêtres et des autels. On rétablit le clergé dans ses fonctions, et on lui assigna des revenus. Le patriarche, qui, depuis l'arrivée des croisés, avait été mis aux fers et cruellement traité par les infidèles, fut rétabli en son siége, et, de son vivant, on n'osa pas ordonner à Antioche de patriarche latin, par respect pour les canons, qui défendaient de placer deux évêques dans le même diocèse. Ce ne fut que lorsque ce patriarche se fut retiré, deux ans après, à Constantinople, que le clergé et le peuple d'Antioche élurent à sa place Bernard, évêque d'Arta en Épire, qui avait suivi Adhémar en qualité de chapelain. On établit ensuite des évêques dans les villes voisines qui avaient des cathédrales.

Pendant que les évêques s'appliquaient à prendre les mesures nécessaires pour rendre au christianisme l'éclat qu'il avait perdu sous la domination des Mahométans, les seigneurs s'assemblaient pour délibérer sur le parti qu'ils avaient à suivre relativement aux suites de l'expédition et au gouvernement de leur nouvelle conquête. Comme l'été était fort chaud, et que le pays qu'ils avaient à traverser, pour arriver à Jérusalem, manquait d'eau, ils fixèrent leur

départ au premier novembre; après quoi ils confirmèrent
Boëmond dans la principauté d'Antioche, comme ils en
étaient déjà convenus. Le comte de Toulouse fit éclater,
dans cette circonstance, sa fidélité à garder la parole qu'il
avait donnée à l'empereur Alexis. Non-seulement il ne
voulut jamais consentir à reconnaître Boëmond pour prince
d'Antioche, mais encore il montra la ferme résolution de
ne lui céder ni la porte du pont, ni les retranchements
qu'on avait élevés en face du château et dont on lui avait
confié la défense. Cependant Boëmond resta maître d'Antioche malgré son opposition, et cette grande cité devint
la capitale d'un État qui s'étendait jusqu'à Tarse, et qui
subsista dans une suite de neuf princes, pendant l'espace
de cent quatre-vingt-dix ans.

Pendant la querelle qui s'était élevée entre Boëmond et
Raymond, les princes croisés, voulant mettre Alexis dans
son tort, lui députèrent Hugues le Grand et Baudouin,
comte de Hainaut, pour l'inviter à les accompagner en
personne à la conquête de Jérusalem, comme il le leur
avait promis, et lui déclarer qu'à cette condition ils lui remettraient Antioche; mais que, s'il n'accomplissait pas sa
promesse, ils se tiendraient à leur tour dégagés de leur
parole, et ne lui rendraient ni Antioche, ni aucune des
villes dont ils pourraient se rendre maîtres. Cette députation
fut non-seulement très-inutile, mais encore très-malheu-
reuse. Les deux envoyés ayant été attaqués près de la
ville de Nicée, le comte de Hainaut disparut, sans que
depuis on sût jamais de ses nouvelles. On crut qu'il avait
été tué par des turcopoles, espèce de cavalerie légère de
la garnison de cette ville. Hugues le Grand s'étant sauvé
dans les bois, gagna Constantinople et vit l'empereur; mais,
au lieu de s'acquitter de la commission dont il s'était chargé,

il se décida à sacrifier à son retour en France la gloire qu'il avait acquise par son courage dans un grand nombre de périlleuses occasions.

Peu de jours après la réduction d'Antioche, la joie des croisés fut troublée par une des plus grandes calamités qu'ils eussent encore éprouvées. Il se manifesta dans toute la ville une maladie contagieuse, qui emportait chaque jour environ quarante personnes. Parmi les nombreuses victimes de ce fléau, on regretta bien vivement le vénérable Adhémar, évêque du Puy, dont la mort, qui arriva le 1er d'août, fut regardée comme le plus grand malheur que l'armée pût éprouver dans cette circonstance. On l'inhuma avec la plus grande solennité dans l'église de Saint-Pierre, à l'endroit même où l'on avait trouvé la lance. Henri d'Asches, seigneur non moins recommandable par sa grande valeur que par sa haute naissance; Raynard d'Amersbach, guerrier non moins illustre sous ces deux rapports, succombèrent au même fléau. Enfin, cette cruelle maladie, si l'on en croit Guillaume de Tyr, emporta en peu de temps cinquante mille personnes, et presque toutes les femmes en périrent. Chacun raisonnait à sa manière sur la cause de cette contagion, dont la véritable était sans doute la corruption de l'air dans un climat si chaud en été, et après une bataille qui avait jonché la terre d'un nombre prodigieux de cadavres.

Les ravages de la contagion et la nécessité de se procurer des subsistances, engagèrent plusieurs des principaux chefs de l'armée à faire des excursions sur les terres des infidèles. Boëmond descendit en Cilicie et soumit presque toute cette province. Un bon nombre de gentilshommes et de soldats passèrent l'Euphrate pour visiter Baudouin, prince d'Édesse, qui, après les avoir accueillis avec beaucoup de joie, les renvoya satisfaits de sa libéralité.

Sur ces entrefaites, un Turc de distinction, qui était assiégé par son prince, nommé Rodoan, dans la place d'Hasarth, dont il était gouverneur, implora le secours de Godefroi et fit même alliance avec lui. Ce duc écrivit à Baudouin, son frère, de se mettre à la tête de son armée pour délivrer son nouvel allié, et lui-même se mit en marche dans cette intention avec un corps de troupes. Les envoyés du gouverneur, étant ainsi assurés des généreuses dispositions de Godefroi à son égard, s'empressèrent de lui en transmettre la nouvelle. Ils prirent à cet effet deux pigeons, dressés aux fonctions de messager, leur attachèrent à la queue les lettres par lesquelles ils lui rendaient compte du résultat de leur mission, et leur donnèrent la liberté. Ces oiseaux, fidèles à l'éducation qu'ils avaient reçue, arrivèrent en peu d'instants dans la place d'où on les avait emportés. Le gouverneur lut les lettres dont ils étaient chargés, reprit courage, et osa même harceler l'ennemi, qui lui paraissait auparavant si redoutable par le nombre de ses soldats.

A peine Godefroi avait-il fait une journée de chemin, qu'il vit son frère Baudouin qui venait au-devant de lui à la tête de trois mille hommes. Après l'avoir embrassé avec toutes les marques de la plus tendre amitié, il lui exposa les motifs de son entreprise. Baudouin les approuva tous; mais, vu le nombre des troupes de Rodoan, il lui conseilla de faire venir un renfort de la ville d'Antioche. Godefroi suivit ce conseil, dicté par la prudence. Boëmond, qui était revenu de Cilicie, et le comte Raymond, qui d'abord avait refusé de l'accompagner, n'hésitèrent pas de répondre à son invitation. Quand les troupes que ces princes lui amenaient furent arrivées, il marcha contre Rodoan, dont l'armée était forte de quarante mille hommes, lui livra bataille, et le défit complètement. Cette expédition si heureusement terminée, Godefroi revint à Antioche, et Baudouin repartit pour Édesse, où il étouffa une conspiration qui s'y était formée peu de jours après son arrivée.

CHAPITRE VIII.

Les croisés, sous la conduite de Godefroi de Bouillon,
se dirigent sur Jérusalem.

(1098-1099.)

ous les princes qui s'étaient séparés les uns des
autres pendant l'été et une partie de l'automne
pour se soustraire à la contagion, faire des conquêtes et se procurer des vivres dans les provinces voisines
d'Antioche, s'étant réunis dans cette ville, l'armée, forte
de moins de cent mille hommes, partit le 1er novembre
pour marcher à la conquête de la Terre-Sainte. Boëmond
et le comte de Toulouse prirent les devants, et attaquèrent
de concert Marra, grande et forte ville, située à environ
trois journées d'Antioche, vers Apamée. Comme les machines de guerre causaient peu de dommages aux murs de
cette place, et que le siége durait depuis cinq semaines,
sans qu'on fût plus avancé que le premier jour, les soldats,
irrités des bravades de la garnison, fatigués du feu grégeois, composition incendiaire, qu'elle leur lançait des murailles, et surtout voulant à tout prix se délivrer de la
famine qui les tourmentait, résolurent de livrer à la ville

un assaut général, sans même attendre les ordres de leurs chefs. Le succès couronna leurs efforts, et Marra tomba en leur pouvoir, malgré l'opiniâtre résistance des infidèles.

Le premier qui monta sur les remparts l'épée à la main, était un gentilhomme limousin, nommé Geoffroi de la Tour, qui s'était fait dans toute l'armée une grande réputation de valeur et d'intrépidité. On raconte de lui le trait suivant : Un jour que, selon sa coutume, il s'était séparé de l'armée pour chercher des aventures, il entendit un lion qui poussait d'épouvantables rugissements ; son courage s'enflamme, il court, sans délibérer, vers l'endroit d'où ils partaient ; il voit un serpent d'une énorme grandeur, qui, entortillé autour des jambes et du corps d'un lion, lui enfonçait son dard à coups redoublés. Touché du danger de ce féroce animal, et ne pensant point qu'en le sauvant il lui laissait la liberté de se jeter sur son libérateur, il frappe le serpent de son épée avec tant de force et en même temps avec tant d'adresse, qu'il le tue sans blesser le lion. Ce redoutable animal, se voyant libre, veut témoigner sa reconnaissance à notre gentilhomme ; il s'approche de lui d'un air doux et soumis, et le caresse en lui léchant les pieds. Dès ce moment, il s'attacha à son généreux défenseur ; il le suivit partout, comme un chien accompagne son maître, et sans attaquer personne, excepté les ennemis, sur lesquels Geoffroi lui faisait signe de se jeter. Il le suivait au combat et à la chasse, et ne manquait jamais de lui apporter le gibier qu'il avait mis à mort. Le maître du vaisseau sur lequel Geoffroi s'embarqua, à la fin de la croisade, pour retourner en France, ayant refusé constamment de le recevoir à son bord, cet animal, au désespoir d'être séparé de son bienfaiteur, se jeta à la mer, et suivit le vaisseau à la nage, jusqu'à ce que ses forces étant epuisées, il disparut sous les flots.

La mésintelligence survenue entre Boëmond et le comte de Toulouse, au sujet de la principauté d'Antioche, se ralluma aussitôt après la conquête de Marra, malgré la parole que les autres chefs de l'armée avaient donnée à ces deux seigneurs de terminer leur différend après la conquête de Jérusalem. Le comte de Toulouse voulait garder cette place en toute propriété, Boëmond s'opposa fortement à cette prétention; et, poussant les choses à l'extrème, il retourna à Antioche, et chassa les soldats de son rival des postes qu'ils y occupaient encore. Godefroi et les autres princes, ne pouvant vaincre l'obstination de Raymond, se rendirent aussi dans cette ville. Ainsi, peu s'en fallut que la querelle de deux hommes ne fît échouer une entreprise au succès de laquelle toutes les forces de l'Asie s'étaient jusqu'alors vainement opposées. Les troupes de Raymond terminèrent ce procès : elles détruisirent les remparts et les forts de Marra pendant que ce seigneur conférait à Rugie, petite ville située entre cette place et Antioche; avec les autres princes qui s'y étaient rendus, et lui déclarèrent, à son retour, que, s'il refusait de les conduire à Jérusalem, elles se donneraient un autre chef. « Quoi! toujours des » querelles! s'écrient ces soldats; hier c'était pour Antioche, » aujourd'hui c'est pour Marra. Faudra-t-il que, dans tous » les endroits dont la protection de Dieu nous aura rendus » maîtres, nous ayons à souffrir des disputes de nos chefs? » La menace des soldats fit rentrer le comte de Toulouse en lui-même. Après avoir fait mettre le feu à Marra, il en sortit le 13 janvier 1099, nu-pieds, pour se rendre à Capharda, accompagné de ses troupes, qui témoignaient par leurs acclamations combien elles étaient satisfaites de son

changement. Le duc de Normandie et Tancrède se réunirent
à lui dans cet endroit.

Les exploits de l'armée chrétienne avaient retenti avec
tant d'éclat dans la Syrie, la Phénicie et la Palestine, que
tous les gouverneurs des places qui se trouvaient sur sa
route ou dans les environs, jusqu'à une forte distance,
envoyaient aux chefs de cette armée des présents, des vivres,
et des députés pour leur demander protection et amitié.
De ce nombre furent les gouverneurs de Césarée, d'Hama
et d'Émissa, autrement Caméla.

Après quelques jours de marche, les troupes des trois
princes réunis campèrent dans les environs d'Arcas ou Ar-
chis, ville de Phénicie, avantageusement située au pied du
mont Liban, à un peu plus de huit kilomètres de la mer,
et à la même distance de Tripoli. Le comte de Toulouse,
espérant l'emporter de vive force, l'attaqua le 11 février :
mais, comme le gouverneur de Tripoli, à qui cette place
appartenait, y avait mis une forte garnison, Raymond
fut repoussé et obligé de faire un siége régulier. Pendant ce
siége périrent plusieurs gentilshommes distingués par leur
courage ; entre autres Anselme de Ribemont, issu des anciens comtes de Valenciennes, et châtelain de cette ville,
qui fut tué d'une pierre lancée par une machine.

Ce fut aussi pendant le même siége, qui dura trois mois,
qu'on vint à douter si la lance qu'on avait trouvée à Antioche
était la même dont le côté de Jésus-Christ avait été percé.
Plusieurs soutenaient que ce n'était qu'une supercherie du
comte de Toulouse. Celui qui contribua le plus à donner
de la consistance à ce bruit, était un nommé Arnoul, chapelain du duc de Normandie, homme plus lettré que les
ecclésiastiques mêmes ne l'étaient dans ces temps-là, mais
d'une conduite peu conforme à la sainteté de sa profession.

Comme on disputait dans toute l'armée sur ce sujet, celui qui assurait avoir eu la révélation, Pierre Barthélemi, voulut en attester la vérité par l'épreuve du feu. On alluma donc un grand bûcher, et tous les croisés, pour être témoins de ce spectacle, s'assemblèrent le vendredi saint, 8 avril 1099. Pierre Barthélemi, quoique membre du clergé, était peu instruit, et paraissait doué d'une grande crédulité. Après avoir fait sa prière en présence de toutes les légions, il prit la lance, et passa en courant au travers des flammes. L'armée, des regards de laquelle il s'échappa aussitôt, crut qu'il en était sorti sain et sauf; mais il mourut peu de jours après, quoiqu'il se portât fort bien avant cette fatale épreuve. Quelques-uns attribuèrent sa mort à l'empressement des spectateurs qui, par dévotion, s'étaient jetés sur lui comme il sortait du bûcher; d'autres disaient que les flammes ne l'avaient pas épargné, parce qu'il était complice de l'artifice du comte Raymond. La question resta donc douteuse au milieu de ce conflit d'opinions, et devint encore plus difficile à décider qu'auparavant.

Un événement non moins singulier et non moins mémorable, arrivé pendant le siége d'Arcas, fut la prise de Tortose. Raymond-Pilet et Raymond, vicomte de Turenne, accompagnés de plusieurs gentilshommes de Gascogne et de Provence, de cent cavaliers et de deux cents fusiliers, se mirent en marche vers cette place, située sur la mer, et à une journée d'Arcas, en remontant vers Antioche. Étonnés de sa grandeur et du nombre de ses habitants qui couvraient les remparts, ils se retirèrent près d'un bois sans renoncer toutefois à l'espérance de s'en rendre maîtres, et allumèrent dans l'endroit où ils campaient un grand nombre de feux, pour faire croire aux habitants que toute l'armée était arrivée. Ce stratagème leur réussit. Les Tortosiens, effrayés à la vue de ces feux, prirent la fuite pendant la nuit, laissant leurs maisons remplies de richesses et de provisions. Le lendemain matin, les deux Raymond et leurs troupes furent bien agréablement surpris, lorsque, s'étant approchés de la place, ils en trouvèrent les portes ouvertes, et ne virent personne pour les défendre; ils s'en mirent aussitôt en possession et y restèrent jusqu'à la fin du siége d'Arcas.

Dans ce même temps, six soldats se signalèrent par un exploit qui, dans l'antiquité, les aurait placés au nombre des héros. S'étant éloignés de l'armée, ils rencontrèrent sur le chemin de Tripoli soixante soldats turcs, arabes et curdes, qui faisaient marcher devant eux des prisonniers enchaînés et de nombreux troupeaux. Le courage de ces braves gens s'enflamme à ce spectacle; ils oublient leur petit nombre, font le signe de la croix, tirent leurs épées, se précipitent comme des lions sur cette troupe d'ennemis, en tuent six, prennent six chevaux, et retournent au camp, dont leur audace excita l'admiration.

Cependant, Godefroi de Bouillon, son frère Eustache et le comte de Flandres, qui étaient repartis d'Antioche au mois de mars, faisaient le siége de Giblet, l'ancienne Gabala, ville située sur la mer, à moitié chemin d'Arcas et d'Antioche, et entre Tortose et Laodicée où Boëmond les avait quittés pour retourner dans sa principauté : mais, sur les instances que le comte de Toulouse leur fit par ses députés de venir à son secours contre une grande armée d'infidèles qui marchait, disait-il, pour l'attaquer, ils firent un traité avantageux avec le gouverneur de Giblet, et se rendirent en toute hâte devant Arcas, où ils furent bien surpris et vivement indignés que Raymond les eût trompés.

Pendant le séjour qu'ils firent au camp d'Arcas, ils ap-

prirent avec un profond étonnement, par les ambassadeurs
qu'ils avaient envoyés l'année précédente au soudan d'É-
gypte, et par ceux de ce prince qui les accompagnaient, qu'il
venait de se rendre maître de Jérusalem, que les Turcs
avaient enlevée à son père trente-huit ans auparavant; que,
sous le prétexte que les circonstances avaient changé depuis
la prise d'Antioche, il prétendait garder cette place en toute
propriété, et qu'il permettrait aux seuls Français d'y venir
visiter les Saints-Lieux en toute sûreté, pourvu qu'ils n'en-
trassent pas dans la ville plus de trois cents à la fois et sans
armes.

Les princes prirent cette déclaration du soudan pour une
insolente et méprisable dérision. « Dites à votre maître, re-
pondirent-ils à ses ambassadeurs, que ce n'est pas lui qui
nous fera la loi; qu'au plus tôt nous marcherons à Jérusalem à la tête de toute notre armée, et que, s'il ne retire pas
ses troupes de cette place, nous porterons la guerre dans
ses États, et jusque sous les murs de sa capitale. » Quelques
jours après avoir congédié avec cette fière réponse les ambassadeurs du soudan, les princes donnèrent audience à ceux
de l'empereur Alexis. Ce prince se plaignait de ce que Boëmond, au mépris de ses serments, retenait la ville d'Antioche comme sa propriété; il les priait en même temps de
l'attendre jusqu'au mois de juillet, époque vers laquelle
il viendrait les joindre avec une puissante armée et une
grande quantité de vivres. Raymond, qui craignait qu'on
ne levât le siége d'Arcas, qu'il voulait conquérir pour son
propre compte, insista vivement dans le conseil pour qu'on
attendît l'arrivée de l'empereur; mais les autres seigneurs,
toujours piqués de ce qu'il les avait trompés, et surtout
connaissant trop bien le caractère dissimulé et fourbe d'A-
lexis, furent d'avis que, sans plus tarder, ils devaient se

mettre en route vers Jérusalem, pour accomplir leur vœu par la conquête de cette sainte cité.

L'émir, ou gouverneur de Tripoli, qui d'abord avait offert aux princes croisés une grande somme d'argent pour les engager à lever le siége d'Arcas et à s'éloigner de sa frontière, apprenant la division qu'avait fait naître l'ambassade d'Alexis dans leur conseil, assembla des troupes et se mit en marche pour les attaquer. Instruits de sa résolution, les seigneurs tâchèrent de le prévenir, et conduisirent leurs bataillons contre Tripoli. Les deux armées se rencontrent ; celle de l'émir est battue ; il se retire dans sa ville avec une perte considérable et demande la paix. Les princes la lui accordèrent, à condition qu'il rendrait les prisonniers qu'il avait en son pouvoir, qu'il paierait tribut aux croisés, et qu'il se ferait chrétien.

Ce traité conclu le 13 mai 1099, les princes donnèrent à leurs troupes trois jours de repos dans les environs de Tripoli, après lesquels ils retournèrent à leur camp, devant Arcas. Fatigué d'un siége si long et qui ne paraissait pas devoir se terminer si tôt, l'armée ne tarda pas à faire éclater de violents murmures, ensuite à demander à grands cris qu'il fût levé, et qu'on la conduisit au plus tôt à Jérusalem. Dans leur impatience, les soldats mettent le feu au camp sans en avoir reçu l'ordre de leurs chefs. Toutes les troupes se mettent donc en marche, malgré l'opposition du comte de Toulouse, qui, abandonné des siens, se décide enfin à les suivre pour ne pas rester seul sous les murs d'une place où son obstination aurait sans doute achevé de faire périr le reste de l'armée.

Après avoir reçu de l'émir de Tripoli les présents et les vivres que ce gouverneur devait fournir, les seigneurs, qui avaient pris pour guides de fidèles habitants du mont

Liban, conduisirent l'armée par le chemin le plus court, sans toutefois s'éloigner de la mer, afin d'avoir toujours en vue les bâtiments vénitiens, génois, pisans et grecs qui lui apportaient des vivres des îles de Chypre, de Rhodes et autres îles voisines. Après quelques jours de marche, l'armée campa devant Bérithe et sur les bords d'un fleuve qui se jette dans la mer près de cette ville, dont le gouverneur lui fournit des vivres et de l'argent. Elle traversa ensuite les terres de Sidon où elle eut à se plaindre des mauvaises dispositions de l'émir à son égard, le territoire de Sarepta, de Tyr et de Syda. Après avoir passé les défilés situés entre le mont Saron et la mer, elle alla camper dans la magnifique plaine de Ptolémaïs, ou Saint-Jean-d'Acre.

Le gouverneur de cette ville, dont le port était vaste et commode, craignant d'être attaqué, fit aux seigneurs un accueil en apparence plein d'amitié, et leur promit que, si, vingt jours après la conquête de Jérusalem, il apprenait qu'ils fussent bien établis dans cette place, et qu'ils eussent réduit le soudan d'Égypte à l'impuissance de leur nuire, il leur remettrait sa ville sans la moindre difficulté. Satisfaits de cette promesse, les princes ordonnèrent aux troupes de continuer leur marche. En partant de la plaine de Saint-Jean-d'Acre, elles laissèrent la Galilée à gauche, s'avancèrent par Caïphas entre le mont Carmel et la mer, jusqu'à Césarée, seconde métropole de la Palestine, anciennement appelée la tour de Straton, et campèrent le long d'une rivière qui sort des marais voisins de cette ville. Ce fut là que le 29 mai elles célébrèrent la fête de la Pentecôte.

Au moment où l'on dressait le camp, on vit tomber des serres d'un oiseau de proie, un pigeon presque mort des

blessures qu'il avait reçues. Un évêque s'en saisit aussitôt, et trouva attachée à son corps une lettre du gouverneur de Saint-Jean-d'Acre à celui de Césarée, conçue à
peu près en ces termes. : « Une meute de chiens a traversé
mes terres. C'est une nation insensée, querelleuse et sans
discipline. Si vous aimez votre roi, faites tous vos efforts
pour lui nuire de toute manière. Vous le pourrez aisément
si vous le voulez. Donnez le même avis aux émirs des
autres villes. » L'armée, à laquelle on lut cette lettre, reconnut avec une vive allégresse combien Dieu la proté-
geait, puisqu'il ne permettait pas même aux oiseaux de lui
nuire.

En partant de Césarée, l'armée laissa sur sa droite la
côte de la mer, où sont situées les villes d'Antipatride et
de Joppé. Ensuite elle arriva par une vaste plaine à Lydda,
autrement Diospolis, place près de laquelle l'empereur Jus-
tinien avait fait bâtir une église magnifique en l'honneur
de saint Georges, martyr. Les infidèles, désespérant de défendre la ville, venaient de détruire ce beau monument et
en avaient brûlé les poutres, de peur que les croisés n'en
fabriquassent des machines de guerre. On s'empara ensuite
de Ramatha, ou Arimathie, de Rama et de Ramula. Comme
Rama n'était pas éloignée de Lydda, les princes donnèrent
ces deux dernières villes et leur territoire à un bon prêtre
du diocèse de Rouen, nommé Robert, qu'ils y établirent
évêque pour le service des chrétiens qui voudraient se fixer
dans ces endroits.

Après s'être reposée pendant trois jours à Rama, et avoir
laissé garnison dans cette ville, l'armée partit à la pointe
du jour sous la conduite de quelques guides dont la bonne
foi et la prudence étaient connues. Elle arriva le même
soir à Nicopolis, qui est l'ancienne Emmaüs, située à en-

viron huit kilomètres de Jérusalem. Vers le milieu de la nuit, des députés des chrétiens de Béthléem se présentèrent à Godefroi de Bouillon pour le supplier d'envoyer à leur secours un détachement de l'armée. Comme les infidèles fuyaient de tous côtés devant les troupes pour se rendre à Jérusalem, les fidèles de Béthléem, craignaient avec raison qu'en passant par leur ville, l'esprit de vengeance ne les portât à détruire leur église. Godefroi accueillit ces députés et leur demande avec beaucoup d'affection et d'empressement. Il choisit cent chevaliers armés à la légère, et leur ordonna de se porter sur Béthléem. Tancrède fut chargé du commandement de cette troupe. Ce chef étant arrivé dans cette ville avec les députés, et aux acclamations des habitants, fit aussitôt planter sa bannière au-dessus de l'église, et, sans perdre de temps, ordonna toutes les mesures nécessaires pour mettre cette petite place à l'abri des insultes de l'ennemi. Il y passa un jour entier et le lendemain il alla rejoindre le gros de l'armée avec ses cent cavaliers.

Quand les troupes apprirent que des députés de Béthléem étaient venus trouver Godefroi pendant la nuit, elles furent transportées d'un si grand enthousiasme, que les soldats, s'animant les uns les autres, n'attendirent pas les ordres de leurs chefs pour marcher vers Jérusalem, même avant que le jour eût paru; et que l'un d'entre eux, natif de Béziers, osa bien aller, à la tête de trente de ses camarades, enlever des troupeaux jusque sous les murs de la ville, et aux yeux même des infidèles.

Il est impossible de peindre l'émotion qui s'empara de toute l'armée, lorsqu'étant parvenue sur les hauteurs en avant d'Emmaüs, du côté de Jérusalem, elle découvrit les tours de cette ville fameuse. Les chefs, les soldats et les

autres croisés, saisis d'un mouvement involontaire, se pros-
ternent à l'instant la face contre terre, et poussent tous
ensemble, en versant des larmes, des cris d'allégresse et
de bénédiction. « Nous voyons donc enfin cette vénérable
» et sainte cité dans les murs et près de laquelle se sont
» opérés les grands mystères de notre foi! C'est donc sur
» cette montagne que Jésus, le Fils de Dieu, a versé son
» sang pour notre salut! C'est donc là que nous verrons
» de nos yeux le sépulcre où son corps adorable fut dé-
» posé par Joseph d'Arimathie! Oh! quel bonheur pour
» nous d'avoir survécu à tant de milliers de nos frères
» qui ont perdu la vie dans tant de combats contre les
» infidèles, ou ont succombé aux fatigues d'un si pénible
» et si long pèlerinage! Ah! ne regrettons pas les souf-
» frances que nous avons endurées pour venir à un terme
» si glorieux et si consolant! Ranimons toute notre ardeur
» et toutes nos forces; et puisque nous voilà enfin au pied
» de ces sacrés remparts, unissons tous nos efforts pour
» les enlever aux infidèles. »

Les chefs, profitant du saint enthousiasme de leurs soldats, dont un grand nombre avaient quitté leur chaussure,
les conduisirent aussitôt sous les murs de Jéruralem, éloignés d'environ huit kilomètres de l'endroit où l'on s'était
arrêté. C'était le septième jour de juin 1099.

CHAPITRE IX.

Siége et prise de Jérusalem.

(1099.)

'HISTOIRE fournit peu de notions positives sur la fondation et l'origine de Jérusalem. L'opinion commune est que Melchisédech, qui est appelé roi de *Salem*, dans l'Écriture, y faisait sa résidence; elle fut ensuite la capitale des Jébuséens, ce qui lui fit donner le nom de ville de *Jébus*. Il est probable que du nom de *Jébus* et de celui de *Salem*, qui signifie *vision* ou *séjour de la paix*, on aura formé le nom de *Jérusalem*, qu'elle porta sous les rois de Juda.

Dès la plus haute antiquité, Jérusalem ne le cédait en magnificence à aucune des villes de l'Asie. Jérémie la nomme *ville admirable* à cause de sa beauté; David l'appelle *la plus glorieuse et la plus illustre des villes d'Orient.* Par la nature de sa législation toute religieuse, elle montra toujours un invincible attachement pour ses lois; mais elle fut souvent en butte au fanatisme de ses ennemis et de ses propres habitants. Ses fondateurs, dit Tacite, ayant prévu que l'opposition des mœurs serait

une source de guerres, avaient mis tous leurs soins à la
fortifier, et, dans les premiers temps de l'empire romain,
elle était une des places les plus fortes de l'Asie.

Après avoir éprouvé un grand nombre de révolutions,
elle fut enfin renversée de fond en comble par Titus;
et, selon les menaces des prophètes, ne présenta plus
qu'une horrible confusion de pierres. L'empereur Adrien
détruisit ensuite jusqu'aux ruines de la Ville sainte, fit
bâtir une nouvelle cité, et lui donna le nom d'*Aélia*,
pour qu'il ne restât rien de l'ancienne Jérusalem. Les
chrétiens et surtout les Juifs en furent bannis. Le paganisme y éleva ses idoles. Vénus et Jupiter eurent des
autels sur le tombeau même de Jésus-Christ. Au milieu
de tant de profanations et de vicissitudes, les peuples de
l'Orient et de l'Occident conservaient à peine le souvenir
de la ville de David, lorsque Constantin lui rendit son
nom, y rappela les fidèles, et en fit une cité chrétienne.
Conquise ensuite par les Perses, reprise par les Grecs,
elle était tombée enfin comme une proie sanglante entre
les mains des Musulmans qui s'en disputaient la possession, et portaient tour à tour dans ses murs le double
fléau de la persécution et de la guerre.

Au temps des croisades, Jérusalem formait, comme aujourd'hui, un carré plus long que large, de quatre kilomètres
de circuit. Elle renfermait dans son étendue quatre collines :
à l'Orient le *Moriah*, où la mosquée d'Omar avait été bâtie
à la place du temple de Salomon; au Midi et au Couchant
l'*Acra*, qui occupait toute la largeur de la ville; au Sep-
tentrion le *Bezetha*, ou la ville neuve; au Nord-Ouest le
Golgotha ou le Calvaire, que les Grecs regardaient comme
le centre du monde, et sur lequel s'élevait l'église de la
Résurrection. Dans l'état où se trouvait alors Jérusalem,

elle avait beaucoup perdu de sa force et de son étendue. Le mont Sion n'était plus enfermé dans son enceinte, et dominait ses murailles entre le Midi et l'Occident. Les trois vallées qui environnaient ses remparts avaient été en plusieurs endroits comblées par Adrien, et l'accès de la place était beaucoup moins difficile, surtout du côté du Nord. Cependant, comme Jérusalem, sous la domination des Sarrasins, excitait sans cesse l'ambition des conquérants, et que chaque jour de nouveaux ennemis s'en disputaient la conquête, on n'avait point négligé de la fortifier. Les Égyptiens qui venaient de la conquérir sur les Turcs, travaillaient sans relâche, depuis plusieurs mois, à réparer ses fortifications, et se préparaient à la défendre, non plus contre les guerriers qu'ils avaient vaincus, mais contre des ennemis que les remparts d'Antioche et d'innombrables armées n'avaient pu arrêter dans leur marche victorieuse.

Pendant que les croisés s'avançaient lentement vers la ville, le lieutenant du calife, Iftikhar-Eddaulah faisait ravager les plaines voisines, brûler les villages, combler ou empoisonner les citernes, et s'environnait d'un désert où les chrétiens devaient se trouver en proie à tous les genres de misère; il faisait transporter dans la place toutes les provisions nécessaires à un long siége; il appelait tous les Musulmans à la défense de Jérusalem : un grand nombre d'ouvriers travaillaient jour et nuit à construire des machines de guerre. La garnison de la ville s'élevait à quarante mille hommes, et vingt mille habitants avaient pris les armes.

A l'approche des chrétiens, quelques détachements d'infidèles étaient sortis de Jérusalem pour observer la marche et les projets de l'ennemi. Ils avaient été repoussés par Baudouin du Bourg et par Tancrède. Ce dernier accourait de Béthléem, dont il venait de prendre possession. Après avoir poursuivi les fuyards jusqu'aux portes de la Ville sainte, il laissa ses compagnons, et se rendit seul sur le mont des Oliviers, d'où il contempla à loisir la cité promise aux armes et à la dévotion des pèlerins. Il fut troublé dans sa pieuse contemplation par cinq Musulmans qui sortirent de la ville et vinrent l'attaquer. Tancrède ne chercha point à éviter le combat; trois Sarrasins tombèrent sous ses coups; les deux autres s'enfuirent vers la ville. Sans hâter ni ralentir sa marche, Tancrède vint ensuite rejoindre le gros de l'armée, qui, dans son enthousiasme, s'avançait sans ordre, et descendait des hauteurs d'Emmaüs en chantant ces paroles d'Isaïe : *Jérusalem, lève les yeux et vois le libérateur qui vient briser tes fers.* Dès le lendemain de leur arrivée, les princes se hâtèrent de mettre le siége devant la ville, et firent ainsi leurs dispositions. Godefroi de Bouillon, le comte Eustache et Tancrède établirent leurs quartiers à l'Occident, jusqu'à la forteresse nommée la tour de David, où les infidèles se trouvaient en plus grand nombre. Le comte de Toulouse se posta vis-à-vis la porte sur laquelle cette tour s'élevait, et s'étendit ensuite vers le Midi jusqu'à l'extrémité de la montagne de Sion. La partie septentrionale fut occupée par le duc de Normandie et par les comtes de Flandres et de Saint-Paul, depuis la porte de Saint-Étienne, aujourd'hui celle de Damas, jusqu'à la tour angulaire, voisine de la vallée de Josaphat. Les rochers escarpés et les vallées qui bordaient les côtés de l'Orient et du Midi en empêchèrent la circonvallation.

Quand ces dispositions furent achevées, et le cinquième jour après l'arrivée de l'armée, des hérauts publièrent, dans tous les quartiers que tout le monde eût à prendre les armes et à se tenir prêt pour attaquer la ville. Jamais les soldats n'avaient montré tant d'ardeur. Ils emportèrent d'abord les premiers retranchements de l'ennemi; mais comme ils n'avaient que quelques échelles d'osier pour monter à l'escalade, après plusieurs attaques infructueuses, ils sentirent la nécessité des grandes machines de guerre pour faire brèche aux murailles.

Comme les princes délibéraient sur les moyens de se procurer le bois nécessaire à la construction de ces machines, parce que le pays ne pouvait leur en fournir, un Syrien se présenta devant eux et leur apprit qu'il y avait, dans quelques vallées peu connues, situées du côté de l'ancienne Sébaste, des arbres dont la grosseur et la hauteur les rendaient propres à l'usage qu'ils en voudraient faire. Quelques seigneurs l'accompagnèrent dans ces endroits, et reconnurent la sincérité de ses paroles. C'est cette forêt enchantée qui a fourni au Tasse le sujet d'un de ses plus beaux épisodes. On rassembla donc un grand nombre d'ouvriers pour couper ces arbres, aussi anciens que le monde, et des chariots pour les transporter. Comme on manquait d'argent pour payer ces ouvriers, le comte de Toulouse signala son désintéressement en fournissant une bonne partie de celui dont on avait besoin.

Pendant qu'on travaillait à fabriquer des balistes, des catapultes, des béliers et des échelles, l'armée ne trouvant point d'eau, parce que les Sarrasins avaient bouché les puits et les sources à plus de huit kilomètres à la ronde, était tourmentée d'une soif que rendaient plus ardente encore la chaleur du climat et celle du mois où l'on était. Les soldats furent donc obligés, pour se procurer de l'eau, de se rendre à des sources éloignées que les chrétiens du pays leur indiquèrent. Plusieurs périrent dans cette sorte de voyage, ainsi que les chevaux et autres bêtes de somme

que l'on conduisait à ces sources. Au tourment de la soif
se serait bientôt joint celui de la famine, si une flotte
génoise, qui arriva dans le port de Joppé, n'eût envoyé à
l'armée les subsistances dont elle avait un pressant besoin.

Le travail des machines dura plus d'un mois, malgré
l'ardeur avec laquelle les ouvriers s'y livraient. Lorsqu'elles
furent achevées, les évêques ordonnèrent un jeûne de trois
jours. Pendant cet espace de temps, toute l'armée fit le
tour de la ville en procession et en chantant les litanies,
et monta ensuite sur le mont des Oliviers, jusqu'à l'endroit
où Jésus-Christ s'était élevé dans les cieux. Quand elle y
fut arrivée, tous les seigneurs et les soldats se prosternèrent
en versant beaucoup de larmes. Pierre l'Ermite et le chapelain Arnoul saisirent une si belle occasion pour exhorter
tous les croisés à terminer les différends qui jusqu'alors
avaient pu les diviser. Leurs discours firent sur tous les
cœurs une si forte impression, que chefs et soldats s'embrassèrent les uns les autres, en signe d'une parfaite réconciliation. L'éloquence d'Arnoul, dont les mauvaises mœurs
auraient nui, dans toute autre circonstance, à l'effet qu'il
voulait produire, fut singulièrement aidée par celle de l'endroit où il se trouvait. Pendant que se passait cette scène,
aussi sublime que touchante, les Sarrasins, qui en étaient
témoins, vomissaient, contre des croix qu'ils avaient plantées
sur leurs remparts, toutes sortes d'imprécations, en les
couvrant d'ordures et de crachats. « Vous entendez, leur
» dit alors l'ermite Pierre, vous entendez les menaces et les
» blasphèmes des ennemis du vrai Dieu ; jurez de défendre
» Jésus-Christ prisonnier et crucifié une seconde fois par
» les infidèles. Vous le voyez, qu'il expire de nouveau sur
» le Calvaire pour racheter vos péchés. » A ces mots, le
cénobite est interrompu par des gémissements et des cris

d'indignation. Toute l'armée brûle de venger les outrages du Fils de Dieu. « Oui, j'en jure par votre piété, pour-» suit l'orateur, j'en jure par vos armes, le règne des » impies touche à son terme. L'armée du Seigneur n'a » plus qu'à paraître, et tout ce vain amas de Musulmans » se dissipera comme l'ombre. Aujourd'hui encore pleins » d'orgueil et d'insolence, demain ils seront glacés d'effroi, » et tomberont immobiles devant vous, comme ces gar-» diens du sépulcre qui sentirent leurs armes s'échapper » de leurs mains, et tombèrent morts de frayeur lorsqu'un » tremblement de terre annonça la présence d'un Dieu sur » ce Calvaire où vous allez monter à l'assaut. Encore » quelques moments, et ces tours, dernier boulevard des » infidèles, seront l'asile des chrétiens : ces mosquées qui » s'élèvent sur des ruines chrétiennes serviront de temple » au vrai Dieu, et Jérusalem n'entendra plus que les » louanges du Seigneur. »

A ces dernières paroles de Pierre, les plus vifs trans-ports éclatent parmi les croisés ; ils s'embrassent encore en versant des larmes, et s'exhortent les uns et les autres à supporter ensemble des fatigues et des maux dont ils allaient enfin recevoir la glorieuse récompense. Les chré-tiens descendent ensuite du mont des Olives pour rega-gner leur camp, et, prenant la route vers le Midi, ils saluent à leur droite le tombeau de David, et passent près de la piscine de Siloë, où Jésus-Christ rendit la vue à l'aveugle-né ; ils aperçoivent plus loin les ruines des palais de Juda, et s'avancent sur le penchant de la montagne de Sion, où d'autres souvenirs viennent ajouter à leur enthousiasme. Vers le soir, l'armée chrétienne re-vint dans ses quartiers en répétant ces paroles du Pro-phète : *Ceux d'Occident craindront le Seigneur, et ceux d'Orient verront sa gloire.* Rentrés dans leur camp, la plupart des pèlerins passent la nuit en prières; les chefs et les soldats confessent leurs péchés aux pieds de leurs prêtres, et reçoivent dans la communion le Dieu dont les promesses les remplissaient de confiance et d'espoir.

Tandis que l'armée chrétienne se préparait ainsi au combat, le plus profond silence régnait autour des murs de Jérusalem; seulement on entendait d'heure en heure des hommes qui, du haut des mosquées de la ville, appelaient les Musulmans à la prière. Les infidèles couraient en foule dans leurs temples pour y implorer la protection de leur prophète; ils juraient par la pierre mystérieuse de Jacob de défendre une ville qu'ils appelaient *la Maison de Dieu*. Les assiégés et les assiégeants avaient la même ardeur de combattre et de verser leur sang, les uns pour conserver Jérusalem, les autres pour en faire la conquête. La haine qui les animait était si violente que, pendant tout le cours du siége, aucun député musulman ne vint dans le camp des chrétiens, et que les chrétiens n'avaient pas daigné sommer la garnison de se rendre. Entre de tels ennemis, le choc devait être terrible, et la victoire implacable.

Les chefs de l'armée chrétienne furent convoqués pour décider le jour où l'on attaquerait la ville. On résolut dans le conseil de profiter de l'enthousiasme des pèlerins qui était à son comble, et de presser l'assaut dont on poursuivait les préparatifs. Comme les Sarrasins avaient élevé un grand nombre de machines vers les côtés de la ville qui paraissaient le plus menacés par les chrétiens, on arrêta qu'on changerait les dispositions du siége, et que la principale attaque serait dirigée vers les points où l'ennemi n'avait pas fait de préparatifs de défense.

Godefroi, qui avait remarqué que le côté de la ville entre l'Orient et le Nord en était le plus faible, y transporta son quartier pendant la nuit, et, comme les autres sei gneurs, il employa les trois jours suivants à disposer les machines de guerre dont les principales étaient trois énormes châteaux de bois d'une structure toute nouvelle. Ils avaient chacun trois étages. Le plus bas était occupé par les ingénieurs et les ouvriers qui devaient faire avancer la machine sur ses roues; aux deux autres étages tenaient deux plates-formes saillantes, d'où l'on pouvait combattre de pied ferme, de loin comme de près, selon le mouvement qu'on donnait au château. La hauteur du second étage égalait celle de la seconde muraille qui surpassait de beaucoup l'avant-mur, et le troisième s'élevait de la hauteur d'une pique au-dessus de la dernière muraille de cette ville. Ainsi, de ces deux étages, on pouvait choisir les ennemis jusque dans le cœur de la place, et les y battre de toute manière. Afin d'amortir les coups de pierre et d'empêcher les effets du feu, on avait revêtu les quatre faces de ces machines de claies, couvertes de peaux de différents animaux tout fraîchement tués. Enfin, on avait construit sur la dernière plate-forme un pont à bascule qu'on pouvait abaisser sur les murailles pour entrer dans la ville. Le tout était surmonté d'une croix sur laquelle on voyait la figure du Christ, toute d'or massif, qui jetait le plus vif éclat.

Comme on devait former trois attaques, on plaça à chacune un de ces châteaux. Godefroi et le comte Eustache firent avancer le premier entre la tour angulaire et la porte Saint-Étienne, située au-dessus de la vallée de Josaphat à l'Orient. Le duc de Normandie, le comte de Flandres et Tancrède firent placer le second un peu plus bas, et près

de la tour angulaire, qui fut ensuite appelée la tour de
Tancrède. Le comte de Toulouse établit le sien, à la construction duquel il avait donné tous ses soins ; entre l'église
du mont de Sion et la ville. Comme son point d'attaque
avançait de l'Occident vers le Midi, il fut obligé de faire
combler de profonds ravins, situés entre l'extrémité de
sa droite et la muraille. Les autres seigneurs qui avaient
fait élever une énorme tour de bois ; à peu près de la même
hauteur et de la même solidité que ces châteaux, se pos-
tèrent tout près de la tour que le comte de Toulouse avait
dans son quartier.

Le 13 juillet, au point du jour, toute l'armée prit les
armes, selon l'ordre qu'elle en avait reçu, et s'avança pour
attaquer. Tous les soldats n'avaient qu'une pensée, de vaincre
ou de mourir. Parmi tant de milliers d'hommes il n'y avait
vieillard, malade, enfant, qui ne se montrassent enflammés
d'une généreuse ardeur pour le combat. Les femmes même,
oubliant leur sexe et leur faiblesse, ne furent pas des
moins empressées à prendre les armes. On fit d'abord jouer
toutes les machines qui accompagnaient les châteaux. L'attaque, qui avait commencé avec une ardeur extraordinaire,
dura toute cette journée et la suivante avec la même violence. Du haut de leurs châteaux, les chefs animaient les
troupes par leur exemple. Godefroi lui-même, qui était
monté avec son frère sur la dernière plate-forme du sien,
quoique exposé à tous les traits des ennemis, n'en combattait pas avec moins de valeur et de succès.

Les assiégés, de leur côté, n'oubliaient rien pour repousser
les terribles attaques qui leur étaient livrées. Tous leurs
remparts étaient bordés de machines qui lançaient une
affreuse grêle de pierres de toutes grosseurs. Ils jetaient
aussi, de toutes leurs tours contre les machines des matières

embrasées pour y mettre le feu. Ils firent même une sortie, pendant laquelle ils brûlèrent une partie d'un énorme bélier qui avait fait une large brèche à la muraille devant laquelle il était placé. Enfin, jamais on n'avait vu tant d'acharnement dans l'attaque et dans la défense. La nuit seule mit fin à cette sanglante journée.

Le jour suivant, le combat recommença de part et d'autre avec plus de fureur encore que la veille. Comme les Sarrasins n'avaient plus rien à opposer à l'énorme machine d'où Godefroi et ceux qui combattaient avec lui semaient le carnage parmi eux, ils firent monter sur les remparts deux magiciennes, dans l'espérance qu'elles en arrêteraient les redoutables effets par leurs enchantements. A peine ces femmes commençaient-elles à se livrer à leurs opérations magiques, qu'une pierre, aussi grosse qu'une meule de moulin les emporta au loin avec trois jeunes filles qui les accompagnaient.

Cependant avec quelque ardeur que les assaillants se portassent aux différentes attaques, les assiégés leur opposaient une telle résistance, qu'à une heure après midi, les troupes, excédées des efforts qu'elles avaient faits sans interruption depuis le commencement du jour, commencèrent à perdre courage, et se disposaient même à emmener les machines, pour suspendre l'attaque jusqu'au lendemain. Pénétré de douleur par cette résolution qui allait ranimer le courage des infidèles, Godefroi de Bouillon se mit à crier de toutes ses forces, du haut de la machine où il combattait avec une extrême valeur, qu'il voyait sur la montagne des Oliviers un guerrier, qui, en agitant un bouclier resplendissant de lumière, faisait signe aux légions de continuer leurs attaques, et leur promettait que ce jour-là même elles se rendraient maîtresses de la ville. A ce cri de

son général, toute l'armée, persuadée de la vérité de sa
vision, se sent animée d'une nouvelle ardeur. Les plus
fatigués, et même les blessés, retournent au combat,
comme si les forces qu'ils avaient perdues, leur fussent
revenues dans un instant. On vit les femmes, marchant à
la tête des bataillons, exhorter les soldats à bien faire leur
devoir. Enfin, l'enthousiasme fut si grand, qu'en moins
d'une heure on eut comblé le fossé qui empêchait qu'on
ne poussât les grosses machines contre les murailles, et
que la plus grande alla toucher le dernier mur, près duquel
on put combattre quelque temps avec la pique et le javelot.
L'ardeur n'était pas moindre vers le quartier du comte de
Toulouse. Ce prince qui, disent quelques historiens des
Croisades, avait eu la même vision que Godefroi, s'était
aussi servi de ce moyen pour exciter l'enthousiasme de ses
soldats.

Godefroi se voyant si près de la dernière muraille, ima-
gina une attaque qui obligea bientôt les infidèles d'abandonner leurs remparts. S'étant aperçu que le vent du Nord
soufflait derrière la machine où il combattait et contre les
assiégeants, il fit lancer une grande quantité de dards enflammés contre les sacs remplis de paille et de foin, et
contre les ballots de laine que les assiégés avaient suspen-
dus aux murailles pour amortir les coups des machines.
Quand le feu eut pris à ces matières, le vent poussa avec
tant de violence les flammes et l'épaisse fumée qui s'élevait
de cet incendie, contre ceux qui défendaient les murs et les
tours voisines, qu'ils furent tous forcés d'abandonner leurs
postes. Godefroi, satisfait de ce succès de son stratagème,
fit abaisser aussitôt sur la partie de la muraille qu'il avait
en face le pont-levis de sa machine, et descendit dans la
ville à la tête d'une troupe de guerriers d'élite. Il est bien-

tôt suivi du duc de Normandie, du comte de Flandres et de Tancrède, qui, après s'être servis du même moyen, avaient jeté leur pont sur le mur voisin de la tour angulaire. Un historien rapporte qu'avant l'entrée de Godefroi dans la ville, Adhémar, évêque du Puy, qui était mort à Antioche, apparut sur le rempart, invitant les croisés à monter auprès de lui.

Déjà toute la partie septentrionale de la ville était au pouvoir des chrétiens, que le comte de Toulouse attaquait encore la tour de David que défendait le gouverneur. Lorsqu'il eut appris cet événement, il fit livrer à la muraille devant laquelle il était posté un si furieux assaut, que le gouverneur, qui avait reçu la nouvelle de ce qui se passait d'un autre côté, se décida sur-le-champ à lui livrer la tour de David, à condition qu'il lui serait permis de se retirer à Ascalon; ce que Raymond lui accorda. Ce fut ainsi que les croisés enlevèrent Jérusalem aux infidèles le 15 juillet 1099, le même jour, à la même heure que Jésus-Christ expira sur la croix.

CHAPITRE X.

Godefroi de Bouillon, roi de Jérusalem.

(1099.)

***

UAND toute l'armée fut entrée dans Jérusalem, elle fit main basse sur tous les Musulmans dont cette ville était pleine et le massacre fut horrible. On tua non-seulement ceux qui se trouvaient dans les rues, mais encore ceux qui s'étaient réfugiés dans la mosquée bâtie sur l'emplacement du temple, où dix mille environ furent égorgés. Dix mille autres éprouvèrent le même sort dans la ville. Tout nageait dans le sang; et les vainqueurs, fatigués du carnage, ne pouvaient le regarder sans horreur.

Les troupes se répandirent ensuite dans les maisons pour les piller. Elles y firent un butin qui surpasse l'imagination. Tancrède ayant fait enfoncer les portes de la grande mosquée, y trouva une statue colossale d'argent qui représentait Mahomet. Elle était d'un si grand poids, que dix hommes pouvaient à peine la soulever. Il la fit briser par ses soldats, et en donna le métal à Godefroi, avec une grande quantité de lances d'argent, de vases précieux et de pierreries qu'il avait enlevés dans cette enceinte. Comme tous ces objets lui appartenaient, il fit preuve d'un désintéressement qui devrait être la vertu dominante de tous ceux qui commandent les armées.

Après que les vainqueurs eurent amplement exercé leurs droits ; et que les seigneurs eurent pris les mesures les plus urgentes pour la sûreté de la ville, ils quittèrent leurs armes et leurs habits guerriers qui étaient tout couverts de sang, prirent des vêtements plus propres, se lavèrent les mains, ôtèrent leurs chaussures, et, dans cet état, se mirent à visiter les Saints-Lieux, mais surtout l'église du Saint-Sépulcre où ils ne purent s'empêcher de verser beaucoup de larmes. Ils y furent reçus par le clergé et le petit nombre de chrétiens qui étaient restés dans la ville, et qui, rendant grâces à Dieu de leur délivrance, vinrent au-devant des princes avec les croix et les reliques, et les conduisirent à l'église au chant des hymnes et des cantiques.

C'était un spectacle bien touchant que la piété avec laquelle ces croisés, si redoutables dans les combats, visitaient et baisaient les vestiges des souffrances du Sauveur. Ce n'étaient que larmes, que cris de joie, qu'actions de grâces pour l'heureuse fin dont le Seigneur avait couronné leur périlleux et long pèlerinage. Les chrétiens du pays reconnaissant Pierre l'Ermite qu'ils avaient vu quatre ou cinq ans auparavant à Jérusalem, se prosternaient devant lui, et ne savaient comment lui témoigner leur reconnaissance. Le patriarche Siméon n'eut pas le bonheur de lui prouver la sienne. Il s'était rendu dans l'île de Chypre dans le dessein d'y recueillir des aumônes qui pussent lui servir à payer les impôts dont les infidèles accablaient son peuple, et empêcher la destruction des églises. Comme il ne savait rien de ce qui se passait à Jérusalem, il s'attendait à y éprouver à son retour de nouvelles avanies ; mais la mort ne lui permit pas de voir la délivrance des chrétiens dont il était le pasteur.

Huit jours après la conquête, et presque dans le même temps qu'on reçut la nouvelle de la mort de ce vénérable prélat, les seigneurs s'assemblèrent pour élire un roi de la ville et du pays. Comme ils étaient enfermés pour délibérer, quelques membres du clergé, qui avaient obtenu d'être introduits, leur proposèrent d'élire un patriarche avant de procéder à l'élection d'un roi, s'ils voulaient avoir leur consentement pour tout ce qu'il leur plairait de résoudre. Le chef de ces factieux était l'évêque de Martorane, en Calabre, ami intime du chapelain Arnoul qu'il voulait faire élever à la dignité patriarcale, malgré sa conduite scandaleuse qui le rendait la fable de toute l'armée. Nous ne devons pas être surpris de la proposition de cet évêque, s'il est vrai, comme l'assure Guillaume de Tyr, qu'il n'existait ni piété, ni honnêteté, ni discipline dans le clergé de la croisade, depuis la mort de l'évêque du Puy et celle de Guillaume, évêque d'Orange, qui ne lui avait survécu que peu de temps.

Les seigneurs ne s'arrêtèrent ni à la demande, ni à la menace de l'évêque de Martorane. Dix jours après leur victoire, ils s'occupèrent de relever le trône de David et de Salomon, et d'y placer un chef qui pût conserver et maintenir une conquête que les chrétiens venaient de faire au prix de tant de sang. Le conseil des princes étant assemblé, un des chefs (l'histoire nomme le comte de Flandres) se leva au milieu d'eux, et leur parla en ces termes. « Mes » frères et mes compagnons, nous sommes réunis pour » traiter une affaire de la plus haute importance ; nous » n'eûmes jamais plus besoin des conseils de la sagesse et » des inspirations du Ciel : dans les temps ordinaires, on

» désire toujours que l'autorité soit aux mains du plus
» habile; à plus forte raison devons-nous chercher le plus
» digne pour gouverner ce royaume qui est encore en
» grande partie au pouvoir des Barbares. Déjà nous avons
» appris que les Égyptiens menacent cette ville à qui nous
» allons choisir un maître. La plupart des guerriers chré-
» tiens qui ont pris les armes sont impatients de retourner
» dans leur patrie, et vont abandonner à d'autres le soin
» de défendre leurs conquêtes. Le peuple nouveau qui doit
» habiter cette terre n'aura point dans son voisinage de
» peuples chrétiens qui puissent le secourir et le consoler
» dans ses disgrâces. Ses ennemis sont près de lui, ses
» alliés sont au-delà des mers. Le roi que nous lui aurons
» donné sera son seul appui au milieu des périls qui l'en-
» vironnent. Il faut donc que celui qui est appelé à gou-
» verner ce pays ait toutes les qualités nécessaires pour
» s'y maintenir avec gloire; il faut qu'il réunisse à la
» bravoure naturelle aux Francs, la tempérance, la foi et
» l'humanité; car l'histoire nous l'apprend : c'est en vain
» qu'on a triomphé par les armes, si on ne confie les
» fruits de la victoire à la sagesse et à la vertu.

» N'oublions point, mes frères et mes compagnons, qu'il
» s'agit moins aujourd'hui de donner un roi qu'un fidèle
» gardien au royaume de Jérusalem. Celui que nous choi-
» sirons pour chef doit servir de père à tous ceux qui
» auront quitté leur patrie et leur famille pour le service
» de Jésus-Christ et la défense des Saints-Lieux. Il doit
» faire fleurir la vertu sur cette terre où Dieu ·lui-même
» en a donné le modèle; il doit ramener les infidèles à
» la religion chrétienne, les accoutumer à nos mœurs, leur
» faire bénir nos lois. Si vous venez à élire celui qui
» n'en est pas digne, vous détruirez votre propre ouvrage,

» et vous amènerez la ruine du nom chrétien dans ce
» pays. Je n'ai pas besoin de vous rappeler les exploits
» et les travaux qui nous ont mis en possession de ce ter-
» ritoire; je ne vous rappellerai point les vœux les plus
» chers de nos frères qui sont restés en Occident. Quelle
» serait leur désolation, quelle serait la nôtre, si, de re-
» tour en Europe, nous entendions dire que le bien public
» a été trahi et négligé, la religion abolie dans ces lieux
» où nous avons relevé ses autels! Plusieurs alors ne man-
» queraient pas d'attribuer à la fortune et non à la vertu
» les grandes choses que nous avons faites, tandis que
» les maux qu'éprouverait ce royaume passeraient aux yeux
» des hommes pour être le fruit de notre imprudence.

» Ne croyez pas cependant, mes frères et mes compa-
» gnons; que je parle ainsi parce que j'ambitionne la royauté,
» et que je recherche votre faveur et vos bonnes grâces.
» Non, je n'ai point tant de présomption que d'aspirer à
» un tel honneur; je prends le ciel et les hommes à té-
» moin que, lors même que vous voudriez me donner la
» couronne, je ne l'accepterais point, étant résolu de re-
» tourner dans mes États. Ce que je viens de vous dire
» n'est que pour l'utilité et la gloire de tous. Je vous
» supplie, au reste, de recevoir ce conseil comme je vous
» le donne, avec affection, franchise et loyauté, et d'élire
» pour roi celui qui, par sa vertu, sera le plus capable de
» conserver et d'étendre ce royaume auquel sont attachés
» l'honneur de vos armes et la cause de Jésus-Christ. »

A peine le comte de Flandres avait cessé de parler, que
tous les autres chefs donnèrent de grands éloges à sa prudence et à ses sentiments. La plupart d'entre eux songèrent
même à lui offrir un honneur qu'il venait de refuser; car
celui qui, dans une pareille circonstance, refuse une cou-

ronne, en paraît toujours le plus digne : mais Robert s'était exprimé avec franchise et bonne foi; il soupirait après le moment de revoir l'Europe, et se contentait du titre de fils de Saint-Georges, qu'il avait obtenu par ses exploits dans la guerre sainte.

Parmi les autres chefs qui étaient appelés à régner sur Jérusalem, on devait mettre au premier rang Godefroi, Raymond, le duc de Normandie et Tancrède. Ce dernier ne recherchait que la gloire des armes, et mettait le titre de chevalier beaucoup au-dessus de celui de roi. Robert de Normandie avait également montré plus de bravoure que d'ambition. Après avoir dédaigné le royaume d'Angleterre, il devait peu rechercher celui de Jérusalem. Si on en croit un historien anglais, il aurait pu obtenir le suffrage de ses compagnons; mais il refusa le trône de David par indolence et par paresse ; ce qui irrita tellement Dieu contre lui, ajoute le même auteur, que rien ne lui prospéra pendant le reste de sa vie. Le comte de Toulouse avait fait le serment de ne plus revenir en Europe; mais on redoutait son caractère opiniâtre et ambitieux ; et quoique plusieurs auteurs aient dit qu'il refusa de monter sur le trône à cause de son grand âge, tout nous porte à croire que les chrétiens de Jérusalem devaient craindre de l'avoir pour maître et souverain.

Les opinions de l'armée et des chefs étaient incertaines ; les princes n'étaient point d'accord entre eux, et, parmi la foule des croisés, quelques-uns auraient voulu choisir celui qu'ils avaient eu pour chef dans la guerre sainte; d'autres, comme les Provençaux, qui n'aimaient point le comte de Saint-Gilles, et ne voulaient point rester en Asie, faisaient tous leurs efforts pour écarter du trône de Jérusalem le prince dont ils suivaient les drapeaux.

Pour terminer les débats, il fut décidé que le choix serait fait par un conseil particulier composé de dix hommes les plus recommandables du clergé et de l'armée. On ordonna des prières, des jeûnes et des aumônes pour que le Ciel daignât présider à la nomination qu'on allait faire. Ceux qui étaient appelés à choisir le roi de Jérusalem jurèrent, en présence de l'armée chrétienne, de n'écouter aucun intérêt, aucune affection particulière, et de couronner la sagesse et la vertu. Ces électeurs, dont l'histoire n'a point conservé le nom, mirent le plus grand soin à étudier l'opinion de l'armée sur chacun des chefs. Guillaume de Tyr rapporte qu'ils allèrent jusqu'à interroger les familiers et les serviteurs de tous ceux qui avaient des prétentions à la couronne de Jérusalem, et qu'ils leur firent prêter serment de révéler tout ce qu'ils savaient sur les mœurs, le caractère et les penchants les plus secrets de leurs maîtres. Les serviteurs de Godefroi de Bouillon rendirent le témoignage le plus éclatant à sa douceur, à son humanité, et surtout à sa dévotion exemplaire (1).

Pour ajouter à cet honorable témoignage, on racontait les exploits du duc de Lorraine dans la guerre sainte. On se rappelait qu'au siége de Nicée il avait tué le plus redoutable des Sarrasins, qu'il pourfendit un géant sur le pont d'Antioche, et que dans l'Asie-Mineure il exposa sa vie pour sauver celle d'un soldat terrassé par un ours. On racontait de lui plusieurs autres traits de bravoure qui, dans l'esprit des croisés, le plaçaient au-dessus de tous les autres chefs.

Enfin les électeurs, après avoir mûrement délibéré et pris toutes les informations nécessaires, proclamèrent le nom de Godefroi. Cette nomination causa la plus vive joie dans

(1) Michaud.

l'armée chrétienne, et fut regardée comme une inspiration
du ciel. Par l'autorité qui lui était donnée, Godefroi se
trouvait le dépositaire des intérêts les plus chers des croisés.
Chacun d'eux lui avait en quelque sorte confié sa propre
gloire en lui laissant le soin de veiller sur les nouvelles conquêtes des chrétiens. Ils le conduisirent en triomphe à l'é-
glise du Saint-Sépulcre, où il prèta serment de respecter
les lois de l'honneur et de la justice. Godefroi refusa le
diadème et les marques de la royauté, en disant qu'il n'ac-
cepterait jamais une couronne d'or dans une ville où le
Sauveur du monde avait été couronné d'épines. Il se contenta du titre modeste *de défenseur et de baron du Saint-
Sépulcre*. On a prétendu qu'il ne fit en cela qu'obéir aux
insinuations du clergé, qui craignait de voir l'orgueil s'asseoir sur un trône où l'esprit de Jésus-Christ devait régner.
Quoi qu'il en soit, Godefroi mérita par ses vertus le titre de
roi que l'histoire lui a donné, et qui lui convenait mieux
sans doute que le titre de royaume ne convenait à ses faibles
États. Dès les premiers jours de son règne, le nouveau
monarque s'occupa de rétablir le culte divin : il fonda un
chapitre de chanoines dans l'église du Saint-Sépulcre, ou de
la Résurrection, et un autre dans celle du Temple, qui était
la grande mosquée des Musulmans, fondée par le calife
Omar, sur l'emplacement de l'ancien temple des Juifs. Il fit
aussi bâtir un monastère dans la vallée de Josaphat, en
faveur de plusieurs moines qui, pendant l'expédition, lui
avaient servi de chapelains.

Quelques jours après l'intronisation de Godefroi, on trouva
un morceau de la sainte couronne d'épines dans un sou-
terrain de l'église du Saint-Sépulcre, où il avait été dé-
posé depuis longtemps par les chrétiens de Jérusalem,
et qui fut désigné par un Syrien. On enferma cette pré-

cieuse relique dans une boîte d'argent, et on la porta
d'abord à l'église du Saint-Sépulcre, ensuite à celle du
Temple. Ce fut aussi dans ce même temps que cet Arnoul
dont nous avons parlé, fut enfin élu patriarche par la
protection du duc de Normandie et les intrigues de ses
partisans : mais cet indigne prélat ne garda pas longtemps cette éminente dignité, ayant été forcé d'y renoncer par l'élection que les seigneurs firent, quelques mois
après, de Daïmbert, archevêque de Pise, qui arriva à
Jérusalem en qualité de légat du Saint-Siége.

Les croisés donnèrent au royaume de Jérusalem qu'ils
avaient conquis, une constitution féodale. Il y eut là comme
en France des fiefs, des arrière-fiefs et des bourgeoisies.
Ce royaume occupait une grande partie de la Palestine
et de la Phénicie. Ses principaux fiefs étaient : le *comté
d'Édesse*, villes remarquables *Édesse* et *Samosate*; la *principauté d'Antioche*, sur le cours inférieur de l'Oronte,
villes remarquables *Antioche* et *Laodicée*; la *principauté
de Galilée* et de *Tibériade* en Palestine; le *comté de Tripoli* et de *Tortose*, qui était sur la côte de Phénicie et
qu'on réunit ensuite à la principauté d'Antioche; le comté
de *Joppé* et d'*Ascalon*, sur la côte de la Palestine; les
seigneuries de *Baïrout* (Béryte), de *Tyr*, de *Kaïsarieh* (Césarée), de *Naplouse* (Sichem) dans la Palestine et la Phénicie, et celle de *Krak* (Pétra) à l'entrée des déserts de
l'Arabie.

La législation qu'établit Godefroi de Bouillon est restée
célèbre sous le nom d'*assises de Jérusalem*... Comme on
donnait le nom d'*assise* (*assisa* du latin *assidere*) aux assemblées judiciaires, on appela de même les décrets et
règlements faits dans ces assemblées. Après la conquête
de la Terre-Sainte, les vainqueurs étaient des chevaliers

venus des différentes parties de la chrétienté où la justice était rendue d'après des coutumes et des usages particuliers. Il importait d'établir une certaine unité dans les lois et règlements pour mettre de l'ordre dans le nouveau royaume. Godefroi fit donc rédiger dans ce but les assises de Jérusalem. C'est le premier code écrit que nous ayions de la féodalité. Ce recueil nous révèle ce qu'étaient les coutumes de la France au XIᵉ siècle. Nous y voyons trois sortes de tribunaux : un tribunal supérieur formé des grands officiers qui entourent le roi ; le *sénéchal*, ou administrateur du domaine du roi ; le *connétable*, ou chef de l'armée ; le *maréchal*, lieutenant du connétable ; le *chambellan*, serviteur de corps du roi. Ce tribunal, présidé par le roi, juge la noblesse et le clergé. Au-dessous de ce tribunal il y a la cour ou l'assise présidée par le comte de Jérusalem qui juge la bourgeoisie. Un troisième tribunal est établi pour les chrétiens orientaux ; il juge d'après les lois du pays. Le duel judiciaire, les épreuves, les services féodaux, en un mot, toutes les coutumes du moyen-âge se retrouvent dans cette législation.

CHAPITRE XI.

Bataille d'Ascalon. Mort de Godefroi de Bouillon.

(1100.)

ANDIS que les fidèles se réjouissaient de cette conquête, les Musulmans se livraient au désespoir. Ceux qui avaient échappé aux vainqueurs de Jérusalem répandaient partout la consternation. Les historiens Abul-Mahaçam, Elmacin et Aboul-Féda, ont parlé de la désolation qui régnait à Bagdad. Zeimeddin, caddi de Damas, s'arracha la barbe en présence du calife. Tout le divan versa des larmes au récit lamentable des malheurs de Jérusalem. On ordonna des jeûnes et des prières pour fléchir la colère du Ciel. Les imans et les poètes déplorèrent dans des vers et des discours pathétiques le sort des Musulmans devenus les esclaves des chrétiens. « Que » de sang, disaient-ils, n'a point coulé? que de désastres » n'ont point éprouvés les vrais croyants! Les femmes ont » été obligées de fuir en cachant leur visage. Les enfants » sont tombés sous le fer du vainqueur. Il ne reste plus » d'autre asile à nos frères, naguère maîtres de la Syrie,

» que le dos de leurs chameaux agiles et les entrailles des
» vautours. »

Le calife de Bagdad, dépouillé de son autorité, ne pouvait offrir que ses larmes et ses prières pour la cause des Musulmans. Les victoires des chrétiens avaient porté un coup mortel à la dynastie des Seldjoucides. Le sultan de Perse, retiré au fond du Coraçan, s'occupait d'apaiser les guerres civiles, et jetait à peine un regard sur les émirs de la Syrie qui avaient secoué son autorité, et se partageaient ses dépouilles. La plupart de ces émirs se disputaient entre eux les villes et les provinces menacées par les guerriers d'Occident. Les discordes qui accompagnent la chute des empires avaient partout jeté le trouble et la division parmi les infidèles; mais telle fut leur douleur lorsqu'ils apprirent la conquête de Jérusalem par les chrétiens, qu'ils se réunirent et pleurèrent ensemble sur les outrages faits à la religion de Mahomet. Les Turcs de la Syrie, les habitants de Damas et de Bagdad mirent leur dernier espoir dans le calife du Caire, qu'ils avaient longtemps regardé comme l'ennemi du prophète, et vinrent en foule rejoindre l'armée égyptienne qui s'avançait vers Ascalon.

Bientôt on apprit à Jérusalem que cette armée était arrivée à Gaza, dans l'ancien pays des Philistins. Aussitôt Godefroi fait avertir son frère Eustache et Tancrède qui venaient de quitter la ville pour aller prendre possession de Naplouse. Il pressait les autres chefs de la croisade de se réunir à lui pour marcher à la rencontre des Sarrasins. Le duc de Normandie refusa d'abord de le suivre, alléguant que son vœu était accompli; le comte de Toulouse, qui avait été forcé de rendre au roi de Jérusalem la forteresse de David, qu'il prétendait lui appartenir par droit de con-

quête, rejeta avec hauteur les prières de Godefroi, et traita
de fable la nouvelle de l'approche des Sarrasins.

Le refus du duc de Normandie et de Raymond n'empêcha
point Godefroi de se mettre en marche, suivi de Tancrède,
du comte de Flandres et de plusieurs autres chefs. Il apprit
dans sa route que l'émir Afdhal, le même qui avait pris
Jérusalem sur les Turcs, commandait l'armée des infidèles.
Ce général conduisait sous ses drapeaux une multitude innombrable de Musulmans venus des rives du Tigre, des
bords du Nil et de la mer Rouge, du fond de l'Éthiopie.
Une flotte était partie des ports d'Alexandrie et de Damiette,
chargée de toutes sortes de provisions et des machines
nécessaires pour faire le siége de Jérusalem. Afdhal avait
fait devant le calife le serment d'anéantir pour jamais la
puissance des croisés en Asie, et de détruire de fond en
comble le Calvaire, le tombeau de Jésus-Christ et tous les
monuments révérés des chrétiens.

La marche et les projets d'Afdhal portèrent bientôt la
terreur dans Jérusalem. Raymond et le duc de Normandie
furent de nouveau pressés par Godefroi de se rendre à l'armée chrétienne. Les femmes, les vieillards, les prêtres fondant en larmes, conjuraient les deux princes de prendre
pitié de la Ville sainte qu'ils avaient délivrée. On leur représentait les suites funestes de leur inaction, qui rendait
inutiles tous les travaux de la croisade, et fermait pour jamais les chemins de l'Orient aux pèlerins. La voix de tous
les peuples de l'Occident, leur disait-on, allait s'élever
contre eux, et le sang des chrétiens retomber sur leur
tête : enfin, Robert et Raymond se laissèrent fléchir, et
se mirent en marche avec leurs troupes pour rejoindre
Godefroi. Le nouveau patriarche Arnoul voulut les suivre,
portant avec lui le bois de la vraie croix, dont la vue, comme

celle de la sainte lance, devait redoubler l'enthousiasme et la bravoure des croisés.

Tous les chrétiens en état de porter les armes quittèrent Jérusalem pour aller combattre les Musulmans. Il ne resta dans la Ville sainte que les femmes, les malades et une partie du clergé, qui, ayant à leur tête l'ermite Pierre, adressaient jour et nuit leurs prières au Ciel pour obtenir le triomphe des défenseurs des Saints-Lieux et la dernière défaite des ennemis de Jésus-Christ.

L'armée chrétienne, qui s'était d'abord rassemblée à Ramla, s'avança à travers un pays sablonneux, et vint camper sur les bords du torrent de Sorec dans la plaine de Saphæa ou Serfend située entre Joppé et Ascalon. Le lendemain, à la pointe du jour, on passa ce torrent qui n'était éloigné que de plusieurs kilomètres du camp des ennemis. Comme ce nombre prodigieux d'animaux qu'on avait pris la veille élevait d'énormes nuages de poussière, les ennemis se persuadant aisément qu'ils allaient avoir à combattre contre une armée immense de chrétiens, furent frappés de terreur et restèrent comme immobiles.

C'était le jour de l'Assomption de la Vierge. Lorsque les deux armées furent à une petite distance l'une de l'autre, et que Godefroi eut fait ses dispositions pour la bataille, les croisés s'avancèrent d'un air assuré et au petit pas jusqu'à la portée du trait. L'infanterie attaqua la première l'épée à la main. La cavalerie se précipita ensuite la lance baissée et avec tant d'impétuosité contre les ennemis, qu'elle ne leur laissa pas le temps de faire leur décharge, et ouvrit, au milieu d'eux, plusieurs brèches dans lesquelles les gens de pied se jetèrent avec fureur. Frappés d'étonnement et saisis d'épouvante par une attaque si subite et si violente, les infidèles n'opposent qu'une faible résistance ; ils se font tuer par milliers, ou se précipitent les uns sur les autres pour échapper à la mort. Peu s'en fallut que le soudan lui-même ne pérît dans cette affreuse déroute. Ne pouvant, malgré tous ses efforts, rallier ses soldats, et ne trouvant plus de sûreté pour sa personne dans la ville d'Ascalon, il s'embarqua précipitamment sur ses vaisseaux, chargés de machines de toute espèce pour former le siége de Jérusalem.

Après cette éclatante victoire, qui fut remportée avant midi, Godefroi permit à ses troupes le pillage du camp des vaincus. Ce fut le plus riche butin qu'elles eussent encore fait pendant tout le cours de leur expédition. On eût dit que, comme du temps de Moïse, tous les trésors de l'Égypte fussent tombés entre leurs mains. Trente mille ennemis furent tués sur le champ de bataille ; soixante mille au moins périrent dans la déroute ; un nombre prodigieux fut étouffé, en voulant entrer dans Ascalon, et une multitude non moins considérable se précipita dans la mer. Les chrétiens ne perdirent d'autre personnage de marque que l'évêque de Martorane qui disparut, sans que jamais on pût savoir ce qu'il était devenu. Aucun cavalier ne fut tué ; quelques fantassins périrent, mais pour s'être trop pressés de se livrer au pillage. Après avoir livré aux flammes le camp des ennemis avec tout ce que l'on ne pouvait en emporter, Godefroi ramena en triomphe à Jérusalem ses troupes victorieuses. On rendit à Dieu de solennelles actions de grâces dans l'église du Saint-Sépulcre, où le duc de Normandie suspendit le grand étendard du soudan, tout couvert de lames d'argent, qu'il avait enlevé, ainsi que l'épée de ce prince qu'il avait achetée pour une somme considérable.

Quelques princes et ceux qui les avaient accompagnés, croyant avoir pleinement accompli le vœu qu'ils avaient fait de délivrer le Saint-Sépulcre et les chrétiens de la Terre-Sainte de la tyrannie des Mahométans, prirent congé de Godefroi pour s'en retourner dans leurs États ; d'autres, ou plus prévoyants ou plus magnanimes, restèrent au service du nouveau roi ; mais seulement, tout au plus, au nombre de trois cents cavaliers et de deux mille fantassins.

Le duc de Normandie et le comte de Flandres furent les premiers qui s'embarquèrent avec leurs troupes. Tous deux furent accueillis par l'empereur Alexis avec de grands témoignages d'amitié, et reçurent de ce prince de riches présents. Ils arrivèrent tous deux dans leur pays avec une santé parfaite ; mais le premier trouva les choses bien changées. Son frère aîné, Guillaume le Roux, roi d'Angleterre, était mort sans enfants, et Henri, son cadet, s'était emparé du trône, en faisant accroire aux grands du royaume que son frère avait été élu roi de Jérusalem. Quant au comte de Toulouse, après avoir laissé à Laodicée de Syrie la comtesse son épouse, il se rendit à Constantinople avec une suite nombreuse. L'empereur Alexis, pour lui témoigner sa reconnaissance pour le zèle avec lequel il avait pris ses intérêts dans plusieurs occasions, lui accorda la faveur la plus distinguée, et le combla de présents, lorsque, deux ans après, il voulut retourner en Syrie. Tancrède, et quelques autres seigneurs, ne voulurent point se séparer de Godefroi.

Ce prince, qui comme nous l'avons dit plus haut, n'avait plus, après le départ du comte de Flandres et du duc de Normandie, qu'environ trois cents chevaux et deux mille hommes de pied, aurait été hors d'état de former la moindre entreprise, si vers la fin de l'année il n'eût reçu un renfort de quelques milliers d'Italiens, que lui amena Daïmbert, archevêque de Pise. Ce fut avec ce secours et ses anciennes troupes que, pour agrandir sa monarchie, il se rendit maître de Tibériade (1100), et de presque toute la Galilée. Comme il chérissait les excellentes qualités de Tancrède, il lui donna le gouvernement de cette province, sous le titre de principauté. Les émirs de Saint-Jean-d'Acre, de Césarée, d'Antipatride et d'Ascalon, furent contraints de lui payer tribut; et les Arabes qui habitaient au-delà du Jourdain s'empressèrent de lui demander la paix. Il fit ensuite fortifier la ville et le port de Joppé, que depuis on a nommé Jaffa. Il y reçut un secours des Vénitiens, qui, sous la conduite de Tancrède, s'empara de la ville de Caïphas, située au pied du mont Carmel. Cet excellent prince ne s'occupa pas seulement d'assurer la tranquillité de son royaume par de nouvelles conquêtes, ou par les fortifications dont il entourait les places conquises par les croisés, il fut encore le législateur de ses sujets par un code de lois, que nous avons désigné sous le titre d'*Assises du royaume de Jérusalem*, et qui fut augmenté par ses successeurs.

Après tant de glorieux travaux qui ont rendu son nom immortel, il tomba, pendant une expédition, dans une maladie qui l'obligea de se faire transporter à Jérusalem. Il en mourut le 18 juillet, avec les sentiments de la plus tendre piété, dans la quarantième année de son âge et dans la deuxième de son règne. Il fut inhumé avec la plus grande solennité dans l'église du Saint-Sépulcre, où ses successeurs eurent aussi leur sépulture.

Quinze jours avant la mort de ce prince, Boëmond, prince d'Antioche, avait été fait prisonnier dans une embuscade au-delà de l'Euphrate, comme il allait prendre possession de la ville de Malatie, en Mésopotamie, dont la souveraineté lui avait été cédée par un prince arménien, avec lequel il avait fait alliance. Tancrède gouverna la principauté d'Antioche pendant sa captivité qui dura quatre ans, par les obstacles que mit à sa délivrance l'empereur Alexis aux intérêts duquel il avait montré la plus constante opposition.

CHAPITRE XII.

Du royaume de Jérusalem et des principaux États fondés par les croisés depuis la mort de Godefroi jusqu'à la seconde croisade.

(1100-1147.)

AUSSITÒT après la mort de Godefroi, le patriarche et les seigneurs du royaume élurent pour son successeur son frère Baudouin, prince d'Édesse. Ce nouveau roi fut couronné dans la ville de Béthléem, le jour de la naissance de Jésus-Christ. Aussi brave, mais moins vertueux que son prédécesseur, il signala le commencement de son règne par des victoires qui étendirent son petit État vers le Midi. Mais ces victoires, qui lui enlevaient toujours un bon nombre de soldats, le mettaient dans la nécessité de recevoir des secours d'Europe pour pouvoir se soutenir contre le soudan d'Égypte. Ce fut alors que de nouveaux essaims de croisés, rassemblés d'Italie, de France et d'Allemagne, presque aussi nombreux et aussi indisciplinés que les premiers, vinrent donner à l'empereur Alexis, tranquille dans sa capitale, de nouvelles inquiétudes.

Trente mille Italiens s'étant réunis sous la conduite d'Anselme, archevêque de Milan, et de plusieurs seigneurs d'Italie, entrèrent en Bulgarie et obtinrent d'Alexis le passage et la liberté de se procurer des vivres en payant, et à condition de ne commettre aucun désordre. Mais cette multitude sans frein ne put longtemps se contenir. Ces brigands enlevèrent de force tout ce qu'ils rencontrèrent, pillèrent les églises, et massacrèrent tous ceux qui osèrent leur résister. Informé de leurs excès, Alexis fit inviter leurs chefs de se rendre au plus tôt à Constantinople. Lorsqu'ils furent arrivés près de cette capitale, ils dressèrent leur camp sur la Propontide; ils y attendirent pendant deux mois d'autres bandes de Français et d'Allemands, et employèrent cet espace de temps à commettre de nouveaux ravages. Alexis, craignant que la jonction de nouvelles troupes ne les rendît plus entreprenants, les pressa de passer en Asie. Sur leur refus, il défendit à ses sujets de leur vendre des vivres. Réduits à la famine, ils deviennent furieux, attaquent le palais de Blaquernes, y font brèche en deux endroits, et tuent un jeune homme de la maison impériale, ainsi qu'un lion apprivoisé qui faisait les délices de l'empereur. L'archevêque et les seigneurs ne calment pas cet orage sans beaucoup d'efforts. Ils ramènent enfin leurs soldats dans le camp situé à quatre kilomètres de la ville, et vont s'excuser auprès de l'empereur, lui protestant qu'ils n'ont pris aucune part à ces insultes, et qu'il leur a été impossible de contenir cette multitude fougueuse et indocile. Alexis leur adresse quelques reproches et s'apaise ensuite, en exigeant toutefois que sans délai ils passent en Asie. Les chefs se rendirent à ses instances, à l'exception de l'archevêque qui tint ferme, dans la crainte où il était que les Grecs ne se joignissent aux Turcs pour les écraser après leur passage. Le comte de

Toulouse, qui se trouvait alors à la cour et jouissait de toute la faveur d'Alexis, se mêla de la réconciliation. Quelques jours après Pâques, les croisés passèrent le détroit et campèrent à Nicomédie. Peu de temps après, on vit arriver Conrad, connétable de Henri, empereur d'Allemagne, suivi de deux mille Allemands. Alexis, qui ménageait son souverain, le combla d'honneurs, et l'envoya ensuite rejoindre les Italiens.

Étienne, comte de Blois et de Chartres, honteux d'avoir abandonné les croisés pendant le siége d'Antioche, reprit la croix, et, accompagné de plusieurs seigneurs français et d'un grand nombre de ses vassaux, se rendit à Constantinople, d'où il passa en Asie.

Avant la Pentecôte arrivèrent encore, de diverses contrées de l'Europe, plus de deux cent mille croisés, avec leurs femmes, leurs enfants, des ecclésiastiques, des moines, et quantité de personnes inutiles. Comme ils étaient sans chef, ils en demandèrent un à l'empereur, qui leur donna le comte de Toulouse, avec un Grec nommé Zitas, accompagné de cinq cents turcopoles. Ces bandes allèrent joindre ensuite les autres sur le rivage d'Asie.

Cette prodigieuse multitude, impatiente de se signaler contre les infidèles, abandonna ses cantonnements, malgré les comtes de Blois et de Toulouse, et s'avança au milieu de l'Asie. Elle prit sa route par la Galatie, et s'empara d'abord d'Ancyre, que Raymond fit rendre à l'empereur. Rebelle aux chefs qu'elle avait demandés ou qu'elle avait suivis en partant de l'Italie ou de la France, et ne prenant d'ordre que de son caprice et d'une aveugle présomption, elle ne projetait rien moins que de s'emparer de la Perse et de toute l'Asie. Ayant passé le fleuve Halys, ces soldats, ivres de débauche, arrivèrent près d'une petite ville peuplée

de chrétiens qui venaient au-devant d'eux, avec leurs prêtres revêtus de leurs habits sacerdotaux, et portant des croix
et les livres des saints Évangiles. Aussi peu fidèles à Jésus-
Christ qu'à Mahomet, ils accueillent cette procession à grands
coups d'épée, égorgent ces malheureux, les dépouillent, et,
couverts de leur sang, chargés de butin, ils marchent vers
Amasée.

Cependant les Turcs, instruits de la route qu'ils avaient
prise, les suivaient avec précaution, massacraient les traîneurs et ceux qui s'écartaient du gros de l'armée, les har-
celaient sans cesse, couraient sur eux en les accablant de
flèches, et se mettaient à fuir, pour revenir les attaquer au
premier passage difficile. Enfin cette prétendue armée, ha-
rassée des fatigues qu'elle avait éprouvées dans la route
inconnue où elle s'était engagée, mourant de soif et de faim
dans les plaines stériles et arides de la Cappadoce, fut entièrement défaite par les Turcs, qui, dans un seul jour,
lui tuèrent cinquante mille hommes. Le comte de Toulouse
en ramena les déplorables restes à Constantinople. Comme
l'empereur lui reprochait d'avoir été le premier à prendre
la fuite, il s'excusa sur ce qu'il avait voulu sauver les turcopoles ou chevau-légers impériaux. Mais cette excuse, qui
n'était que celle d'un courtisan, ne fut d'aucun poids aux
yeux des princes de la Palestine. Alexis, touché de compassion pour le triste état des malheureux qui avaient suivi
Raymond, ordonna qu'on leur fournît toutes les choses
dont ils avaient besoin, et leur permit de passer dans sa
capitale tout le temps de l'automne et de l'hiver.

Ces faibles débris d'une armée immense se joignirent à
quinze mille hommes qu'amena Guillaume, comte de Nevers. Ce seigneur, dont les troupes avaient traversé la
Macédoine et la Bulgarie, sans faire le moindre dégât et

sans éprouver la moindre opposition, fut accueilli avec amitié par Alexis, qui lui fournit des vivres et de l'argent pendant tout son séjour sur les terres de l'empire. Mais lorsqu'il se fut engagé dans les pays de la domination des Turcs, la disette, et surtout la soif, affaiblirent tellement ses troupes, qu'elles ne purent opposer aucune résistance aux premières attaques des infidèles. Après s'être échappé du carnage, ce malheureux comte, accompagné de quelques seigneurs, se vit obligé de donner une grande somme d'argent à douze turcopoles, pour l'escorter jusqu'en Syrie : mais ces perfides le dépouillèrent eux-mêmes de tout ce qui lui restait, ainsi que les gentilshommes de sa suite; de sorte que, couverts de haillons et manquant de tout, ils eurent bien de la peine à gagner Antioche.

Guillaume, comte de Poitiers et duc d'Aquitaine, accompagné de Hugues le Grand, qui était revenu en France ; d'Étienne, comte de Bourgogne; du duc de Bavière, de la comtesse Ida, du duc d'Autriche, et de plusieurs autres seigneurs, avait suivi le comte de Nevers avec une armée de cent cinquante mille hommes. Ces troupes traversèrent la Hongrie fort paisiblement; mais lorsqu'elles furent arrivées en Bulgarie, elles prirent querelle avec le gouverneur de cette province, qui leur interdit le passage sur le pont d'Andrinople. Il y eut là un grand combat, où quelques seigneurs furent tués, et d'autres faits prisonniers; mais le chef des Bulgares ayant été pris, cette circonstance donna naissance à un pourparler, qui fut suivi le même jour d'un accommodement. On rendit les prisonniers de part et d'autre, et le gouverneur donna passage aux croisés, et des guides pour les conduire jusqu'à Constantinople.

Alexis accueillit les seigneurs avec toute la considération, due à la haute naissance et à la grandeur de leur dignité.

Après avoir reçu leur serment de foi et hommage, il les
fit transporter eux et leur armée au-delà du Bosphore. C'é-
taient encore autant de victimes que ce prince, ennemi
secret et irréconciliable des Latins, dévouait au glaive des
Musulmans. Quoique ce fût alors le temps de la moisson,
l'armée ne trouva en Asie que disette et sécheresse, les
Turcs ayant brûlé tous les grains, et comblé tous les puits
et toutes les sources. Cette armée périt aussi dans une
bataille, et par la perfidie d'Alexis, et par l'imprévoyance
de ses chefs. La comtesse Ida, amie du duc de Bavière,
disparut alors, sans que depuis on reçût jamais de ses
nouvelles. Peut-être fut-elle prise avec beaucoup d'autres
femmes de tout rang et de tout âge, que les vainqueurs envoyèrent dans le Korassan. Les malheureux échappés au
glaive des Turcs retournèrent à Constantinople, d'où ils se
rendirent par mer à Antioche, le printemps suivant, pour
faire ensuite le voyage de Jérusalem. Hugues le Grand et
le comte de Toulouse s'embarquèrent avec eux. Le premier
mourut à Tarse en Cilicie ; et le comte de Toulouse fut arrêté
et envoyé en prison, au moment de son arrivée à Antioche. Quant à Guillaume, comte de Poitiers, qui, après
s'être échappé de la défaite de ses troupes, avait continué
sa route vers la Syrie, il fut obligé de demander son pain
par les chemins jusqu'aux environs d'Antioche, où il entra
avec une escorte que Tancrède avait envoyée au-devant de
lui et de six seigneurs, compagnons de son désastre. Il
revint en France quelque temps après, sans doute bien
guéri de son zèle pour les croisades.

Le comte de Toulouse, que Tancrède, son ennemi
personnel, avait envoyé en prison, parce qu'il le soupçonnait de s'être entendu avec Alexis pour conduire les
croisés Français et Italiens par des chemins impraticables,

où ils devaient périr par la faim, la soif et l'épée des
infidèles, obtint sa liberté, à la sollicitation des seigneurs
qui s'étaient rendus à Antioche. Toujours actif, malgré
son grand âge, il n'eut rien de plus pressé que de se
servir des soldats échappés aux derniers désastres, pour
reconquérir la ville de Tortose, dont les Sarrasins s'étaient
rendus maîtres. Le duc de Bavière, les comtes de Blois
et de Bourgogne; Conrad, connétable d'Allemagne, et
quelques autres seigneurs, se rendirent à Jérusalem, où,
après avoir visité les Saints-Lieux, ils se trouvèrent à une
grande bataille que le roi Baudouin perdit contre les infidèles. Dans cette malheureuse journée, tous les seigneurs,
ou restèrent sur la place, ou tombèrent entre les mains
des ennemis. Les comtes de Blois et de Bourgogne furent
au nombre des premiers, et celui de Bourges eut le sort
des autres. Le roi se sauva, lui sixième, à Rama. Il ré-
para bientôt le désastre de cette défaite, qu'il ne dut attribuer qu'à sa précipitation. Ayant rassemblé des troupes
d'Antipatride, de Tibériade, de Jérusalem et de Jaffa, où
il s'était retiré, il attaqua si à propos les infidèles, comme
ils faisaient leurs dispositions pour l'assiéger dans cette dernière place, qu'il les mit dans une déroute complète, et
s'empara de toutes leurs machines et de tous leurs bagages.

Baudouin ne s'endormit pas après cette victoire contre
les Sarrasins d'Égypte. Aidé d'une nombreuse flotte génoise,
il se rendit maître en vingt jours de Saint-Jean-d'Acre; il
battit encore une fois ses ennemis dans la plaine de Rama,
et s'empara de la ville de Tripoli, qu'il laissa, avec son
territoire, sous le titre de comté, à Bertrand, fils du
comte de Toulouse, qui était mort quatre ans auparavant;
Sidon, Bérite et toute cette côte tombèrent en son pouvoir,
à l'exception de Tyr. Il fit construire à cinq milles de cette

ville fameuse un fort entre la mer et le mont Liban, et
dans le même endroit où il en avait existé un, bâti par
Alexandre le Grand. Enfin, après avoir élevé au-delà du
Jourdain le château du Mont-Royal, pour arrêter les incur-
sions des Arabes, et porté ses armes victorieuses jusqu'en
Égypte, il mourut, en 1118, de la dyssenterie, pour avoir
mangé des poissons du Nil : il avait régné dix-huit ans.
Comme son frère Godefroi, il ne voulut jamais porter la
couronne. Il fut enterré comme lui au pied du Calvaire dans
l'église du Saint-Sépulcre.

A Baudouin Ier succéda Baudouin du Bourg, son parent,
qui l'avait remplacé dans la principauté d'Édesse (1118).
Ce prince, aussi vaillant que vertueux, remporta d'abord
plusieurs victoires sur les infidèles qui menaçaient la ville
d'Antioche. Ayant été fait prisonnier dans une embuscade,
comme il marchait au secours de la ville d'Édesse, qu'ils
assiégeaient, une bataille gagnée par Josselin de Courtenay,
son successeur dans cette principauté, lui rendit la liberté.
Sa délivrance fut bientôt suivie de plusieurs victoires : il
battit un puissant prince des Musulmans qui s'était jeté
dans la principauté d'Antioche; il défit les Égyptiens et les
Ascalonites, qui menaçaient ses États d'une invasion; il
remporta de grands avantages sur le sultan de Damas, qu'il
alla attaquer jusque dans le cœur de sa principauté. Trois
ans après, comme il assiégeait cette ville à la tête d'une
puissante armée, il fut contraint, par le mauvais temps et
le manque de vivres, de se retirer; et, peu après, il apprit
que le jeune Boëmond, son gendre et prince d'Antioche,
avait été tué par les Turcs près de la ville de Mamistra en
Cilicie. A cette nouvelle, il se rendit à Antioche pour in-
vestir la fille du même Boëmond de cette principauté, que
sa propre mère voulait lui ravir. De retour à Jérusalem,

il tomba dans une maladie, dont il mourut dans la maison du patriarche, où il s'était fait transporter, le 21 août 1131, après un règne de treize ans. Il fut enterré dans le même endroit que ses deux prédécesseurs. Il avait pris, avant de mourir, l'habit des chanoines réguliers du Saint-Sépulcre.

Foulques, comte d'Anjou, de Touraine et du Mans, son gendre, qui lui succéda, se montra l'imitateur de ses vertus. Il conserva avec gloire son royaume et les États des princes chrétiens ses feudataires et ses voisins, contre toutes les forces du soudan d'Alep, par le moyen de l'alliance qu'il eut la sagesse de former avec celui de Damas. Il enleva aux Turcs la ville de Panéas ou Césarée de Philippes, située près des sources du Jourdain, et fortifia Bersabée à l'autre extrémité de son royaume. Un jour qu'avec la reine sa femme et toute sa cour, il courait un lièvre dans la plaine de Saint-Jean-d'Acre, il tomba de cheval, et mourut à l'instant de cette chute. Il avait régné onze ans. Il eut pour successeur son fils aîné Baudouin III, âgé de treize ans, pendant la minorité duquel la reine Mélisente, sa veuve, gouverna le royaume.

Ce fut sous le règne de ce jeune roi qu'on publia en France la seconde croisade, à l'occasion dont nous parlerons bientôt. Avant de passer au récit de cet événement, nous pensons qu'il ne sera pas inutile de mettre sous les yeux de nos lecteurs une notice succincte des États fondés en Orient par les premiers croisés.

Le premier fut la principauté d'Édesse, qui s'étendait au-delà de l'Euphrate jusqu'au Tigre. Il fut fondé, comme nous l'avons vu, par Baudouin, frère de Godefroi. Le second fut la principauté d'Antioche, qui comprenait tout le pays entre la ville de Tarse en Cilicie vers l'Occident, et celle de Waraclée à l'Orient, sur le rivage de la mer

de Phénicie. Son premier souverain fut Boëmond, prince
de Tarente, pendant la captivité duquel Tancrède la gouverna, et l'agrandit à l'Orient et au Midi. Boëmond partit
pour la France, où il épousa la princesse Constance, fille
du roi Philippe Ier. Après avoir fait la guerre en Épire
et en Dalmatie contre les troupes d'Alexis, il mourut dans
la Pouille. Pendant son absence, Tancrède continua de
gouverner la principauté d'Antioche; et, après sa mort,
il devint son successeur. Ce prince, qui avait épousé Cé-
cile, deuxième fille du roi de France, mourut en 1112.
Avant de mourir, il nomma pour lui succéder Roger, son
cousin, à condition qu'il remettrait tous ses droits au jeune
Boëmond à l'instant que celui-ci les réclamerait.

Le troisième État fut le royaume de Jérusalem, qui commençait au fleuve Adonis, en tirant vers le Nord, et qui
s'étendit bientôt vers le Midi jusque sur la frontière de
l'Idumée et dans le voisinage de l'Égypte.

Le quatrième enfin fut le comté de Tripoli, qui s'étendait
le long de la mer de Phénicie, depuis Maraclée jusqu'au
fleuve Adonis, qui coulait entre Biblos et Bairuth. Raymond, comte de Toulouse, en fut le premier souverain. Ce
prince, qui mourut en 1105, dans un château qu'il avait bâti
en face de Tripoli, nomma pour son successeur Guillaume
Jourdan, son neveu; mais celui-ci ne conserva cette souveraineté, que jusqu'à l'arrivée de Bertrand, fils de Raymond.

La première croisade, qui donna naissance aux États que
nous venons de nommer, enfanta plusieurs ordres tout à
la fois religieux et militaires, dont les membres, un livre
de prières dans une main et l'épée dans l'autre, furent
pendant un grand nombre d'années, par leur bravoure, la
terreur des Sarrasins et le plus ferme appui du royaume
de Jérusalem.

Ce fut au commencement du règne de Baudouin II que prit naissance l'ordre des chevaliers du Temple, devenus depuis si fameux sous le nom de *Templiers*. Neuf gentils-hommes français, dont les plus connus sont Hugues des Payens, et Geoffroi de Saint-Aldémar, s'étaient dévoués au service de Dieu, et avaient fait vœu entre les mains du patriarche de vivre dans une chasteté, une obéissance et une pauvreté perpétuelles. Comme ils n'avaient ni église ni habitation certaine, le roi leur donna un logement dans son palais, situé près du Temple : de là leur vint le nom de *chevaliers du Temple*. Les chanoines de cette église leur accordèrent, quelque temps après, un emplacement près de ce palais, pour qu'ils s'y bâtissent un édifice conve-nable au genre de vie qu'ils avaient embrassé. Le roi, les prélats, le patriarche et les seigneurs, leur assignèrent sur leurs domaines quelques revenus pour leur vêtement et leur subsistance. Leur première promesse, et le premier de-voir qui leur fut imposé, fut de garder les chemins pour la sûreté des pèlerins.

Leur nombre n'avait point augmenté, quand six d'entre eux, qui avaient passé la mer, se présentèrent en 1128 au Concile de Troyes en Champagne. Ce Concile jugea à propos de leur donner une règle, qui fut rédigée par saint Bernard, abbé de Clairvaux. Le pape Honorius leur donna ensuite l'habit blanc, sur le côté gauche duquel était cou-sue une croix rouge. Depuis cette époque leur nombre s'é-tant accru successivement, ils ne cessèrent de donner de si grandes preuves de vertu et de courage contre les infi-dèles, que leur réputation s'étendit avec la plus grande rapidité en Europe comme en Asie, et que leurs richesses égalèrent celles des plus grands monarques. Mais ce furent ces mêmes richesses qu'ils avaient acquises comme la juste récompense de leurs grandes actions, qui les perdirent par le faste, l'orgueil, les désordres dans lesquels ils se laissèrent entraîner, et surtout par la jalousie qu'elles inspirèrent aux têtes couronnées.

L'ordre militaire des chevaliers Teutoniques fut établi immédiatement après celui des Templiers. Un gentilhomme allemand qui, après la prise de Jérusalem, s'était fixé dans cette ville avec sa femme, bâtit à ses frais un hôpital où pussent se retirer ceux de ses compatriotes qui étaient pauvres et malades. Un grand nombre de pèlerins allemands s'étant bientôt présentés dans cet asile, le patriarche, autorisé de la permission du roi, fit construire tout auprès une chapelle, sous l'invocation de la Mère de Dieu. Plusieurs Allemands ne tardèrent pas à imiter la charité de leur compatriote : ils se dépouillèrent de leurs vêtements séculiers pour prendre l'habit religieux, et se consacrèrent par vœux au service des pauvres et des malades. Ce généreux dévouement trouva bientôt un grand nombre d'imitateurs dans la même nation. Cependant ces nouveaux hospitaliers pensèrent qu'ils feraient une chose encore plus agréable à Dieu, si, en se consacrant au service des pauvres malades, ils se dévouaient à la défense des Saints-Lieux contre les attaques des Musulmans. En prenant cette résolution, ils ne crurent rien faire de mieux que d'adopter la règle des Templiers. Soixante-dix ans après, le pape Célestin III les érigea en ordre militaire, pour la seule nation germanique, et leur donna l'habit blanc, empreint d'une croix noire. Cet ordre, après avoir éprouvé de grandes pertes à la suite de diverses révolutions, subsiste encore de nos jours en Allemagne, sous l'autorité d'un grand maître, qui est toujours un prince de la maison d'Autriche.

Avant que les princes croisés eussent conquis la Terre-
Sainte, il y avait à Jérusalem des hospitaliers, dont les
uns recevaient les pèlerins qui, de tous les pays de l'Europe, venaient visiter les Saints-Lieux, et les autres prenaient soin des pauvres malades, particulièrement des
lépreux, dont le nombre était fort grand dans ces temps-
là. On les nommait les *Hospitaliers de Saint-Lazare;* ils
étaient beaucoup plus anciens que les premiers, qui ne
commencèrent que longtemps après.

Des marchands d'Amalfi, en Italie, que les affaires de
leur commerce avaient conduits à Jérusalem, ayant obtenu
d'un calife la permission de bâtir un monastère auprès
du Saint-Sépulcre, y ajoutèrent un hôpital pour y recevoir
les pèlerins pauvres ou malades. Les Hospitaliers qui s'é-
tablirent dans cet endroit y vécurent paisiblement sous
l'autorité d'un supérieur, jusqu'après la conquête de la
Palestine par les croisés. Alors ils prirent les armes soit
pour la défense des pèlerins, soit pour le service des
rois de Jérusalem ; alors aussi ils partagèrent leur com-
munauté en trois ordres différents, savoir : le premier,
des chevaliers militaires ; le second, des frères servants ;
le troisième, des ecclésiastiques chargés de l'administra-
tion des sacrements.

Comme le nombre des gentilshommes, des soldats et
pèlerins qui se faisaient Hospitaliers, croissait de jour en
jour, un vertueux Provençal, nommé Gérard Tunc, qui
était leur supérieur, sous le titre de *Maître de l'Hôpital*,
à l'époque de la prise de Jérusalem, bâtit, vers l'an
1112, un nouvel hôpital, sous le nom de *Saint-Jean-
Baptiste*, et y logea les nouveaux chevaliers, qui firent
vœu de mener une vie plus austère que leurs anciens
confrères. Après la mort de Gérard, ils se séparèrent de

ceux-ci, et se donnèrent pour chef Raymond Dupuy, gentilhomme du Dauphiné. Ce nouveau supérieur leur donna de nouvelles constitutions, qui furent approuvées par le pape Calixte II, en 1123.

Comme ce nouvel ordre était devenu extrêmement nombreux dans un court espace de temps, et que la plupart des jeunes seigneurs de l'Europe accouraient pour s'enrôler sous ses enseignes, tous les chevaliers furent séparés en sept langues, suivant la nation à laquelle ils appartenaient, savoir : Provence, Auvergne, France, Italie, Arragon, Allemagne et Angleterre. Cette division subsistait encore, il y a quelques années, à deux exceptions près ; la première, que dans les premiers temps de l'ordre, les prieurés, les bailliages et les commanderies étaient communes à tous les chevaliers, au lieu que les dignités furent depuis affectées à chaque langue et à chaque nation particulière ; la seconde exception consistait dans la suppression de la langue d'Angleterre depuis la séparation de ce royaume d'avec l'Église Romaine : à sa place on avait ajouté la langue de Castille et de Portugal.

Dans les premiers temps, l'habit religieux était commun à tous les membres de l'ordre. Il consistait dans une robe noire et un manteau pointu de la même couleur, auquel tenait un capuce aussi terminé en pointe. Ce vêtement se nommait *manteau à bec*, et supportait sur le côté gauche une croix de toile blanche, à huit pointes. En 1259, le pape Alexandre IV, voulant établir une distinction entre les frères servants et les chevaliers, ordonna qu'à l'avenir ceux-ci pourraient seuls porter dans la maison le manteau noir, et à la guerre une casaque ou cotte d'armes rouge avec la croix blanche, semblable à l'étendard de la religion et à ses armes, qui sont *de gueule, à la croix pleine, d'argent.* Il fut ordonné de plus, par un statut particulier, que le chevalier qui, dans une bataille, abandonnerait son rang et prendrait la fuite, fût privé de l'habit et de la croix de la religion.

Raymond Dupuy ayant fait approuver ses constitutions par le patriarche de Jérusalem, alla, à la tête de ses confrères, tous armés, offrir ses services au roi Baudouin II. Ce prince, agréablement surpris, regarda ce corps de noblesse comme un secours que le ciel lui envoyait. L'événement lui prouva bientôt qu'il ne s'était pas trompé. Ce fut en effet par la valeur de Raymond et de ses chevaliers, qu'il remporta près d'Antioche une victoire signalée contre une forte armée d'infidèles, et délivra cette place, qui allait tomber entre leurs mains par la défaite de Roger, tuteur du jeune Boëmond.

Les anciens Hospitaliers, qui, avant la séparation ordonnée par Gérard, ne formaient qu'un seul corps avec les nouveaux, gardèrent leur ancien nom d'Hospitaliers de Saint-Lazare. Ils ajoutèrent à leur habit de chevalier une croix verte pour se distinguer des autres et se maintenir dans les bornes de leur premier institut, qui leur permettait le mariage. Les services signalés qu'ils ne cessèrent de rendre dans la Palestine, soit en prenant soin des malades, soit en combattant contre les infidèles, leur méritèrent toute la protection des rois de Jérusalem. Le roi Louis le Jeune, à son retour de la Terre-Sainte, en emmena une partie en France, et leur donna, avec l'intendance générale de tous les hôpitaux du royaume, son château de Boni, près Orléans, pour être le chef-lieu de leur ordre en Europe. Lorsque saint Louis fut de retour en France, après sa première croisade, le grand-maître de Saint-Lazare vint s'établir dans le royaume avec le plus grand nombre de ses chevaliers. A cette époque, la commanderie de Boni devint le chef-lieu général de l'ordre, et les rois de France n'ont jamais cessé d'en être les protecteurs, et d'exercer le droit de nommer les grands-maîtres, nonobstant les bulles de quelques Papes qui ont voulu les en priver. En 1606, Paul V, sur la demande de Henri IV, conserva au roi la qualité de restaurateur, de protecteur et de patron de l'ordre, et les titres de chef et de général à celui qu'il nommerait grand-maître. De plus, ce même Pape, ayant créé l'ordre de chevalerie du Mont-Carmel à la demande du roi, l'unit en même temps à celui de Saint-Lazare. Depuis ce temps, les chevaliers ont pris, avec ce double titre, une croix d'or double, à huit pointes pommetées d'or et flanquées de quatre fleurs de lis, avec une image de la Vierge au milieu.

CHAPITRE XIII.

Saint Bernard prêche la seconde croisade.

(1146-1147.)

A principauté d'Édesse, s'étendait entre l'Euphrate
et le Tigre, et comprenait presque toute la Mésopotamie. Baudouin Ier, après son élévation au trône
de Jérusalem, l'avait cédée à Baudouin du Bourg.
son cousin, qui, à son tour, en prenant la couronne, en
avait investi Josselin de Courtenay, son parent. Ce seigneur maintint sa puissance par mille actions d'une grande
valeur, contre toutes les entreprises des infidèles; mais son
fils, qu'il laissa héritier de ses États, ne succéda pas à ses
grandes qualités.

Le jeune de Courtenay, élevé dans les délices et le luxe des
Orientaux, passait sa vie dans la débauche; et, pour avoir
moins de témoins de ses dissolutions, il abandonna la ville
d'Édesse, que les deux Baudouins et son père avaient fortifiée avec le plus grand soin. Retiré à Turbessel, ville
située à quelque distance au-delà de l'Euphrate, il ne songeait qu'à passer, avec les ministres de ses plaisirs, ses
jours dans la mollesse et sans aucune application aux affaires

de sa principauté, comme s'il n'eût eu aucun ennemi à redouter.

Zenghi, soudan d'Alep, et l'un des plus puissants princes
de l'Orient, informé de la conduite voluptueuse de ce jeune
prince, voulut en profiter. Il entra donc dans son État, et
alla mettre le siége devant Édesse, où il savait qu'il n'y
avait qu'une faible garnison. L'indolent Courtenay, qui n'a-
vait autour de lui que de jeunes seigneurs sans courage et
qui ne songeaient qu'à flatter ses passions, n'osa pas se
renfermer dans sa capitale, qu'il aurait dû défendre jusqu'à
la mort. Zenghi n'eut donc qu'à se présenter devant cette
place importante, pour s'en rendre maître. Sans doute il
aurait conquis avec la même facilité tous les États de son
lâche ennemi, si, lorsqu'il assiégeait une autre place sur
l'Euphrate, il n'eût été assassiné dans sa tente par quelques-uns de ses eunuques. Il laissa deux fils, Cotélédin
et Noradin. L'aîné régna à Mosul, ville bâtie sur les ruines de l'ancienne Ninive; le second eut en partage la principauté d'Alep. C'était un prince sage, habile, plein d'é-
quité, bon soldat, excellent capitaine, ennemi des chrétiens
par principe de religion, et qui eut souvent à se mesurer
avec les Hospitaliers et les Templiers, dont il admira toujours la valeur.

Peu de temps après la mort de Zenghi, la garnison Turque
d'Édesse, se trouvant réduite à un petit nombre d'hommes, quelques chrétiens invitèrent le comte Josselin à revenir, avec promesse de l'introduire dans la place; ce
qui fut exécuté à la faveur d'une nuit obscure. Mais comme
les deux forteresses, renfermées dans l'enceinte des murailles, étaient restées au pouvoir des Musulmans, Noradin
ne tarda pas à revenir assiéger la ville avec des forces
considérables. Les habitants, trop faibles pour résister aux

ennemis du dehors et du dedans, prirent alors un parti
désespéré. Ils ouvrirent leurs portes, sortirent en foule,
hommes, femmes et enfants, se jetèrent au milieu des
assiégeants, pour s'ouvrir un passage. Ce ne fut qu'une
épouvantable boucherie. Peu de chrétiens échappèrent au
massacre. Le jeune Courtenay, qui méritait le plus de
périr, eut ce bonheur. La perte d'Édesse entraîna la ruine
de la religion chrétienne au-delà de l'Euphrate. Quelque
temps après, Josselin, qui s'était retiré presque seul à
Samosate, fut pris par les Turcs, et mourut de faim dans
les prisons d'Alep. La principauté d'Édesse n'avait subsisté
que quarante-six ans, sous quatre princes.

La prise de cette ville alarma vivement les princes chrétiens établis en Orient. Le roi de Jérusalem, le prince d'Antioche et le comte de Tripoli, menacés d'une ruine entière
par le caractère entreprenant et ambitieux du jeune Noradin, implorèrent le secours de leurs frères d'Occident.
Dans cette vue, ils envoyèrent en Europe l'évêque de Zabulon. Ce prélat débarqua à Marseille. La première croisade était presque toute entière sortie de France, et il
venait y en solliciter une seconde pour exterminer une
bonne fois les infidèles.

Louis VII, dit *le Jeune*, était alors sur le trône de France
(1143). Ce prince, âgé d'environ vingt-quatre ans, était
plein de courage, mais peu stable dans sa conduite, plus
scrupuleux que dévot, et plus dévot que religieux. L'ambassadeur du roi de Jérusalem, Baudouin III, ne pouvait
se présenter à ce prince dans une circonstance plus favorable. Pendant une guerre qu'il faisait à Thibaut, comte
de Champagne, son vassal, la résistance qu'il avait éprou-
vée au siége de Vitry, l'avait tellement irrité contre les
habitants de cette ville, qu'après l'avoir emportée l'épée

à la main, il y avait mis tout à feu et à sang, et brûlé,
dans la grande église, environ treize cents personnes qui
s'y étaient réfugiées. De cuisants remords ayant suivi cette
cruelle exécution, Louis, tout en proie à sa douleur, abandonna le gouvernement de son royaume et même le soin
de sa personne. Ce ne fut donc pas sans un grand sentiment de joie qu'il saisit l'occasion d'expier son crime,
que l'évêque de Zabulon lui offrait dans le voyage de la
Terre-Sainte. Il consulta saint Bernard, que ses lumières
et ses vertus rendaient l'oracle de ce temps-là; et, d'après
l'avis de ce grand homme, il fit part de son dessein au
pape Eugène III, et le pria de vouloir faire prêcher une
nouvelle croisade.

Ce pontife loua beaucoup la pieuse résolution du monarque français (1145). Empressé de répondre à ses invita-
tions, il expédia des brefs à tous les princes chrétiens
pour les exhorter à prendre les armes contre les impies
sectateurs de Mahomet; il chargea saint Bernard de prêcher
la croisade, et pour engager les peuples à prendre la croix,
il ouvrit les trésors des indulgences à tous ceux qui s'en-
rôleraient pour la guerre sainte.

Le roi, vivement satisfait de voir son dessein appuyé
de l'autorité pontificale, convoqua une assemblée à Vézelai, petite ville de Bourgogne. La réputation de saint Bernard, les lettres adressées par le Pape à toute la chrétienté,
firent accourir à cette assemblée un grand nombre de seigneurs, de chevaliers, de prélats et d'hommes de toutes
les conditions. Le dimanche des Rameaux, après avoir
invoqué le Saint-Esprit, tous ceux qui étaient arrivés pour
entendre l'abbé de Clairvaux, se réunirent sur le penchant
d'une colline aux portes de la ville. Une vaste tribune fut
élevée, où le roi, dans l'appareil de la royauté, et saint

Bernard, dans le costume modeste d'un cénobite, furent
salués par les acclamations d'un peuple immense. L'orateur
de la croisade lut d'abord les lettres du Souverain Pontife,
et parla ensuite à ses auditeurs de la prise d'Édesse par
les Sarrasins, et de la désolation des Saints-Lieux. Il leur
montra l'univers plongé dans la terreur, en apprenant que
Dieu avait commencé à perdre sa terre chérie; il leur représenta la ville de Sion implorant leur secours, Jésus-
Christ, prêt à s'immoler une seconde fois pour eux, et la
Jérusalem céleste ouvrant toutes ses portes pour recevoir
les glorieux martyrs de la foi. « Vous le savez, ajouta-t-il,
» nous vivons dans un temps de châtiment et de ruine;
» l'ennemi des hommes a fait voler de toutes parts le souffle
» de la corruption; on ne voit partout que des brigan-
» dages impunis. Les lois de la patrie et les lois de la
» religion n'ont plus assez d'empire pour arrêter le scan-
» dale des mœurs et le triomphe des méchants. Le démon
» de l'hérésie s'est assis dans la chaire de la vérité; Dieu
» a donné sa malédiction à son sanctuaire. O vous tous qui
» m'écoutez, hâtez-vous donc d'apaiser la colère du Ciel;
» mais n'implorez plus sa bonté par de vains gémisse-
» ments; ne vous couvrez plus du cilice, mais de vos bou-
» cliers invincibles. Le bruit des armes, les dangers, les
» travaux, les fatigues de la guerre, voilà la pénitence
» que Dieu vous impose. Allez expier vos fautes par des
» victoires sur les infidèles, et que la délivrance des
» Lieux-Saints soit le noble prix de votre repentir. »
Ces paroles de l'orateur excitèrent un vif enthousiasme
dans l'assemblée des fidèles, et, comme Urbain au Concile de Clermont, saint Bernard fut interrompu par des
cris répétés : *Dieu le veut! Dieu le veut!* Alors il éleva la
voix, comme s'il eût été l'interprète du Ciel, promit, au

nom de Dieu, le succès de la sainte expédition, et poursuivit ainsi son discours :

« Si on venait vous annoncer que l'ennemi a envahi vos
» cités, vos châteaux, vos terres, ravi vos épouses et vos
» filles, profané vos temples, qui de vous ne volerait aux
» armes? Eh bien! tous ces malheurs, et des malheurs plus
» grands encore sont arrivés à vos frères, à la famille de
» Jésus-Christ, qui est la vôtre. Qu'attendez-vous donc pour
» réparer tant de maux, pour venger tant d'outrages? Lais-
» serez-vous les infidèles contempler en paix les ravages
» qu'ils ont faits chez des peuples chrétiens? Songez que
» leur triomphe sera un sujet de douleur inconsolable pour
» tous les siècles, et d'éternel opprobre pour la génération
» qui l'a souffert. Oui, le Dieu vivant m'a chargé de vous
» annoncer qu'il punira ceux qui ne l'auront pas défendu
» contre ses ennemis. Volez donc aux armes; qu'une sainte
» colère vous anime au combat, et que le monde chrétien
» retentisse de ces paroles du prophète : *Malheur à celui*
» *qui n'ensanglante pas son épée.*

» Si le Seigneur vous appelle à la défense de son héri-
» tage, vous ne croirez pas sans doute que sa main est
» devenue moins puissante. Ne pourrait-il pas envoyer douze
» légions d'anges ou dire une parole, et ses ennemis tom-
» beraient en poussière? Mais Dieu a regardé les fils des
» hommes, et veut leur ouvrir le chemin de sa miséri-
» corde. Sa bonté a fait lever pour vous le jour du salut,
» en vous appelant à venger sa gloire et son nom. Guer-
» riers chrétiens, celui qui a donné sa vie pour vous, de-
» mande aujourd'hui la vôtre. Voilà des combats dignes
» de vous; des combats où il est glorieux de vaincre, avan-
» tageux de mourir. Illustres chevaliers, généreux défen-
» seurs de la croix, rappelez-vous l'exemple de vos pères,

» qui ont conquis Jérusalem et dont le nom est écrit dans
» le ciel; abandonnez comme eux des biens périssables,
» pour cueillir des palmes éternelles et conquérir un royaume
» qui ne finit point. »

Tous les barons et les chevaliers applaudirent à l'éloquence de l'abbé de Clairvaux, et furent persuadés qu'il
avait exprimé la volonté de Dieu. Louis VII, vivement ému
des paroles qu'il venait d'entendre, se jeta, en présence de
tout le peuple, aux pieds de saint Bernard, et lui demanda
la croix. Revêtu de ce signe révéré, il parla lui-même à
l'assemblée des fidèles pour les exhorter à suivre son exemple. Dans son discours, il leur montra l'impie Philistin
versant l'opprobre sur la maison de David, et leur rappela
la sainte détermination que Dieu lui-même lui avait inspirée.
Il invoqua, au nom des chrétiens d'Orient, l'appui de la
nation généreuse dont il était le chef; de cette nation qui
ne pouvait supporter la honte ni pour elle ni pour ses alliés,
et portait sans cesse la terreur parmi les ennemis de son
culte et de sa gloire. A ce discours, tout l'auditoire fut at-
tendri et fondit en larmes. La piété touchante du monarque
acheva de persuader tous ceux que l'éloquence de Bernard
n'avait point entraînés. La colline sur laquelle était rassemblé
un peuple innombrable, retentit longtemps de ces mots :
Dieu le veut! Dieu le veut! la Croix! la Croix! Éléonore de
Guyenne, qui accompagnait Louis, reçut comme son époux
le signe des croisés des mains de l'abbé de Clairvaux. Al-
phonse, comte de Saint-Giles et de Toulouse; Henri, fils
de Thibaut, comte de Champagne; Thiéri, comte de Flandres;
Guillaume de Nevers; Renaud, comte de Tonnerre; Yves,
comte de Soissons; Guillaume, comte de Ponthieu; Guillaume, comte de Varennes; Archambaud de Bourbon; En-
guerand de Coucy; Hugues de Lusignan; le comte de Dreux,

frère du roi, son oncle le comte de Maurienne, une foule
de barons et de chevaliers suivirent l'exemple de Louis
et d'Éléonore. Plusieurs prélats, parmi lesquels l'histoire
remarque Simon évêque de Noyon; Godefroi, évêque de
Langres; Alain, évêque d'Arras; Arnould, évêque de Lisieux, se jetèrent aux pieds de saint Bernard en faisant
le serment de combattre les infidèles. Les croix que l'abbé
de Clairvaux avait apportées ne purent suffire au grand
nombre de ceux qui se présentaient. Il déchira ses vêtements pour en faire de nouvelles, et plusieurs de ceux
qui l'environnaient mirent à leur tour leurs habits en lambeaux, afin de satisfaire à l'impatience de tous les fidèles
qu'il avait embrasés du feu de la guerre sainte.

Pour conserver la mémoire de cette journée, Pons, abbé
de Vézelai, fonda, sur la colline où les chevaliers et les
barons s'étaient assemblés, une église qu'il dédia à la sainte
croix. La tribune, du haut de laquelle saint Bernard avait
prêché la croisade, y resta longtemps exposée à la vénération des fidèles.

Plusieurs seigneurs Français et Allemands, persuadés, par
les miracles de l'abbé de Clairvaux, qu'il était le dépositaire
de la puissance du Ciel, lui firent de vives instances dans
un Concile national, tenu à Chartres, immédiatement après
l'assemblée de Vézelai, pour qu'il prît le commandement
général des troupes croisées : mais Bernard, qui était un
autre homme que Pierre l'Ermite, et qui n'avait pas moins
de prudence que de zèle, se garda bien de quitter le froc
pour endosser la cuirasse. Après avoir accompli sa mission,
il se retira dans son monastère, et laissa aux princes et
aux guerriers l'honneur et les dangers de l'exécution.

Pendant qu'il prêchait la croisade en France avec un si
grand succès, il n'excitait pas moins l'ardeur des princes

et des peuples de l'Italie et de l'Allemagne, par les lettres qu'il leur écrivait. Non content d'employer ce moyen, il se rendit en personne à la diète générale que l'empereur Conrad III avait convoquée à Spire, pour les fêtes de Noël. Lorsqu'il parut à cette assemblée, tous les regards se portèrent sur lui par le mouvement de la plus vive curiosité, et l'empressement de la foule à contempler ses traits fut si grand, que l'empereur se vit obligé de le prendre entre ses bras. Il parla dans la diète avec tant d'éloquence et de force, que ce monarque, son frère Henri, duc de Souabe, son neveu Frédéric, qui depuis fut son successeur à l'empire, son frère utérin le célèbre Othon, évêque de Freysingue, l'historien de cette croisade, et la plupart des princes Germains résolurent de se croiser. De Spire, l'abbé de Clairvaux se rendit à Worms, Kreusenach, Cologne, Juliers, Aix-la-Chapelle, Maëstricht, Liége, Gembloux, Mons, Valenciennes, Cambrai, Laon, Reims et Châlonssur-Marne. Dans toutes les villes, son éloquence, son zèle et ses miracles, attestés par plusieurs auteurs du temps, excitèrent un enthousiasme dont nous ne pouvons nous former aujourd'hui qu'une bien faible idée.

Le dimanche de la Septuagésime, 16 février 1147, Bernard se rendit à Étampes, où Louis le Jeune avait assemblé un nouveau parlement pour délibérer sur les mesures relatives à la croisade. Il y fut d'abord question de la route qu'on devait tenir pour se rendre à Constantinople. Comme le voyage par mer entraînait trop d'inconvénients, on résolut de prendre le chemin qu'avait suivi Godefroi de Bouillon. On délibéra ensuite au sujet de la personne à laquelle serait confié le gouvernement du royaume pendant l'absence du roi. Les prélats, les seigneurs et l'abbé de Clairvaux jetèrent les yeux sur Suger, abbé de Saint-Denys, en France, qui, à de hautes vertus, joignait une profonde connaissance des affaires, et un rare talent pour le gouvernement d'un État. Louis le Jeune le déclara donc régent du royaume, en lui donnant pour adjoint, mais seulement quant au commandement des troupes, Raoul, comte de Vermandois et prince du sang royal. On fixa le rendez-vous des croisés à Metz, et le départ au jour de la Pentecôte. Le roi, qui portait constamment la croix cousue à son habit, depuis le moment où il l'avait prise à Vézelai, reçut du pape Eugène III, qui s'était rendu en France, la bénédiction pontificale dans l'église de Saint-Denys, le bourdon de pèlerin, et l'oriflamme, l'antique bannière des Français.

CHAPITRE XIV.

Les croisés à Constantinople. Perfidie
de l'empereur Manuel.

(1147-1149.)

E roi de France, Louis VII, écrivit à l'empereur
d'Orient, Manuel, pour lui demander passage et
le prier de concourir à une expédition entreprise
contre ses ennemis naturels, et pour la délivrance
de la Terre-Sainte. La lettre fut portée à l'empereur par
Milon de Chevreuse. Manuel répondit par une longue lettre
pleine de flatteries, où il traitait le roi de France, de saint,
d'ami, de frère, et lui faisait les plus belles promesses.
Mais tandis qu'il amusait Louis par ces fausses protestations,
il donnait avis au sultan d'Icone du danger qui le menaçait.
Il avait en effet quelque sujet de redouter l'arrivée des
croisés. Il n'avait pas oublié les désordres, par lesquels
leurs devanciers avaient marqué leur passage, les insultes
qu'Alexis en avait essuyées, le danger où ce prince s'était vu
d'être renversé de son trône, les emportements de Boëmond,
l'invasion de la Cilicie, et la guerre qu'il avait fallu soutenir en Syrie, en Thessalie, en Illyrie. D'ailleurs dans

l'espérance qu'il avait de recouvrer sur les Turcs une grande partie de ses États, il pensait ainsi qu'Alexis, qu'il lui serait plus difficile d'arracher aux croisés le fruit de leurs conquêtes. Les Grecs en général s'imaginaient que les croisades n'étaient qu'un prétexte pour couvrir le dessein de s'emparer de toutes les terres de l'empire.

Conrad, empereur d'Allemagne, se mit le premier en route. Il partit à l'Ascension. Son armée était composée de soixante dix mille cavaliers cuirassés, sans compter la cavalerie légère, et l'infanterie, qui était innombrable. Il avait eu la précaution d'envoyer des ambassadeurs à Manuel, pour lui demander le passage, avec la liberté d'acheter des subsistances, et il en avait reçu la réponse la plus favorable. Lorsque Manuel apprit qu'il était prêt de passer le Danube, il lui envoya Démétrius Macrembolite et Alexandre, comte de Gravina, qui, dépouillé de ses États par le roi de Sicile, avait passé au service de l'empereur Grec. Ils étaient chargés de pénétrer les desseins des Allemands, et de tirer d'eux l'assurance qu'ils ne feraient aucun dégât sur les terres de l'empire. Conrad et les seigneurs qui l'accompagnaient, ne firent aucune difficulté de prêter le serment qu'on demandait d'eux, protestant qu'ils n'avaient pris les armes que pour délivrer la Palestine, et mettre les Lieux-Saints à couvert des attaques des Musulmans. Sur cette déclaration, on leur promit toute sorte de faveur, et des vivres pour leur argent. Manuel avait envoyé en même temps des écrivains, chargés de tenir un rôle exact du nombre des troupes Allemandes qui passeraient le Danube. Ils en comptèrent jusqu'à quatre-vingt-dix mille ; mais la foule des bateaux qui suivirent ne leur permit pas de pousser plus loin leur calcul.

Quoique Conrad fût allié de Manuel, ces deux princes

ayant épousé les deux sœurs, il n'en était pas plus aimé; et de tous les peuples d'Occident, c'étaient les Allemands que les Grecs haïssaient davantage. Ils trouvaient fort mauvais que le souverain d'Allemagne prît le nom d'empereur; c'était selon eux une usurpation; ce titre suprême n'appartenait qu'à leur prince; ils n'accordaient aux autres que le nom de rois. Ainsi la bonne intelligence ne pouvait subsister longtemps entre deux nations jalouses, qui se méprisaient mutuellement. Manuel, plein de défiance avait rassemblé grand nombre de troupes; il en gardait une partie à Constantinople, dont il faisait réparer les tours et les murailles. Il avait envoyé le reste au-devant des Allemands sous les ordres de Prosouch, en apparence pour les accompagner et leur ouvrir les passages, en effet pour les observer et les empêcher de s'écarter pour quelque pillage, sans cependant commettre contre eux aucune hostilité qui pût leur servir de prétexte. Les Allemands étant arrivés à Naïsse sur la frontière de Bulgarie, Michel Branas, gouverneur de la province, leur fit trouver toutes les provisions nécessaires. Tant qu'ils eurent à traverser un pays de montagnes, ils marchèrent tranquillement, et ne songèrent à autre chose qu'à vaincre la difficulté des chemins. A Sardique ils trouvèrent Michel Paléologue et le cartulaire Zinziluc qui leur firent fournir des vivres. A Philippopolis où ils séjournèrent, la brutalité de quelques Allemands fut sur le point d'exciter une sanglante querelle. Mais Michel, évêque de la ville, Italien souple et délié, sut si bien gagner Conrad en buvant avec lui et en l'amusant de ses plaisanteries, que ce prince devenu le protecteur des habitants, punissait rigoureusement ceux 'de ses soldats, qui s'échappaient à quelque violence. A son départ de Philippopolis le prélat qui l'accompagna deux

ou trois jours, servit encore à maintenir le bon ordre.
Les Allemands qui ne pouvaient se contenir longtemps,
ayant maltraité quelques Grecs sur leur passage, l'armée
d'observation en prit la défense, et la querelle s'étant
échauffée, il y eut des gens tués de part et d'autre. Le
combat allait devenir général, si Michel n'eût apaisé le
désordre en employant son crédit auprès de Conrad.

Après la retraite de Michel tout changea de face. Les
Allemands ne gardèrent plus de mesures. Ils emportaient
sans payer ce qu'on venait leur vendre, ou ne le payaient
qu'à coups de sabre. Conrad n'écoutait plus les plaintes,
ou excusait ses soldats. Leurs partis couraient les campagnes et mettaient le feu aux bourgades. Rencontrant un
pays abondant, ils s'arrêtaient pour s'enivrer; et les Grecs
les trouvant ivres, couchés dans les chemins, les massacraient sans pitié. Prosouch, qui côtoyait l'armée, faisait
ses efforts pour empêcher les violences. Mais il ne put
prévenir un horrible désordre, que la cruelle animosité
des Grecs excita dans Andrinople. L'armée Allemande en
passant devant cette ville, y laissa un seigneur malade :
c'était un parent de Conrad. Il se logea dans un monastère avec sa suite. Quelques soldats Grecs en ayant eu
connaissance entrent dans la ville, forcent les portes du
monastère, mettent le feu à la chambre du malade qui
fut brûlé dans son lit, et enlèvent tout ce qui lui appartenait. Conrad était déjà à deux journées d'Andrinople.
Il renvoie sur ses pas son neveu Frédéric avec un corps
de troupes. Ce prince outré de colère entre dans la ville,
réduit en cendres le monastère, passe au fil de l'épée tous
ceux qui s'y rencontrent; une partie de l'armée Grecque
vient au secours des habitants; on se bat, et selon Cinname les Grecs sont vainqueurs. Selon Nicétas, plus croyable

en ce point, Prosouch accourt au bruit des combattants ; il apaise Frédéric, et on se sépare.

Manuel prévoyant les désordres que pouvait causer cette multitude mal disciplinée, si elle approchait de Constantinople, envoya Andronic Opus pour engager Conrad à prendre la route de la Chersonèse, où le passage de Seste était plus étroit, et le conduirait dans un pays plus fertile. Conrad rejeta cet avis, et continua sa marche vers Constantinople. Manuel voyant le danger approcher crut devoir redoubler de précautions. Il garnit de troupes tous les postes tant au-dedans qu'au-dehors de la ville, et fait partir Zicondyle, guerrier de réputation, pour aller joindre Prosouch avec un nouveau renfort. Il avait ordre de serrer de près l'armée de Conrad, et d'empêcher le ravage, mais de ne risquer le combat qu'à l'extrémité. La grande taille des Allemands et l'armure dont ils étaient tout couverts faisaient peur aux Grecs. Mais ils se flattaient d'entendre beaucoup mieux les évolutions militaires, et d'être supérieurs à la cavalerie Allemande trop pesante et mal en ordre. Cependant les croisés arrivèrent dans la plaine de Chérobacques, où l'abondance des fourrages les engagea à camper entre deux fleuves dont les eaux étaient alors fort basses. Ils reposaient tranquillement pendant la nuit, lorsqu'un affreux orage grossissant tout à coup ces fleuves en fait deux torrents impétueux, qui se répandant au loin sur leurs bords, entraînent à la mer et les tentes et les chevaux et les bagages. Ce n'était que cris, confusion, désespoir. Il périt dans ce déluge grand nombre d'hommes et d'animaux. Manuel touché lui-même de ce désastre, ou feignant de l'être, envoie quelques seigneurs de sa cour pour consoler Conrad, et l'inviter à venir conférer avec lui à Constantinople. Mais ce prince, qui n'a-

vait rien perdu de sa fierté naturelle, demande que Manuel
vienne au-devant de lui; proposition qui parut si révol-
tante à la vanité grecque, qu'il ne fut plus question d'entrevue. Conrad avançant toujours, arriva le 8 septembre
dans un grand parc orné de palais, vis-à-vis de la porte
dorée. De là, après avoir considéré la hauteur des tours et
la force des murailles couvertes d'un peuple innombrable,
il passe au-delà du golfe par le pont du fleuve Barbysès.
Les deux princes s'écrivirent des lettres remplies de bravades et de railleries. On en vint même, selon Cinname, à
un combat qui se termina à l'avantage des Grecs; mais le
silence de Nicétas, historien moins partial, fait croire que
ce ne fut tout au plus qu'une rencontre de peu d'importance.
Enfin les deux empereurs s'étant réconciliés sans se voir,
parce que l'un ne voulait pas entrer dans Constantinople,
ni l'autre en sortir, Conrad passa le Bosphore sur les vaisseaux que lui prêta Manuel. Ils souhaitaient également être
éloignés l'un de l'autre; et l'impatience de Conrad ne lui
permit pas de satisfaire le roi de France qui lui envoyait
courriers sur courriers pour le prier de l'attendre devant
Constantinople. Quoiqu'il eut déjà perdu beaucoup de ses
gens, il se trouva encore à son passage en Asie quatre-vingt-
dix mille cinq cent cinquante-six hommes.

L'armée de Louis n'était pas moins nombreuse. Pour
éviter les querelles que la jalousie pouvait faire naître entre
les deux nations, et trouver plus aisément des subsistances,
il n'était parti que quinze jours après Conrad, avec sa femme
Éléonore et tous les seigneurs de sa Cour. En arrivant à
Ratisbonne où il passa le Danube, il trouva deux ambassadeurs Grecs, dont il lui fallut essuyer un long compli-
ment, assaisonné à l'ordinaire des éloges les plus outrés.
Geoffroi, évêque de Langres, qui accompagnait le roi, et

qu'on nommait le Nestor de l'armée Française, ennuyé ainsi que Louis de leurs insipides flatteries, les interrompit pour leur dire : *Mes frères, dispensez-vous de répéter si souvent les mots de gloire, de majesté, de sagesse, de religion du prince; il se connaît et nous le connaissons aussi, dites en deux mots ce que vous avez à dire.* Ils terminèrent leur harangue par deux demandes, l'une que le roi ne s'emparât d'aucune place appartenant à l'empire, l'autre, qu'il remît entre les mains des Grecs celles d'où il chasserait les Turcs, et qu'il fît assurer cette promesse par le serment des seigneurs. On convint aisément du premier article; pour le second, il y eut contestation, et l'on s'en remit à la décision des deux princes, lorsqu'ils conféreraient ensemble. Des deux ambassadeurs, Démétrius retourna sur-le-champ à Constantinople, Maurus demeura avec les croisés. On choisit plusieurs seigneurs pour se rendre avec Démétrius auprès de Manuel, qui le demandait ainsi par ses lettres.

Les troupes Françaises étaient divisées en plusieurs corps, qui se suivaient à quelque distance, et le roi était déjà devant Andrinople, que son arrière-garde n'était pas encore sortie de Bulgarie. Les Grecs voulaient les faire passer à mesure qu'ils arrivaient; et comme ils s'attendaient les uns les autres, on envoya une armée de Comans et de Patzinaces, qui les allaient chercher jusque dans les déserts de la Bulgarie, leur dressaient des embûches, et tuaient tous ceux qu'ils pouvaient surprendre. Les Français étaient obligés de camper sur les hauteurs, et de se faire un retranchement de leurs chariots. Ils souffraient en même temps de la disette des vivres, qu'on refusait de leur vendre. Les seigneurs qui s'étaient rendus à Constantinople, s'en plaignirent à l'empereur; il leur répondit froidement qu'il n'était pas le maître de contenir les Patzinaces; que les Français n'avaient qu'à s'approcher de Constantinople; qu'à l'ombre de son palais, ils seraient en sûreté et qu'il leur fournirait des vivres. Sur cette réponse, les Français marchent; les Patzinaces les poursuivent, et plus forts que ces bandes séparées, ils les mettent en fuite, et s'emparent d'une partie de leurs équipages. Quelques seigneurs, outrés de colère, sortent de Constantinople et vont joindre leurs compatriotes : d'autres restent dans la ville, et vont porter de nouvelles plaintes à l'empereur. Il jure qu'il ignore ces désordres, et demande pardon pour ses gens. Cependant Louis devant Andrinople attendait avec impatience le reste de ses troupes. Maurus faisait ses efforts pour l'engager à prendre le chemin de la Chersonèse. Le roi persista dans le dessein de passer par le Bosphore, et de suivre la même route que les Allemands. A une journée de Constantinople il rencontra encore des députés de l'empereur, qui lui prodiguèrent les démonstrations du plus profond respect. Flatteurs jusqu'à la bassesse, ils ne lui parlaient qu'à genoux, ils se prosternaient à ses pieds; cette nation dégénérée se jouait de la simplicité française. Rampants dans la crainte, insolents dans la sécurité, ils n'épargnaient pas les serments, et n'en gardaient aucun. Tandis qu'ils endormaient le prince par les plus humbles protestations, ils lui faisaient tout le mal qu'ils pouvaient lui faire impunément. L'impératrice partageait les artifices de son mari; elle amusait la reine par des lettres pleines de la plus vive affection.

Enfin Louis arriva devant Constantinople avec une partie de ses troupes. Manuel le fit camper hors de la ville près du palais de Blaquernes. On découvrit que l'empereur venait de faire une trêve de douze ans avec les Turcs, lui qui par des lettres trompeuses avait invité Louis à venir le joindre pour combattre les infidèles. Les Français qui entraient à Constantinople pour acheter des armes ou des vivres, étaient souvent maltraités, blessés, même massacrés. Les Grecs avaient tant d'horreur des Latins, qu'ils lavaient et purifiaient les autels où un prêtre Latin avait dit la messe. Les Latins de leur côté ne regardaient pas les Grecs comme des chrétiens; ils se croyaient permis de les piller et de les tuer. Cependant on invitait Louis à rendre visite à l'empereur, qui témoignait désirer ardemment de s'entretenir avec lui, et le roi eut la complaisance d'aller au palais. Tous les nobles, le clergé, le peuple sortirent au-devant de lui. L'empereur le reçut avec une civilité hautaine. Ils étaient tous deux à peu près de même âge, grands, bien faits et d'un air majestueux. Sur le visage de Louis se montrait une franchise vraie et naïve, celle de Manuel, étudiée et contrefaite, se trahissait de temps en temps par des traits de malignité. Ils s'embrassèrent et passèrent du portique où l'empereur était venu recevoir le roi, dans les appartements où ils s'assirent à côté l'un de l'autre. Ils conférèrent par interprètes, environnés de toute leur Cour. L'empereur souhaita au roi les plus grands succès, et promit d'y contribuer de toutes ses forces, ce qu'il n'avait nul dessein de faire. Ils se séparèrent avec les démonstrations d'une tendresse fraternelle, et les nobles conduisirent le roi au palais, qu'on lui avait préparé pour demeure. Le lendemain l'empereur l'alla prendre pour le mener à Sainte-Sophie, et aux églises les plus célèbres. Il lui fit ensuite un magnifique festin. Le jour de la fête de saint Denys, apôtre de la France, il fit célébrer l'office avec une pompe extraordinaire; et ce prince artificieux sut si bien gagner le roi et les seigneurs, qu'ils parurent oublier tous les sujets qu'ils avaient eu de s'en plaindre.

Pour ne pas se contraindre longtemps, il fallait hâter le passage du roi, qui attendait encore des seigneurs et des troupes embarquées à Brindes. Manuel eut l'adresse d'allumer l'impatience naturelle des Français, et de piquer leur jalousie, en faisant publier à Constantinople de brillants succès des Allemands, déjà, disait-on, plusieurs fois vainqueurs des Turcs, déjà maîtres d'Icône. Ces fausses nouvelles produisirent leur effet. Les Français désespérés d'abandonner aux Allemands tout l'honneur d'une si glorieuse conquête, pressaient le roi de passer en Asie. Il fallut céder à leurs instances, et Manuel fournit les vaisseaux.

L'empereur, débarrassé de ces hôtes, ne songea plus qu'à faire échouer leur entreprise. L'avidité d'un soldat lui fournit le premier prétexte de plainte. Louis en passant le Bosphore avait été suivi de plusieurs vaisseaux chargés de vivres. Des changeurs de Constantinople avaient aussi apporté de grandes sommes d'argent, ayant dressé leurs tables sur le rivage, ils y avaient étalé leurs richesses. Un soldat Flamand, ébloui de l'éclat de l'or, pille une de ces tables. Son exemple en excite d'autres; on crie, on enlève, on renverse. Les changeurs dépouillés se sauvent sur les vaisseaux, qui prennent le large et emmènent avec eux grand nombre de croisés venus à bord pour acheter des vivres. Dès qu'ils sont entrés dans le port, on assomme de coups, on dépouille ceux qu'on ramenait, et les autres Français qui se trouvaient encore dans la ville. Pendant ce temps-là le roi rendait prompte justice; il faisait pendre le Flamand, rendre ce qui avait été pillé et plus encore, les changeurs redemandant plus qu'ils n'avaient réellement perdu. Ces réparations faites, le roi envoya Arnoul, évêque de Lisieux, et Barthélemi son chancelier redemander ses gens et ce qu'on leur avait pris. L'empereur fait attendre les envoyés jusqu'au lendemain ; et comme il n'avait donné aucun ordre pour les recevoir, ils passent le jour sans manger, et la nuit sans autre lit que le pavé du palais. Enfin il leur donne audience. Il fait rendre tout aux Français, les laisse aller et envoie des vivres, mais en très-petite quantité. Il invite le roi à venir à son palais pour conférer ensemble. Le roi demande que l'empereur passe lui-même à son rivage, ou que les deux princes s'avancent chacun dans une barque jusqu'au milieu du Bosphore.

Comme ces propositions choquaient la fierté de Manuel, il fit savoir par députés ce qu'il désirait : c'était que les barons Français lui jurassent foi et hommage, comme les seigneurs de la première croisade l'avaient juré à son aïeul Alexis. Il demandait de plus en mariage pour un de ses neveux une parente du roi, qui accompagnait la reine. A ces conditions il promettait secours et fidèle correspondance. Dans l'intervalle de ces négociations, le comte de Maurienne, le marquis de Montferrat, et le comte d'Auvergne, que le roi attendait, étaient arrivés, et campaient à la vue du roi, de l'autre côté du Bosphore. Comme les Grecs différaient de leur prêter des vaisseaux, ils les forcèrent par le ravage des campagnes à leur accorder le passage. Les barons refusaient l'hommage, qu'ils ne devaient qu'à leur souverain ; ils ne se jugeaient pas obligés de rendre aucun honneur à un prince qui ne s'était fait connaître que par ses fourberies. Mais Louis ne voulant pas avoir les Grecs pour ennemis, exigea d'eux cette déférence. Il se transporta donc avec eux au bord de la Propontide, où Manuel s'était rendu ; et pendant que les barons prêtaient serment de fidélité, le comte de Dreux, frère du roi, pensant qu'il ne pouvait sans déshonorer le sang de France,

reconnaître pour son seigneur tout autre que le roi son
frère, prit les devants avec quelques autres aussi fiers que
lui, et emmena même la princesse sa parente, pour la
soustraire à une alliance qu'il jugeait indigne d'elle. On
convint dans l'entrevue que l'empereur ferait accompagner
le roi de deux ou trois seigneurs, qui lui serviraient de
guides et lui feraient trouver des vivres : que si l'on en
manquait, il serait permis aux Français de piller les places
qu'ils trouveraient sur leur route, à condition qu'après le
pillage ils les remettraient à l'empereur Grec. Dans ce
même temps, Roger, roi de Sicile, qui attaquait la Grèce et
y faisait des conquêtes, sollicitait Louis de se liguer avec
lui contre Manuel : plusieurs seigneurs Français et surtout
Geoffroi, évêque de Langres, conseillaient au roi d'accepter
cette alliance, et de s'aider de la flotte Sicilienne pour
se rendre maître de Constantinople : que c'était l'unique
moyen de se garantir de la perfidie des Grecs, et d'assurer
le succès de son entreprise. Louis, toujours ferme dans les
maximes d'une probité inaltérable, rejeta cet avis, et ne
crut pas que la mauvaise foi de Manuel dût servir d'excuse
à la sienne. Il ne résista pas avec moins de constance aux
sollicitations de Manuel, qui, de son côté, lui offrait tous
ses trésors, s'il voulait se liguer avec lui contre Roger.
C'eût été prendre le change, et tourner contre les chrétiens la guerre qu'il portait aux infidèles. Ainsi, sans vouloir
entrer dans une querelle étrangère, il alla rejoindre son
armée.

Celle de Conrad était déjà en marche, et traversait l'Asie
pour aller attaquer Icône. Mais au lieu de prendre à droite
par les provinces méridionales, où elle aurait trouvé un
pays plus abondant, les guides qui avaient des ordres perfides, conduisirent les Allemands à gauche par la Cappa-

doce, pays aride et stérile, où les attendaient la disette, l'ennemi et la mort. Au sortir de Nicomédie, se trouvant au milieu des terres de l'empire, ils se croyaient en sûreté, et se promettaient toute assistance de la part des villes Grecques. Manuel s'était engagé à leur faire fournir des vivres pour de l'argent. Mais ce prince, non content des avis qu'il avait donnés au sultan d'Icône, prenait tous les moyens de faire périr les croisés, avant même qu'ils pussent y arriver. Des soldats Grecs postés en embuscade le long des chemins, tuaient sans miséricorde tous ceux qui s'écartaient du gros de l'armée. On mêlait de la chaux parmi les farines qu'on leur débitait. On leur fermait les portes des villes, et pour leur vendre des vivres, on les obligeait de mettre d'abord leur argent dans des paniers qu'on leur descendait du haut des murs, et après l'avoir reçu, souvent on ne leur envoyait que des railleries. Forcés de vendre quelque pièce de leur armure pour avoir de quoi subsister, on ne leur donnait que de fausse monnaie, qu'on refusait ensuite lorsqu'ils voulaient acheter le nécessaire. Enfin, leurs guides, après les avoir engagés dans les défilés du mont Taurus, disparurent et les abandonnèrent à la merci des Turcs, qui, voltigeant autour d'eux avec leur cavalerie légère, les accablant de traits, et échappant à la poursuite, réduisirent cette grande armée en tel état, qu'il n'en restait pas la dixième partie. Conrad regagna Nicée, où il se joignit à Louis. Il résolut d'abord de l'accompagner. Mais lorsqu'on fut à Éphèse, honteux de se voir presque seul à la suite du roi de France, il s'en retourna à Constantinople avec ce qui lui restait de noblesse. Manuel, qui ne le craignait plus, lui fit un accueil beaucoup plus favorable, que lorsqu'il l'avait vu à la tête d'une belle armée. Il triomphait dans son cœur des infortunes que la trahison avait procurées. Conrad, qu'il comblait de caresses, passa l'hiver à sa cour. Il en obtint au printemps suivant un vaisseau qui le transporta en Palestine, où Louis vint bientôt le joindre. Enfin, après la malheureuse entreprise des croisés sur la ville de Damas, Conrad s'embarqua dans le port de Saint-Jean-d'Acre. Il trouva Manuel près de Thessalonique, où la guerre de Sicile l'avait amené. Il se reposa avec lui pendant quelques jours, et retourna dans ses États, qu'il avait inutilement épuisés d'hommes et d'argent.

L'expédition de Louis ne fut guère plus heureuse; mais ce prince soutint ses disgrâces avec plus de fermeté, et poussa plus loin ses entreprises. Étant parti de Constantinople au commencement de novembre, il reçut d'abord la fausse nouvelle que lui apportaient les perfides conducteurs de l'armée Allemande. Pour le tromper et le perdre aussi bien que Conrad, ils venaient lui annoncer que ce prince avait vaincu les Turcs, et qu'il était dans Icône. Mais Louis fut bientôt détrompé par Conrad lui-même. A Ephèse, où Conrad se sépara de lui, il trouva des envoyés de Manuel qui lui mandaient avec une feinte amitié, qu'il allait avoir sur les bras une armée innombrable de Turcs, et que pour se mettre à couvert d'un si furieux orage, dont il ne pouvait manquer d'être accablé, il lui conseillait de se retirer dans les places de l'empire. Son dessein était d'affaiblir l'armée Française en la divisant, et de la livrer aux Turcs. Louis soupçonnant cette trahison, répondit qu'il remerciait l'empereur de son avis, mais qu'il ne croyait pas en avoir besoin, et qu'il ne craignait pas les Turcs en quelque nombre qu'ils fussent. Sur cette réponse les envoyés lui présentèrent une autre lettre. Ce n'étaient plus des conseils d'amitié, mais des plaintes et des menaces. Manuel se plaignait des désordres que faisaient ses troupes sur les terres de l'empire, et lui signifiait qu'il ne pourrait désormais empêcher ses sujets de traiter en ennemis des gens qui ne les ménageaient pas. C'était en termes couverts une sorte de déclaration de guerre. Louis, indigné, ne fit point de réponse, et continua sa route. Il remonta le Méandre en s'avançant vers Laodicée de Lydie; et le lendemain, il s'arrêta, bien décidé à le passer à la vue même des troupes, qui ne cessaient de le harceler sur les flancs.

On était au mois de janvier 1148, le Méandre avait été grossi par les pluies; on avait une armée à dos, et une autre se montrait rangée en bataille sur la rive opposée, qui présentait un escarpement difficile à surmonter, et de plus on ne trouvait qu'un seul gué, par où toute l'armée devait passer. Malgré ces difficultés, le roi ordonne à la cavalerie de l'avant-garde d'entrer dans le fleuve. Il se met en même temps à la tête de l'arrière-garde, et se porte avec tant de promptitude contre l'armée ennemie qui le pressait par derrière, que dans un instant il en taille en pièces une partie et repousse l'autre dans les montagnes. Pendant qu'il remportait ce brillant avantage, Thierri, comte de Flandres, Henri, fils du comte de Champagne, et Guillaume, comte de Mâcon, à la tête de la cavalerie, gagnaient l'autre bord du fleuve, malgré tous les efforts de l'ennemi. Quand toute cette avant-garde eut passé et se fut rangée en bataille, elle se jeta sur les Turcs avec une telle furie, que ceux-ci, ne pouvant résister à ce choc, prirent la fuite de tous côtés vers les montagnes, laissant un grand nombre de morts et de blessés sur le champ de bataille. Le reste de l'armée n'ayant plus d'ennemis à craindre, passa le fleuve, partie en croupe avec les cavaliers, partie sur des radeaux.

Jaloux de la victoire des Français, les Grecs ne rougirent pas de recevoir les Turcs fugitifs, dans Antioche de Pisi-

die (1148). Si le roi avait eu des vivres, il n'aurait pas
manqué d'aller attaquer cette place ; mais, dans la disette
où il se trouvait, il trouva plus à propos de marcher incontinent vers Laodicée, d'où il espérait tirer d'abondantes
subsistances pour son armée. Il y arriva le quatrième jour
après la bataille. La garnison impériale en était partie pour
se joindre aux Turcs, et le commandant en avait fait sortir
tous les habitants et emporter tous les vivres. Il fallut donc
que l'armée passât sans s'y arrêter, et prît la route de la
Pamphilie, pour se rendre, le long de la mer, dans un pays
moins difficile et plus abondant en ressources.

Suivant la coutume de ce temps-là, les troupes étaient
divisées en avant-garde et en arrière-garde. Chaque jour
deux des principaux seigneurs prenaient le commandement
de ces deux corps ; et tous les soirs le conseil, auquel
assistaient tous les seigneurs, présidé par le roi, détermi-
nait la route qu'on prendrait le lendemain, et les endroits
où l'on camperait. Il y avait sur le chemin de l'armée une
montagne très-élevée, et remplie de défilés dangereux, situés entre les rochers. D'après l'avis du conseil, le roi
avait ordonné que l'armée passât la nuit sur son sommet.
Geoffroi de Rançon, seigneur de Taillebourg, qui portait
la bannière royale, était ce jour-là à la tête de l'avant-
garde, où se trouvait le comte de Maurienne, oncle du
roi, avec la reine et toutes les dames de sa suite. Le roi
se tenait à l'arrière-garde, qui était le poste le plus périlleux,
Geoffroi arriva de bonne heure au sommet de la montagne.
Voyant le soleil encore très-élevé, il oublia les ordres du
roi, et descendit bien avant dans la plaine, dans l'espérance que l'arrière-garde viendrait l'y joindre. Par le même
motif qui l'avait engagé à descendre de la montagne, l'arrière-garde ne se hâta pas de monter au sommet. Les Turcs,

qui côtoyaient les flancs de l'armée, s'apercevant de cette séparation, courent s'emparer de ce sommet, et se rendent maîtres des passages, de manière qu'il est impossible aux deux corps de l'armée de se porter secours.

L'arrière-garde fut donc bien étonnée lorsque, s'étant engagée dans les défilés de la montagne, elle trouva les ennemis, au lieu des troupes de l'avant-garde. Les Turcs déchargent aussitôt sur elle une horrible grêle de flèches, et, fondant ensuite avec impétuosité sur les premiers rangs, ils en renversent les soldats à coups de massue et de cimeterre, avant même qu'ils aient eu le temps de prendre leurs armes. Ces malheureux tombent sur le centre de la colonne, où se trouvent tous les bagages, les bêtes de somme et les chariots; et toute cette masse finit par être culbutée sur les derniers rangs, qui font tous leurs efforts pour en soutenir le poids, et trouver ensuite un passage pour arriver à l'ennemi. Enfin le roi, à la tête des seigneurs accompagnés de leurs plus braves soldats, arrive à l'endroit où les Turcs se sont rangés en bataille pour soutenir ceux de leur armée qui ont donné les premiers. C'est là que se livre un combat régulier. Les Français s'animent par la présence de leur roi, et les Turcs par le souvenir de leur victoire contre les Allemands, et surtout par l'avantage qu'ils viennent de remporter. On se battit longtemps avec une égale fureur, avec un égal succès; enfin les Français, accablés par le nombre, furent forcés de succomber : presque tous furent ou tués ou faits prisonniers. La plupart des seigneurs qui entouraient le roi périrent en le défendant.

Ce prince environné d'ennemis et des cadavres de ses braves serviteurs, se défendait avec la plus grande valeur, lorsque quelques-uns de ses cavaliers saisirent la bride de

son cheval et, se faisant jour à travers les ennemis, le conduisirent au plus haut de la montagne. La plupart de ces
braves gens ayant été tués par ceux qui le poursuivaient
sans le connaître, il se trouva presque seul au moment où
le jour allait finir. Dans un si grand péril, il grimpa sur
un rocher, en s'attachant aux racines et aux branches d'un
arbre qu'il trouva là fort à propos. Comme les Turcs, qui
l'avaient poursuivi, ou lui lançaient des flèches, ou s'effor-
çaient de grimper sur le rocher, il paraissait presque impossible qu'il leur échappât. Il se sauva néanmoins par sa
présence d'esprit et par des prodiges de valeur. Les assaillants eux-mêmes, étonnés d'une si héroïque résistance,
l'abandonnèrent enfin pour aller prendre leur part du pillage,
auquel leurs camarades se livraient.

Après leur départ, des soldats et des valets de l'armée
qui, pour se sauver, s'étaient jetés dans les rochers, étant
venus à passer près de celui où il se trouvait, le reconnurent
à sa voix, et le placèrent sur un des chevaux qu'ils conduisaient. Après avoir marché toute la nuit par des chemins
inconnus, ils rencontrèrent heureusement des escadrons de
cavalerie de l'avant-garde, qui, avertis par le chapelain
du roi du péril où il se trouvait, s'étaient mis en marche
pour lui porter secours. On ne saurait s'imaginer la consternation des troupes quand elles virent leur roi revenir
seul, et sans être accompagné de tant de seigneurs qu'il
avait la veille auprès de sa personne, et quand, de toute
l'arrière-garde, quelques centaines de soldats seulement entrèrent dans le camp les uns après les autres. Il n'y eut
alors qu'une voix pour la mort de ce Geoffroi, dont la désobéissance était la cause d'un si grand désastre; mais le
roi voulut bien lui pardonner en considération du comte de
Maurienne son oncle, complice de cette faute.

Le jour suivant, au moment où l'armée se disposait à partir, on découvrit les ennemis, qui, postés sur les montagnes voisines, se tenaient prêts à la suivre, dans l'intention de la surprendre encore une fois. Pour surcroît d'embarras, les vivres commençaient à manquer, et l'on avait encore à faire une marche de douze jours, pour arriver à Satalie, ville . où l'on espérait en trouver abondamment. L'armée néanmoins ne perdit pas courage. Pour la rétablir, le roi partagea en deux divisions ce qui lui restait de troupes. Il donna le commandement de l'avant-garde à un vieux capitaine, nommé Gilbert, en déclarant qu'il lui obéirait lui-même. Le grand-maître des Templiers, Éverard Desbarres, qui était venu se joindre à l'armée avec un certain nombre de chevaliers, fut chargé du commandemant de l'arrière-garde. Le bagage fut placé au milieu de ces deux corps, et la cavalerie, rangée sur deux ailes, reçut ordre d'en protéger les flancs.

Ce fut dans cette disposition que l'armée se mit en marche vers la Pamphilie; en vain les infidèles l'attaquèrent à plusieurs reprises, ils furent constamment repoussés avec beaucoup de perte, et enfin taillés en pièces entre deux rivières où le roi les avait attirés. Quand cet ennemi ne fut plus à craindre, il fallut se défendre de la famine, qui se fit sentir à un tel point, que les soldats se virent réduits à manger des chevaux. Dans cette extrémité, le roi les soutenait par l'exemple de son courage; il se faisait rendre compte de tout; il pourvoyait à tout; et, la cuirasse sur le dos, il remplissait tour à tour les fonctions d'un capitaine et celles d'un soldat.

Enfin, après une longue et pénible marche, l'armée arriva le 20 janvier 1149, dans les environs de Satalie. Cette place, qui appartenait encore à l'empire Grec, payait tribut aux

Turcs, qui possédaient les châteaux d'alentour, et par des
courses continuelles s'opposaient à la culture des terres,
naturellement très-fertiles. Le gouverneur, ennemi secret
des croisés, n'osant se déclarer contre eux, offrit des provisions, et même des vaisseaux pour transporter les troupes
en Syrie. Le roi, qui ne se croyait pas en état d'achever son
voyage par terre, accepta ses offres. Mais pendant cinq
semaines que l'armée fut obligée d'attendre un vent favorable, ce perfide gouverneur ne négligea rien pour ruiner
ses hôtes. Ce ne fut qu'à un prix excessif qu'il leur fournit des
vivres et des bâtiments; encore ces vaisseaux étaient-ils en
si petit nombre, que le roi se vit forcé de laisser à terre
ses malades et son infanterie. Les Grecs s'engagèrent,
moyennant une grande somme d'argent, à prendre soin
des premiers jusqu'à ce qu'ils fussent en état de supporter
la mer, et à donner une escorte suffisante à l'infanterie,
moins pour la protéger que pour la guider. Le roi s'embarqua
avec tout ce qui lui restait de seigneurs, la reine, son épouse,
et sa cavalerie qui pouvait seule former une armée considérable.

CHAPIRE XV.

Les croisés en Syrie et en Palestine. Retour de Louis VII et de Conrad.

(1149.) ·

PEINE le roi de France s'était embarqué et son infanterie s'était-elle mise en marche, que les infidèles, avertis par les Grecs, vinrent fondre de tous côtés sur cette infanterie et la détruisirent entièrement. Quant aux malades qui avaient été reçus dans la ville de Satalie, le gouverneur, violant en leurs personnes les droits les plus sacrés de l'humanité et de la religion, les livra aux ennemis qui les égorgèrent. De tant de braves soldats, il n'y en eut qu'un fort petit nombre qui purent échapper au glaive des Musulmans, entre autres le comte de Flandres et Archambeau de Bourbon, qui étaient restés à la tête de l'infanterie. Le gouverneur et les habitants de Satalie ne tardèrent pas à être punis de leur perfidie. Quelques efforts qu'ils eussent faits pour servir la haine de Manuel pour les Français, ce prince fut cependant tellement irrité, qu'ils leur eussent fourni des vivres et des vaisseaux, même à un prix très-élevé, que, pour les en punir, il fit enlever tout l'or et l'argent qui se trouvait dans la ville.

Cependant le roi abordait avec toute sa suite au port de Saint-Siméon, situé à l'embouchure de l'Oronte. Il fut reçu à Antioche avec la plus grande magnificence par Raymond, comte de Poitiers, oncle paternel de la reine. Ce ne fut pendant les premiers jours que fêtes, bals, tournois. Ce prince espérait que le roi l'aiderait à faire des conquêtes et à étendre les limites de sa principauté. Mais Louis, malgré les instances qu'il lui fit à ce sujet, ne voulut pas se détourner du voyage de Jérusalem, objet principal de son vœu et de son expédition. Ce refus piqua vivement le prince d'Antioche. Le roi, craignant que dans sa colère il ne se portât à quelque excès contre lui, s'échappa de la ville pendant la nuit, emmenant la reine, sa femme, qui aurait bien désiré que le roi eût marché contre les enemis de son oncle, pour rester dans Antioche.

Louis ayant rejoint ses troupes campées sous les murs d'Antioche, prit aussitôt le chemin de Jérusalem. Il trouva dans cette ville l'empereur Conrad, qui, après avoir passé l'hiver à Constantinople, en était parti au commencement du printemps avec les débris de son armée, sur des vaisseaux que l'empereur lui avait prêtés, et avec lesquels il avait abordé au port de Saint-Jean-d'Acre.

Dès l'instant qu'on avait appris à Jérusalem la marche du roi de France, le roi Baudouin, qui craignait qu'il ne s'arrêtât à Antioche, ou que le comte de Tripoli ne fît ses efforts pour le retenir, avait envoyé le patriarche au-devant de lui pour l'engager à se rendre au plus tôt dans la capitale de la Terre-Sainte. On peut s'imaginer avec quelle pompe et quelle solennité ce prince fut reçu dans les murs de la sainte cité. Tous les grands, tous les prélats du royaume, et tout le clergé, suivis d'une foule immense de peuple, allèrent au-devant de lui, presque avec les mêmes acclamations qui avaient signalé l'entrée triomphante du Sauveur dans la même ville.

Lorsque Louis eut visité les Saints-Lieux, accompagné des princes et des prélats, Baudouin, de concert avec lui et l'empereur Conrad, indiqua une assemblée générale à Acre, pour délibérer sur la guerre qu'on devait entreprendre contre les infidèles. Outre les trois souverains que nous venons de nommer, on y voyait la reine Mélisente, mère du jeune roi, les deux légats du Saint-Siége, plusieurs évêques allemands et français, le patriarche de Jérusalem, les archevêques de Césarée et de Nazareth, et cinq autres évêques de la Palestine; le célèbre Otton, évêque de Freysingen, frère de l'empereur Conrad; Henri, duc d'Autriche; Frédéric, duc de Souabe; Berthold, duc héréditaire de Bavière; Guillaume, marquis de Montferrat; Herman, marquis de Vérone; Robert, comte de Dreux et frère du roi de France; Henri, fils du comte de Champagne; Thierri, comte de Flandres; les comtes de Naplouse, de Tibériade, de Sidon, de Béryte, de Césarée; les grands-maîtres des chevaliers du Temple et de l'Hôpital, et nombre d'autres personnages de distinction, de la cour des trois monarques.

Après qu'on eut mûrement examiné ce qu'il y avait à faire de plus utile pour l'affermissement de l'autorité des princes chrétiens dans la Syrie et la Terre-Sainte, on prit la résolution de faire le siége de Damas, l'une des plus grandes et des plus belles villes de l'Asie, située au-delà du mont Liban, dans une plaine vaste et fertile. Le rendez-vous général des troupes fut fixé à Tibériade, et au 25 mai 1148.

Quand tous les princes furent arrivés avec leur contingent

au lieu du rassemblement, et qu'on eut fait la revue générale
de l'armée, les troupes se mirent en marche, précédées de
la vraie croix, que portait le patriarche de Jérusalem, et
s'avancèrent jusqu'à Panéade, ville située dans le voisinage
de la source du Jourdain. Là, on délibéra sur les mesures
à prendre pour le siége. On traversa ensuite le mont Liban,
et l'on vint camper autour d'un village, à huit kilomètres de
Damas et sur une hauteur d'où l'on pouvait découvrir toute
cette ville, comme du mont Valérien on découvre la ville
de Paris.

Au Nord et au Couchant, Damas était environnée d'un
nombre prodigieux de jardins et de vergers, séparés les uns
des autres par de petits sentiers, qui, par leurs circuits,
formaient des labyrinthes semblables à ceux que présentent
les jardins anglais. Chaque jardin renfermait une maison,
surmontée d'une petite tour ou belvédère. Comme la ville
était fort peuplée, le nombre de ces jardins était si grand,
qu'ils s'étendaient à près de huit kilomètres, et formaient l'i-
mage d'une vaste forêt. A l'Orient et au Midi, ce n'était
qu'une plaine toute nue, où l'on ne voyait pas un seul
arbre, ni même un seul buisson, mais d'où l'on découvrait
les remparts dans toute leur hauteur, au-dessus desquels
s'élevait une forteresse, une des plus belles de toute l'Asie.

Comme Damas incommodait extrêmement les quatre prin-
cipautés chrétiennes de l'Orient; il importait souveraine-
ment qu'elle tombât au pouvoir de l'armée chrétienne. Les
rois, après avoir tenu conseil, résolurent de l'attaquer du
côté des jardins. Pour exécuter cette résolution, l'armée se
mit en marche sur trois divisions, en se dirigeant du Couchant vers le Nord. Le roi Baudouin commandait la première, qui était composée de ses propres troupes, et de
celles des autres princes de Syrie. Le roi de France, à la

tête de ses Français, le suivait à peu de distance, et l'empereur Conrad formait l'arrière-garde avec ses Allemands.

Baudouin, jeune prince de dix-huit à dix-neuf ans, d'un caractère vif, plein de feu, brave jusqu'à la témérité, désirait à tout prix de se signaler à la vue d'un empereur d'Allemagne, d'un roi de France, et des plus grands capitaines de l'Occident. Il court donc se jeter sur les jardins dont nous avons parlé : mais il y trouva une résistance à laquelle il ne s'était pas attendu. Après avoir perdu un bon nombre de soldats dans les sentiers et les détours de ces jardins, il change l'ordre de son attaque, et commande à ses troupes de détruire les murs de terre qui les séparaient les uns des autres. Cet obstacle est bientôt surmonté. On se jette alors sur les Turcs que protégeaient ces faibles remparts ; on ne leur laisse pas le temps de se sauver, et ils sont presque tous massacrés. Les chemins devenus libres, l'avant-garde s'avance aussitôt contre les murs de la ville qui, de ce côté, ne pouvaient opposer qu'une faible résistance. Une petite rivière coulait entre ces murs et les troupes de Baudouin. La cavalerie musulmane, soutenue d'une bonne infanterie, vient se poster sur ses bords pour en défendre le passage. En vain le jeune Baudouin, qui voulait avoir tout l'honneur de cette journée, se précipite contre les escadrons de l'ennemi ; il est repoussé après deux charges exécutées avec fureur, et forcé d'attendre le corps de bataille, commandé par le roi de France.

Comme ces deux corps, après s'être réunis, restaient immobiles devant l'ennemi, qui montrait une contenance redoutable, Conrad, instruit du motif qui les empêchait d'avancer, accourt avec toute sa cavalerie, traverse le corps de bataille, et se précipite contre les Turcs le sabre à la main. Cette charge imprévue les fait plier. Ils prennent la fuite, et se retirent dans la ville. Les habitants de Damas, voyant l'armée chrétienne campée toute entière sur les bords de la rivière, et craignant les horribles suites d'un assaut, ne songèrent plus qu'aux moyens de s'y soustraire par la fuite. Ils se mirent donc à barricader les rues de cette ville du côté des jardins, pour avoir le temps de se sauver par les autres portes avec leurs femmes, leurs enfants et leurs richesses, dans les villes du voisinage, habitées par des Musulman.

La ville de Damas allait tomber infailliblement sous la puissance des chrétiens, lorsque ses habitants, après avoir achevé leurs barricades, trouvèrent le moyen de gagner quelques seigneurs francs, qui, trahissant les devoirs les plus inviolables de la religion et de l'honneur, persuadèrent par d'adroits sophismes aux rois alliés de lever leur camp, et d'attaquer la ville par un côté où les vivres devant leur manquer bientôt, ils se verraient forcés de lever le siége. Voici comment la chose arriva.

Depuis l'établissement des Latins dans la Terre-Sainte, un grand nombre de seigneurs de l'armée de Baudouin y avaient pris naissance, et conséquemment avaient contracté les mœurs des Grecs, lesquelles dominaient dans le pays. Quoique Français d'origine, ils ne se regardaient plus que comme Syriens, et ne prenaient que faiblement les intérêts des Occidentaux, qu'ils n'avaient vu arriver qu'avec un secret sentiment de jalousie; ce sentiment dut acquérir une nouvelle force, lorsqu'ils apprirent que les trois souverains avaient arrêté entre eux de donner à Thierri, comte de Flandres, la principauté de Damas, dès que cette ville serait tombée entre leurs mains. Les principaux habitants, qui connaissaient le caractère avare et jaloux de ces seigneurs, envoyèrent un député, doué d'une grande adresse, à ceux d'entre eux qu'ils croyaient les plus susceptibles de se laisser corrompre. Il était chargé de leur promettre des sommes considérables, s'ils parvenaient à faire porter d'un autre côté l'attaque de la ville. Comme le prince d'Antioche, qui avait conçu pour le roi de France une haine profonde, était parvenu à inspirer à ces seigneurs ses sentiments de vengeance, l'envoyé turc trouva parmi eux toutes les dispositions qu'il pouvait désirer. Lors donc que le conseil se fut assemblé pour délibérer sur la dernière attaque de la ville, ils firent si bien que les monarques, se laissant persuader par les raisons spécieuses qu'ils avaient alléguées, prirent la résolution d'abandonner l'endroit où les troupes étaient campées, pour aller s'établir entre l'Orient et le Midi, dans la plaine dont nous avons parlé. Ils s'aperçurent bientôt, mais trop tard, qu'on les avait trompés, quand on leur avait dit que la ville était beaucoup plus aisée à prendre vers cet endroit que du côté qu'ils venaient de quitter avec si peu de réflexion et de prudence. Effrayés de la force des remparts qu'ils devaient attaquer, dépourvus des moyens de se procurer des vivres dans une campagne déserte, et voyant l'impossibilité de rentrer dans leur camp, dont l'ennemi s'était emparé, les trois souverains levèrent le siége sur-le-champ, et reprirent le chemin de Jérusalem, profondément indignés du piége qu'on leur avait tendu.

Quelques jours après, l'empereur Conrad, ayant pris congé de Louis et de Baudouin, se rembarqua sur les vaisseaux qu'ils avaient amenés de Constantinople. Après avoir traversé la Grèce, où il eut une conférence avec Manuel, il entra par le golfe Adriatique dans l'État de Venise, d'où il se rendit en Allemagne. Le comte de Dreux et la plupart des seigneurs Français ne tardèrent pas à suivre son exemple.

Quant au roi de France, il ne quitta Jérusalem qu'après les fêtes de Pâques. S'étant embarqué au port de Saint-Jean-d'Acre, il rencontra en chemin l'armée navale de Roger, roi de Sicile, qui alors faisait la guerre aux Grecs. Il se joignit à cette flotte. Celle des ennemis ne tarda pas à paraître, et l'on en vint à un combat. Louis, qui avait passé de son bord dans un bâtiment sicilien, se voyant en danger d'être pris, fit arborer le pavillon d'un allié de l'empire. Sa présence d'esprit le sauva; mais les vaisseaux qu'il avait amenés de la Palestine furent enlevés avec tous ceux qui les montaient. Manuel, qui, malgré tous les maux qu'il lui avait causés, se disait encore son ami, lui renvoya ensuite ses prisonniers avec tout ce qui leur appartenait. Quelques historiens rapportent que le roi fut pris par les Grecs, et que, comme on le conduisait à l'empereur, qui faisait alors le siége de Corfou, il fut délivré par l'amiral de la flotte sicilienne. Ces deux récits, qui ne diffèrent que dans quelques circonstances, appuyés du témoignage de plusieurs historiens, les uns contemporains, les autres voisins de cette époque, ne peuvent être infirmés par le silence que Louis garde sur cette aventure dans une lettre qu'il écrivit à l'abbé Suger.

Tel fut le résultat de cette seconde croisade. Si l'on en croit quelques historiens, il y périt au-delà de deux cent mille hommes, et plusieurs grandes maisons de France et d'Allemagne y trouvèrent leur tombeau. Au lieu de détruire la puissance musulmane, elle ne servit qu'à la faire triompher et à l'affermir davantage. L'imprudence des croisés, la perfide politique de Manuel, et la trahison des seigneurs Syriens, rendirent inutile la valeur des héros de ce siècle, et firent périr deux grandes armées. Toute l'Europe éclata en murmure contre l'abbé de Clairvaux, qui avait allumé cette flamme guerrière, et donné le Ciel même pour garant de la victoire. Il se justifia par la mauvaise conduite des croisés, qui, semblables dans leurs crimes aux Israélites dans le désert, s'étaient attirés comme eux la colère du Tout-Puissant. Il aurait pu dire : Je n'ai répondu ni de la prudence de Conrad, ni de la bonne foi de Manuel, ni du désintéressement des princes de Syrie et de Palestine.

Une croisade que les Saxons avaient entreprise dans le même temps contre les païens du Nord n'eut guère plus de succès. Elle avait pour but de rendre ces peuples chrétiens ou de les exterminer. Les chefs des croisés étaient l'archevêque de Magdebourg et six autres évêques, ainsi que plusieurs seigneurs séculiers. L'armée était de soixante mille hommes; l'archevêque de Brémen, l'évêque de Verden, le duc de Saxe et quelques autres princes, en levèrent une autre de quarante mille soldats. Toutes ces troupes, auxquelles le roi de Danemark joignit cent mille hommes, attaquèrent les Slaves de plusieurs côtés; on porta chez eux le carnage et l'incendie, et l'on détruisit plusieurs de leurs villes. Il n'y avait que trois mois que cette guerre meurtrière était commencée, quand les agents des princes Allemands, voisins du théâtre où elle se faisait, leur représentèrent qu'en ruinant ce pays, ils se privaient des tributs qu'ils avaient coutume d'en retirer; le feu de cette guerre commença donc à se ralentir. Enfin on accorda la paix aux Slaves, à condition qu'ils embrasseraient la religion chrétienne, et rendraient les Danois qu'ils avaient faits prisonniers. Ce qui arriva peu de temps après, servit bien à prouver que la violence ne saurait produire une conversion sincère : en effet, à peine les Slaves furent-ils débarrassés de la présence de leurs ennemis, qu'ils n'accomplirent aucune de leurs promesses.

CHAPITRE XVI.

Du royaume de Jérusalem sous les règnes de Baudouin III et Amaury I.

(1149-1173.)

E départ des princes croisés jeta les peuples de la Terre-Sainte dans la plus profonde consternation. L'habile Noradin, voulant en profiter, entra à la tête de son armée dans la principauté d'Antioche, ravagea la campagne, et se rendit maître de plusieurs petites places des environs. Le prince Raymond, consultant plutôt son courage que ses forces, voulut s'opposer à ce torrent. Presque toute son armée fut taillée en pièces, et lui-même perdit la vie dans le combat.

D'un autre côté, le soudan d'Icône entra dans le comté d'Édesse, ravagea le pays, et fit prisonnier, dans une embuscade, Josselin de Courtenay, qui mourut peu de temps après dans une prison d'Alep, juste punition de ses vices et de ses débauches (1150).

Tout fuyait devant Noradin. Les habitants des villes et des campagnes, presque tous chrétiens, se voyant sans nul secours, abandonnaient leur patrie et leurs maisons,

et tâchaient de gagner des places où ils pussent être en
sûreté. Afin de faciliter leur retraite, Baudouin s'avança
à la tête de sa noblesse et des deux ordres militaires, mit
tous ces fugitifs avec leurs bestiaux et leurs bagages au
milieu de ses troupes, et se plaça lui-même à l'avant-
garde. Le comte de Tripoli et le connétable du royaume
prirent le commandement de l'arrière-garde. Ce fut dans
cet ordre que l'on se mit en marche vers Antioche. Noradin, regardant cette armée comme une proie assurée,
accourut à la tête de toute sa cavalerie, et tenta plusieurs
fois d'enfoncer l'armée chrétienne. A chaque pas, il fallait
livrer un combat, tant les infidèles, toujours repoussés,
s'obstinaient à revenir à la charge; mais, de quelque côté
qu'ils voulussent attaquer, ils trouvaient toujours ou le
jeune roi ou le comte de Tripoli qui, à la tête des Templiers
et des Hospitaliers, leur présentaient un front invincible.
Cette courageuse résistance déconcerta Noradin. Il abandonna enfin la poursuite de l'armée chrétienne, qui arriva
heureusement sur le territoire de la principauté d'Antioche.

Pendant que Baudouin était occupé à secourir les sujets
du prince d'Antioche, sa capitale était sur le point de
tomber entre les mains de deux princes infidèles, qui, à
la tête d'une armée nombreuse, avaient traversé la ville
de Damas, et de là étaient venus camper sur la montagne des Oliviers. Ces barbares se flattaient d'emporter le
lendemain par escalade cette place, où ils savaient bien
que le roi n'avait point laissé de garnison. Heureusement
pour les chrétiens, ils perdirent, par un excès de confiance, un de ces moments heureux d'où dépendent les
plus grands succès, et qui, une fois perdus, ne se retrouvent plus. Les habitants, revenus de leur première surprise, et encouragés par quelques Templiers et Hospitaliers

qui étaient restés à Jérusalem, prennent les armes, sortent de la ville au milieu de la nuit, se précipitent sur le camp des ennemis, ensevelis dans le sommeil, y mettent le feu, et portent de tous côtés l'épouvante et la mort. Les infidèles, frappés d'étonnement et de terreur, cherchent leur salut dans une fuite précipitée; mais en fuyant, ils tombent, du côté de Jéricho, dans un gros de cavalerie, commandé par le roi en personne. Ils sont presque tous taillés en pièces, et ceux qui ont échappé au carnage, ou sont assommés par les paysans chrétiens, ou, poursuivis jusqu'au Jourdain par la garnison de Naplouse, ils se noient dans ce fleuve, en voulant le traverser à la nage.

Baudouin, de retour à Jérusalem, voulut user de représailles contre les infidèles en ravageant le territoire d'Ascalon, et même en se rendant maître de cette place. Elle était située au bord de la Méditerranée, à 28 kilomètres de Gaza, ville de l'extrême frontière du royaume de Jérusalem du côté de l'Égypte. De hautes et épaisses murailles, soutenues de distance en distance de grosses tours, en défendaient l'enceinte. Des fossés larges, profonds et remplis d'eau, et des ouvrages avancés en protégeaient les approches. Après avoir porté le fer et le feu dans tous les environs de la ville, le jeune roi, dont la rare valeur égalait les talents pour la guerre, voulut conduire lui-même les travaux de ce siége important à la tête de son armée et des chevaliers des deux ordres militaires du Temple et de l'Hôpital. Le siége fut long et opiniâtre; enfin, après plus de cinq mois de mauvais et de bons succès, pendant lesquels le découragement s'était mis plusieurs fois dans l'armée chrétienne, les Sarrasins, effrayés d'un assaut qu'elle se disposait à livrer au corps de la place, se décidèrent à capituler. Le roi leur fournit des chariots pour empor-

ter leurs effets jusqu'à Laris, ville du désert d'Arabie. La
conquête d'Ascalon était, par la situation de cette place,
la plus importante qu'on eût faite depuis la prise de Jérusalem. La garnison chrétienne que le roi y mit, jointe à
celle de Gaza, étendit ses contributions jusque bien avant
dans l'Égypte. Ce fut avec une grande joie qu'on apprit
en Europe la nouvelle de cet heureux événement, qui cou-
vrit de gloire le jeune Baudouin.

Ce prince était tranquille du côté de l'Égypte; mais il
ne l'était guère du côté de l'entreprenant et ambitieux
Noradin. Ce fut encore beaucoup pour lui de s'opposer aux
progrès d'un ennemi si dangereux pendant le reste de
sa vie, que termina un poison qui lui fut donné par son
médecin. Il était âgé de trente-deux ans et en avait régné
vingt. Ce prince avait inspiré par ses grandes qualités une
telle estime à ses ennemis, que Noradin lui-même, lorsque ses principaux officiers lui proposèrent de profiter de
l'occasion pour envahir la Palestine, leur fit cette belle
réponse : « A Dieu ne plaise que je veuille me prévaloir
de la mort d'un si grand roi, pour faire la guerre aux chrétiens, qu'elle rend encore moins à craindre pour moi! »
Quelle grandeur d'âme dans ce prince mahométan!

Comme Baudouin III était mort sans enfants, la coutume établie dans le royaume depuis la mort de Godefroi
de Bouillon appelait au trône le prince Amaury, son
frère (1162). C'était un jeune homme de vingt-deux ans,
qui avait quelques bonnes qualités et de grands défauts.
S'il était courageux, entreprenant, et avait même un génie
élevé, on avait à lui reprocher une fierté insupportable,
des manières pleines de dédain, une présomption qui
souvent le rendait sourd aux plus sages conseils, une
avarice sordide qui lui faisait trouver légitimes tous les

moyens par lesquels il pouvait grossir son trésor. Ce fut principalement cette passion, si indigne d'un souverain, qui lui fit entreprendre contre l'Égypte une guerre, qui, heureuse dans ses commencements, fut enfin la cause de la perte de Jérusalem et de la ruine du Christianisme dans la Terre-Sainte, et même dans presque tout l'Orient.

L'Égypte se trouvait alors sous la domination des Musulmans de la secte d'Ali. Leur chef ou soudan, nommé Savar, se vit tout d'un coup dépouillé de sa dignité par une puissante faction qui s'était formée contre lui. Le chef de cette conjuration, appelé Dorgan, prit sa place et le commandement des troupes. Forcé d'abandonner le pays, ce prince déchu alla implorer le secours de Noradin. A peine Dorgan se vit-il le maître de l'Égypte, que, résolu de s'affranchir du tribut imposé par Baudouin à ses sujets, il s'avança contre Amaury à la tête d'une nombreuse armée. Ses soldats, mal vêtus et qui n'avaient d'autres armes que leurs arcs et leurs flèches, ne purent tenir contre la cavalerie chrétienne, et encore moins contre les chevaliers du Temple et de l'Hôpital, qui, selon l'usage de ces temps-là, étaient armés de pied en cap. Tous prirent la fuite au premier choc. Le roi, maître du champ de bataille, s'avança aussitôt vers l'Égypte, et remplit cette vaste contrée de la terreur de son nom. Dorgan, se voyant dans l'impuissance de lui résister, rompit les digues du Nil et inonda tout le pays.

Cependant Savar avait obtenu un puissant secours de Noradin. Celui-ci, après la conclusion d'un traité plein de conditions onéreuses pour son protégé, leva une armée nombreuse, dont il donna le commandement à Siracon, le plus habile de ses lieutenants. Dorgan n'apprit pas cette nouvelle sans la plus vive inquiétude. Se voyant sur les bras deux puissants ennemis, il demanda la paix à Amaury, et l'obtint

en s'engageant à payer l'ancien tribut et tous les frais de
la guerre. Tranquille de ce côté, il se mit en marche contre
Siracon. Ses troupes furent battues, et lui-même périt dans
le combat.

Savar, rétabli dans sa dignité, oublia bientôt le service
important qu'il avait reçu de Noradin, et ne tint aucun
compte du traité qu'il avait conclu avec lui. Siracon reçut
l'ordre de son maître de punir cette ingratitude, et se fut
bientôt rendu maître des villes de Belbéis et d'Alexandrie.
Dans cette fâcheuse circonstance, Savar implore à son tour
le secours du roi de Jérusalem, et lui promet, en sus du
tribut, une somme considérable d'argent. Cette promesse
effectuée, Amaury assemble ses troupes, marche promptement au secours du soudan, bat le général de Noradin, le
poursuit et le force à rendre Belbéis.

L'année suivante (1167), le ·vainqueur assiégea et prit
Alexandrie, où le jeune Saladin s'était enfermé avec la plus
grande partie des troupes vaincues de son oncle Siracon.
C'était un jeune officier qui, indépendamment de la considération que lui donnait sa naissance, se concilia bientôt
l'estime et l'amour des soldats par son courage, son équité
et ses largesses. Il se défendit longtemps et avec beaucoup
de valeur; enfin le manque de vivres et de munitions le
réduisit à la nécessité d'ouvrir les portes de la ville à son
ennemi. Guillaume de Nangis rapporte que ce jeune et brave
Musulman, ayant aperçu Onfroy de Thoron, connétable de
Jérusalem, comme il sortait d'Alexandrie à la tête de sa garnison, s'approcha de ce seigneur, et le pria comme le plus
brave chevalier qu'il connût, de vouloir bien lui donner de
sa main l'ordre de chevalerie, et que le connétable lui accorda sa demande avec la permission du roi, en présence
de toutes les troupes. Ce fait, s'il est vrai, prouve que les

princes chrétiens de l'Orient, lorsqu'ils créaient des chevaliers, avaient plus égard à la valeur qu'à la religion.

Après la prise d'Alexandrie, Amaury retourna à Jérusalem, couvert de gloire et chargé des présents de Savar. A peine fut-il rentré dans sa capitale, qu'il forma le projet de conquérir l'Égypte, sous le prétexte d'affermir sa domination, mais avec la véritable intention d'augmenter ses trésors. Dans cette vue, il fit proposer à Manuel, empereur de Constantinople, de se joindre à lui pour cette expédition. L'archevêque de Tyr, fut chargé, en qualité d'ambassadeur, de conclure un traité à ce sujet. En vertu de ce traité, l'empereur mit en mer une flotte nombreuse pour bloquer tous les ports d'Égypte.

Amaury, assuré de ce secours, ne songea plus qu'à grossir son armée de terre (1168). Quand il eut fait tous ses préparatifs, il se mit à la tête de ses troupes, accompagné de Gilbert de Sailli, grand-maître des Hospitaliers. En moins de dix jours, il eut traversé le désert qui sépare la Palestine de l'Égypte, et vint camper devant Belbéis, dont il somma les habitants de lui ouvrir les portes. Sur leur refus, il fit donner à la place un assaut des plus violents, après lequel il s'en rendit maître, non sans avoir perdu un grand nombre d'officiers et de soldats. Après quelques jours de repos, il conduisit son armée vers le Grand-Caire, ville considérable, voisine de l'ancienne Babylone d'Égypte, et qui, depuis la destruction de cette place, était devenue la capitale de tout le pays. On ne saurait exprimer la surprise et la consternation de Savar quand il vit l'armée du roi au milieu de ses États. Dans cette extrémité, il eut encore recours à Noradin, comme s'il ne lui avait pas déjà manqué de parole, et fit offrir en même temps à Amaury une somme considérable pour l'engager à se retirer. L'avarice, qui avait conduit

Amaury en Égypte, l'arrêta, comme il était presque au terme de sa glorieuse campagne, en lui faisant accepter l'offre de plus de deux millions d'or, somme dont l'énormité devait lui inspirer de la défiance pour les intentions de Savar.

Pendant qu'on faisait semblant de ramasser cette immense quantité d'or que toute l'Égypte aurait eu peine à fournir, le roi reçut la nouvelle de la marche de Siracon. Il partit aussitôt pour l'aller combattre avant sa jonction avec les Égyptiens; mais cet habile général avait pris un autre chemin et s'était réuni aux troupes de Savar. Incapable de résister à de si grandes forces, Amaury ne songea plus qu'à regagner promptement la Palestine, avec la honte d'avoir violé un traité solennel, et perdu le tribut imposé aux Égyptiens.

Savar ne se débarrassa pas si aisément de Siracon, qui, par cette retraite, se trouvait en état d'exécuter le dessein qu'il avait formé de s'emparer de l'Égypte pour son propre compte. Après avoir fait poignarder Savar, qu'il avait attiré dans son camp, ce général entra dans la ville du Caire à la tête de son armée, et se fit ensuite déclarer par le calife soudan de toute l'Égypte. Il ne jouit pas longtemps du fruit de sa perfidie, car il mourut deux mois après, laissant pour son successeur son neveu, le jeune Saladin. Ce nouveau soudan, confirmé dans sa dignité par Noradin, qui aima mieux s'en faire un allié qu'un ennemi, s'empara bientôt de toute l'autorité, soit dans le civil, soit dans le spirituel, par la mort du calife égyptien, qu'il fit étrangler dans le bain.

Enfermés entre Saladin et Noradin (1169), deux ennemis puissants et irréconciliables de leur religion, les chrétiens envoyèrent Frédéric, archevêque de Tyr, implorer le secours des princes de l'Occident. En même temps, Amaury, soutenu d'une grande flotte, que l'empereur de Constantinople

lui avait envoyée, résolut d'attaquer Saladin par terre et
par mer ; mais nulle de ses attaques ne réussit. Ses troupes
de terre furent contraintes par les pluies et la famine de
lever le siége de Damiette, et la flotte périt en partie par
le feu grégeois des assiégés.

Saladin ne manqua pas de profiter de ce double désastre
des chrétiens. Il se porta sur les frontières de la Palestine,
et mit le siége devant la ville de Gaza : mais comme cette
place était défendue par une forte garnison, il se retira
presque aussitôt pour aller ravager toute l'Idumée et le pays
situé au-delà du Jourdain. Noradin désolait dans le même
temps la principauté d'Antioche et les campagnes de la Phénicie. Ce fut dans ces malheureuses circonstances que les
chrétiens de Syrie et de Palestine perdirent dans la personne
du roi Amaury un défenseur souvent téméraire, mais toujours courageux. Ce prince mourut au retour d'un voyage
qu'il avait fait à Constantinople (1173) pour implorer le
secours de l'empereur dont il avait épousé la fille. Il était
âgé de trente-huit ans ; il laissa trois enfants de deux ma-
riages, deux filles et un garçon. Noradin était mort quelque
temps avant lui, laissant après lui un souvenir non moins
glorieux chez les chrétiens que chez les Musulmans.

CHAPITRE XVII.

Jérusalem retombe entre les mains des infidèles. Saladin.

(1173-1187.)

E successeur d'Amaury fut Baudouin IV, son fils, qu'il avait eu de son premier mariage avec Agnès, fille de Josselin de Courtenay, deuxième du nom, et prince d'Édesse. Ce prince, qui n'avait que treize ans, était né avec de grandes infirmités. Les grands du royaume nommèrent pour régent, pendant sa minorité, Raymond III, comte de Tripoli, qui descendait en ligne directe de ce comte de Saint-Giles et de Toulouse, que la première croisade avait rendu si fameux.

Saladin profita de la minorité et de la faiblesse de ce jeune roi, pour se rendre maître des États de Noradin, dont il avait épousé la veuve. Le comte de Tripoli, alarmé du voisinage d'un prince si redoutable, profita de son retour en Égypte pour assembler les troupes du royaume, et alla mettre le siége devant la ville d'Harem, dans le voisinage d'Alep. Ce siége fut long, et ne se termina que par un traité que ce seigneur conclut avec les Turcs, moyennant une somme considérable qu'ils lui donnèrent pour se retirer et ne fournir aucun secours aux ennemis de Saladin.

Baudouin, étant parvenu à l'âge de majorité, ne négligea rien pour arrêter les progrès de Saladin (1177-1181). Il le battit même près d'Ascalon avec des forces bien inférieures, et si complètement, qu'il l'obligea de se retirer presque seul sur les terres de sa domination. Son bonheur ne fut pas de longue durée. L'année suivante, il y eut une nouvelle bataille au-delà du Jourdain, dans laquelle l'armée chrétienne, surprise et enveloppée, fut presque entièrement détruite. Après ce désastre, le roi, dont la maladie s'était tournée en lèpre, demanda une trève à Saladin. Il l'obtint, à condition de payer une grande somme d'argent.

La lèpre dont Baudouin fut attaqué ne lui permettant pas de se marier, ni même de tenir les rênes du gouvernement, donna en mariage la princesse Sybille, sa sœur aînée, veuve du marquis de Montferrat, à Gui de Lusignan, de la maison de la Marche, prince bien fait et de bonne mine, mais plus aimable que brave; non content de lui avoir fait cet honneur, il le créa comte de Jaffa et d'Ascalon, et l'établit régent du royaume, ne se réservant que le titre de roi, la possession de la ville de Jérusalem et une pension proportionnée à sa dignité.

La souveraineté à laquelle Lusignan avait été associé excita la jalousie des seigneurs, qui, nés en Palestine, ne le regardaient que comme un étranger. Le comte de Tripoli, mécontent de ne plus gouverner le royaume, entretenait cette division, sans doute pour s'ouvrir le chemin au trône de Jérusalem.

Lusignan ne tarda pas à augmenter les forces du parti qui s'était élevé contre lui. Saladin avait recommencé à

faire des courses dans la Palestine (1182), et ravageait
tout le pays au-delà du Jourdain. Lusignan prit le commandement d'une armée considérable pour s'opposer à
ces dévastations. Au lieu d'attaquer l'ennemi, comme il
le pouvait faire avec succès, il lui laissa toute liberté de
se retirer avec son butin et ses prisonniers, et de repasser le Jourdain sans oser lui en disputer le passage. Les
soldats, qui voulaient que leur chef fût brave comme eux,
se plaignirent au roi de la lâcheté de son beau-frère, et
la plupart des seigneurs protestèrent qu'ils ne marche-
raient jamais sous son commandement. Pour les calmer,
le roi priva Lusignan de l'autorité qu'il lui avait confiée,
le dépouilla du comté de Jaffa, place importante qu'il
était incapable de défendre, et désigna pour héritier du
trône, son neveu Baudouin, jeune prince de cinq ans, fils
de la princesse Sybille, sa sœur, et du marquis de Montferrat. En même temps il remit le gouvernement du royaume
au comte de Tripoli qu'il avait disgrâcié quelque temps auparavant. Celui-ci, pour affermir son autorité, n'eut rien
de plus pressé que de conclure à prix d'argent une trève
avec Saladin.

Ce fut pendant cette suspension d'hostilités, que le régent et les seigneurs prirent la résolution d'envoyer, au
nom du roi, une ambassade solennelle aux princes d'Occident pour implorer leur secours contre l'ambitieux Saladin.
Frédéric, archevêque de Tyr, n'avait eu aucun succès dans
celle dont il avait été chargé quelques années auparavant.
Celle-ci fut confiée à Héraclius, patriarche de Jérusalem,
et aux deux grands-maîtres des Templiers et des Hospitaliers. Ces ambassadeurs partirent du fort de Jaffa, et arrivèrent heureusement à celui de Brindes. Le pape Luce III,
et l'empereur Frédéric Ier étaient alors à Vérone. Les

ambassadeurs se rendirent dans cette ville. L'empereur promit des troupes qu'il ne donna pas, et le Pape n'accorda
que des indulgences et des lettres de recommandation.

Après avoir célébré les obsèques du grand-maître du
Temple, qui mourut à Vérone d'une violente maladie, les
deux autres ambassadeurs se mirent en route pour la France,
où régnait alors Philippe-Auguste, jeune prince de dix-huit
ans. Ils arrivèrent à Paris au mois de janvier 1185, et présentèrent au roi, avec les lettres du Pape, les clefs de la
ville de Jérusalem, de la Tour de David et du Saint-Sépulcre,
avec la bannière royale. Philippe, vivement touché de leurs
discours, voulait se croiser sur-le-champ; mais son conseil
le détourna d'une résolution si précipitée.

Le patriarche et le grand-maître passèrent ensuite en
Angleterre où régnait Henri II, qui, quelque temps auparavant, s'était souillé du meurtre de Thomas Becquet, archevêque de Cantorbéry. Ce prince les accueillit avec de
grandes démonstrations d'honneur et de respect; mais l'arrogance et l'emportement du patriarche nuisirent entièrement
au succès de sa mission auprès de ce prince, le plus fier
de tous les hommes. Il fallut donc qu'Héraclius, qui s'était
vanté, en partant de la Palestine, d'amener avec lui le roi
d'Angleterre ou l'un de ses fils, s'en retournât sans avoir
réussi dans ce qu'il prétendait. Ainsi la Terre-Sainte resta
sans secours contre l'ambition et la puissance de Saladin.
Ce qu'il y eut de plus déplorable fut la consternation et le
découragement dans lesquels la nouvelle du mauvais succès
de l'ambassade jeta tous les chrétiens de la Syrie et de la
Palestine. Il faut ajouter à cela la mort du roi, causée principalement par la douleur qu'il eut de voir son royaume
près de devenir la proie des infidèles. Il n'était âgé que de
vingt-cinq ans et en avait régné douze. Sa mort fut suivie,

sept mois après, de celle du jeune Baudouin V, son neveu et son successeur.

Les ennemis du comte de Tripoli ne manquèrent pas de publier qu'il avait fait empoisonner ce jeune prince, dans la vue de lui succéder. Il y en eut d'autres qui osèrent même accuser d'un si grand crime sa propre mère, à laquelle ils attribuaient le noir dessein de mettre à sa place son deuxième mari, Gui de Lusignan.

Le jour même qu'on publia la mort du jeune Baudouin V, la princesse Sybille et son mari, Gui de Lusignan, montèrent sur le trône de Jérusalem (1185). Les créatures du comte de Tripoli s'opposèrent à la proclamation qui eut lieu à ce sujet. On leva des troupes de part et d'autre, et les deux partis allaient en venir aux mains, lorsque l'affaire se tourna heureusement en négociation.

Le comte Raymond fit dire à la reine, par les principaux seigneurs de son parti, qu'ils consentiraient volontiers à lui mettre la couronne sur la tête, si elle répudiait Lusignan, et épousait ensuite un prince capable de commander l'armée et de défendre l'État. La princesse consentit à ces propositions, et fit jurer à tous les grands qu'ils reconnaîtraient pour roi celui qu'elle prendrait pour époux. Le patriarche, qui connaissait ses intentions, prononça la sentence de divorce. Ayant été aussitôt reconnue pour reine, elle reçut solennellement dans l'église du Saint-Sépulcre la couronne des mains de ce prélat. La levant aussitôt de dessus sa tête, elle la plaça sur celle de Lusignan, en disant : « Je vous choisis pour mon roi et mon » maître, et pour celui de Jérusalem, parce que l'homme » ne doit pas séparer ce que Dieu a uni. » Le grand-maître des Templiers appuya ce choix de toute son autorité, et tous les grands se virent enfin obligés d'y souscrire.

Le seul Raymond, comte de Tripoli, ne put s'empêcher de manifester son mécontentement. Il jura dès lors
la perte de Lusignan, et se retira dans sa principauté,
l'esprit plein de projets de vengeance, et résolu de satisfaire sa haine par toutes sortes de moyens. Saladin,
qui avait de la considération pour lui, n'eut pas plus tôt
reçu la nouvelle de cette rupture, qu'il le fit solliciter de
se joindre à lui, avec promesse de le placer sur le trône
de Jérusalem, s'il voulait embrasser le mahométisme. Aveu-
glé par son ressentiment, Raymond consent à tout, même
à se faire Musulman. Mais, pour mieux faire réussir ses
noirs projets, il déclare à l'envoyé de Saladin qu'afin de
perdre plus aisément le nouveau roi, il doit faire semblant de se réconcilier avec lui. Il se rend donc à Jérusalem, et, par l'entremise de quelques seigneurs, il fait
sa paix avec Lusignan.

Saladin, dont l'intention était de tromper ce traître en
profitant de sa trahison, approuva sa démarche et entra
aussitôt dans la Palestine à la tête d'une grande armée
(1187). Comme il était favorisé en secret par le comte de
Tripoli, il ne trouva point d'obstacle à sa marche, et s'a-
vança pour former le siége de Saint-Jean-d'Acre, la
plus riche et la plus forte place du royaume. Les deux
grands-maîtres des chevaliers du Temple et de l'Hôpital
marchèrent par l'ordre du roi au secours de cette ville.
Dès l'instant de leur arrivée, ils firent prendre les armes
à la garnison et à tous les habitants. La nuit suivante,
tous les chrétiens, tenant leur épée d'une main et des
flambeaux de l'autre, sortent de la ville, surprennent le
camp des infidèles, et y mettent le feu. La terreur et la
consternation se répandent parmi les troupes ennemies qui
se dispersent de tous côtés; mais au point du jour Sa-

ladin les rallie et fait toutes ses dispositions pour livrer bataille.

Jamais on ne combattit avec tant d'acharnement. Les deux grands-maîtres et leurs chevaliers firent des prodiges de valeur, et celui des Hospitaliers, qui se nommait Roger-Desmoulins, ne cessa de frapper les infidèles que lorsqu'il fut tombé de cheval et tué par ceux qui l'entouraient. Le combat cessa par la lassitude des deux armées. On prétend que le comte de Tripoli combattit masqué dans les rangs des ennemis. La retraite de Saladin fit présumer qu'il avait éprouvé la plus grande perte.

Repoussé de Saint-Jean-d'Acre, ce prince alla mettre le siége devant Tibériade, place de Galilée, qui appartenait au comte de Tripoli, et où la femme de ce seigneur faisait sa résidence ordinaire. Cette ville fut d'abord emportée, la comtesse qui ne savait rien des intelligences de son mari avec Saladin, se réfugia dans le château avec tout ce qu'elle avait de soldats, et fit avertir le roi de la situation où elle se trouvait.

Lusignan assembla son conseil pour délibérer sur le parti qu'il y avait à prendre dans cette circonstance. Les avis furent partagés. Enfin prévalut celui de Raymond qui, voulant livrer en même temps à l'ennemi toutes les forces du royaume, conseilla au roi de réunir, pour porter un coup décisif, toutes ses forces, sans excepter les garnisons des villes. Comme ce traître connaissait mieux le pays que les autres seigneurs, et qu'il jouissait d'une grande réputation militaire, on lui donna le commandement de l'armée. Quand les troupes furent arrivées près de Tibériade, il plaça son camp dans des défilés et entre des rochers, sous prétexte qu'il n'y pourrait être forcé, mais avec l'intention de faire périr l'armée par le manque d'eau. Ce besoin ne tarda pas à se faire sentir de la manière la plus pressante. Dès le lendemain, qui était un des premiers jours du mois de juillet, l'armée se mit en mouvement pour s'ouvrir un passage vers la rivière à travers les troupes de Saladin qui couvraient la plaine. Les Templiers, qui marchaient les premiers, chargèrent les infidèles avec une valeur héroïque. Ils renversèrent d'abord leurs premiers escadrons. Il n'est pas douteux que, s'ils eussent été soutenus, l'armée de Saladin n'eût été forcée de se retirer en désordre, et que les chrétiens n'eussent remporté une éclatante victoire. Ce fut alors que le comte de Tripoli, ennemi irréconciliable des chevaliers du Temple, fit paraître sa trahison dans tout son jour. Au lieu d'avancer avec les troupes sous ses ordres, il laissa ces braves guerriers aux prises avec toute l'armée ennemie. Accablés par le nombre, ils furent tous ou tués sur la place ou faits prisonniers. Satisfait du succès de sa vengeance, l'auteur de ce désastre abandonna ses autres troupes, et se rendit auprès de Saladin. Ce prince, débarrassé des Templiers, posta un grand nombre de soldats à toutes les issues de l'endroit où les autres chrétiens étaient campés, et fit mettre le feu dans les bois qui environnaient leurs rochers. Ces malheureux, expirants de soif, de chaleur et de lassitude, se trouvèrent bientôt hors d'état de se défendre. Le lendemain, au matin, Saladin, instruit de leur situation, fait avancer son armée contre le camp. Ce n'est point un combat, mais une affreuse boucherie. Tout périt, excepté Raymond et ses partisans, qui s'étaient évadés. Le roi, le grand-maître du Temple et un grand nombre de seigneurs et de chevaliers tombèrent entre les mains de l'ennemi. Dans cette malheureuse journée, qui coûta la vie à plus de trente mille chrétiens, la vraie croix que l'évêque de Saint-Jean-d'Acre portait selon la coutume, devint la proie des infidèles. Le neveu de Saladin la lui présenta comme le plus glorieux trophée de la victoire.

Le vainqueur, qui portait une haine mortelle aux chevaliers du Temple et de l'Hôpital, proposa à ceux qu'il avait faits prisonniers, au nombre de deux cent trente, de sauver leur vie, en embrassant le mahométisme. Sur leur refus, il leur fit trancher la tête. Il se fit ensuite amener dans sa tente, le roi, le grand-maître des Templiers, le vieux marquis de Montferrat, prince de Tyr, et père du premier mari de la reine Sybille, Renaud de Châtillon et les autres seigneurs prisonniers. Quant au grand-maître des Hospitaliers, il s'était sauvé du côté d'Ascalon, où il mourut de ses blessures. Saladin fit asseoir le roi auprès de lui, et présenta à ce prince pour rafraîchissement une liqueur d'un goût agréable, qu'on conservait dans la glace. Comme Lusignan, après avoir bu, présentait la coupe à Renaud de Châtillon, qui, étant gouverneur d'une place forte située au-delà du Jourdain, s'était montré dans toutes les occasions un ennemi redoutable pour les infidèles, Saladin s'empara de cette coupe, et, après avoir adressé à Renaud de vifs reproches sur la manière dont il avait fait la guerre, il lui abattit la tête d'un coup de cimeterre. Le roi, le grand-maître du Temple et les autres seigneurs furent envoyés ensuite prisonniers à Damas. Saladin ne se reposa pas après sa victoire. Presque toutes les villes du royaume, hors d'état de se défendre, lui ouvrirent leurs portes; il ne resta aux chrétiens que Jérusalem, Ascalon, Tyr, Tripoli et Antioche, encore ces trois dernières places n'appartenaient-elles pas à la monarchie de Lusignan.

Trois mois après la bataille de Tibériade (1187), Saladin se présenta devant Jérusalem, dont il regardait la conquête comme le prix et la fin de ses travaux guerriers. La reine s'y

était enfermée avec le patriarche Héraclius. Cette ville n'avait
pour sa défense que ses habitants et un certain nombre de
chrétiens des environs. Après quelques jours de siége, la
princesse Sybille demanda à capituler. Saladin lui fit réponse
que sa volonté était d'entrer dans la ville l'épée à la main,
pour venger la mort de tant de milliers de Musulmans, massacrés autrefois par les troupes de Godefroi de Bouillon.
Cette réponse rendit le courage aux habitants. Tous prirent
les armes, sans distinction d'âge ni de sexe; et, résolus de
s'ensevelir sous les ruines de leurs murailles, ils soutinrent
les plus furieuses attaques de l'ennemi avec toute l'énergie
et l'ardeur qu'inspire le désespoir. Leur courageuse résistance plut à Saladin, il consentit enfin à négocier, et, le
quatorzième jour du siége, la capitulation fut signée de part
et d'autre. Suivant le traité, en payant une somme proportionnée à son âge et à sa condition, tous les Francs ou Latins
d'origine étaient obligés de sortir de la ville, seulement avec
ce qu'ils pourraient emporter sur leurs épaules, et ceux qui
ne pourraient payer leur rançon devaient rester esclaves du
vainqueur.

Ce fut une nuit bien désastreuse que celle qui précéda
le jour de l'exécution de ce funeste traité. Les rues et les
places de Jérusalem ne retentissaient que des cris lamentables
de ses habitants. Hommes, femmes, enfants, vieillards,
comme hors d'eux-mêmes, se prosternaient en foule devant
le Saint-Sépulcre, l'arrosaient de leurs larmes, le couvraient
de leurs baisers, et ne pouvaient l'abandonner. Enfin le jour
parut, et arriva le triste moment où il fallut ouvrir les portes
à l'armée victorieuse. Saladin, à cheval et entouré de ses
principaux officiers, ne voulut entrer qu'après que tous les
Latins seraient sortis.

Jamais on ne vit un spectacle ni plus triste, ni plus propre à exciter la pitié, que celui de tant de malheureux forcés d'abandonner cette cité sainte, ces sacrés remparts que leurs pères avaient si glorieusement conquis, et dont ils étaient chassés par l'effet d'une exécrable trahison. Des mères éplorées et chargées de leurs petits enfants, que leurs faibles jambes ne pouvaient encore soutenir, parurent les premières : d'autres conduisaient par la main ceux qui étaient un peu plus forts. Les hommes portaient les vivres et les meubles les plus nécessaires à leur famille. A quelque distance de ces infortunés, marchait la reine, escortée de ce qui lui restait d'officiers et de soldats, accompagnée des deux princesses ses filles, du patriarche, du clergé, et suivie d'une foule de personnes de considération des deux sexes.

Saladin, voyant la reine approcher, s'avança au-devant d'elle, lui adressa la parole avec beaucoup de respect, lui promit la liberté du roi son époux, moyennant une médiocre rançon, et lui donna une escorte pour la conduire à Ascalon avec toute sa suite. Des dames du cortége de cette princesse, et dont les maris étaient depuis le commencement de la guerre prisonniers de Saladin, se jetèrent à genoux au moment où elles passaient devant lui, et poussèrent de grands cris en lui tendant les bras. Ce prince étonné leur fit demander ce qu'elles désiraient. « Nous avons tout perdu, » répondit une de ces dames; mais, prince, vous pouvez » d'une seule parole, calmer notre affliction. Rendez-nous » nos pères, nos époux, nos frères que le sort des armes » a fait tomber entre vos mains. Nous ferons volontiers le » sacrifice de tout le reste. Avec eux, nous serons moins » malheureuses. Ils nous consoleront, auront soin de nous, » et Dieu prendra soin de nos enfants. » Saladin fut si touché des larmes et de l'attitude suppliante de ces infortunées, que, non content d'ordonner que tous les prisonniers qu'elles réclamaient leur fussent rendus, il leur fit encore à toutes de riches présents. Quand tous les habitants Latins de Jérusalem furent sortis, ce prince, avant d'entrer dans la ville, fit fondre toutes les cloches et laver l'église du temple avec de l'eau de rose, parce qu'il voulait la changer en mosquée : mais il défendit qu'on touchât à celle du Saint-Sépulcre. Il ne voulait pas en détruisant ce vénérable édifice, se priver des revenus qu'il espérait tirer des pèlerins qui entreprendraient le voyage de Jérusalem pour visiter les Saints-Lieux.

Ce fut ainsi que Jérusalem, quatre-vingt-huit ans après avoir été conquise par les premiers croisés, retomba sous la puissance des Musulmans. La reine, avec les princesses, ses filles, se retira à Ascalon, qu'elle rendit bientôt après pour la rançon du roi, du grand-maître des Templiers et de plusieurs autres seigneurs. Les chrétiens fugitifs se dispersèrent en divers endroits de l'Asie et de l'Europe.

Le comte de Tripoli, ce détestable auteur de la perte de la Terre-Sainte et de la mort de tant de chrétiens, somma Saladin d'exécuter le traité qu'il avait conclu avec lui, en le reconnaissant pour roi de Jérusalem, et en lui remettant toutes les places dont il lui avait facilité la conquête par sa trahison ; mais le prince Musulman ne lui répondit que par d'insultantes railleries. Outré de cette mauvaise foi, dont sans doute il n'avait pas raison de se plaindre, et se voyant l'objet du mépris des infidèles et de l'exécration des chrétiens, il s'abandonna au désespoir. Sa raison se troubla ; il tomba dans une espèce de frénésie, et mourut peu après, déchiré de remords et dans les convulsions de la fureur. Un historien rapporte que lorsqu'on le dépouilla pour l'ensevelir, on s'aperçut qu'il s'était fait mahométan. Après sa mort, la comtesse sa veuve, qui n'avait ni enfants, ni ressources, remit à Raymond, prince d'Antioche, son plus proche parent, Tripoli avec ses dépendances (1).

(1) Succession des rois de Jérusalem : Godefroi de Bouillon (1099-1100), Baudouin Ier (1100-1118), Baudouin II (1118-1131), Foulques d'Anjou (1131-1142), Baudouin III (1142-1162), Amaury Ier (1162-1175), Baudouin IV (1175-1185), Baudouin V (1185-1186), Gui de Lusignan (1186-1192), Henri de Champagne (1192-1197), Amaury de Lusignan (1197-1209), Jean de Brienne (1209-1239).

CHAPITRE XVIII.

La troisième croisade. Exploits de Frédéric Barberousse et de Philippe-Auguste.

(1187-1191.)

LA nouvelle de la perte de la bataille de Tibériade, et de la prise de Jérusalem, toute l'Europe fut consternée. Le pape Urbain III en mourut, dit-on, de douleur, et son successeur, Grégoire VIII, ordonna des jeûnes et des prières publiques. Il se fit même un si grand changement dans la cour de Rome, que les cardinaux promirent de renoncer à toutes sortes d'amusements, de ne recevoir aucun présent, de ne pas monter à cheval, tant que la Terre-Sainte serait au pouvoir des infidèles, de se croiser les premiers, enfin d'aller à pied à la guerre sainte, de se mettre à la tête des pèlerins, et de demander l'aumône par les chemins.

Le pape Clément III, successeur de Grégoire VIII, envoya auprès des rois de France et d'Angleterre deux légats, Guillaume, archevêque de Tyr, ambassadeur des princes chrétiens d'Orient, et le cardinal Henri, évêque d'Albano.

Comme ces deux monarques étaient alors en guerre l'un contre l'autre, Guillaume, prélat d'une extrême sagesse, eut le bonheur de les réconcilier dans une conférence entre Tie et Gisors. Au récit que cet homme vénérable leur fit des malheurs des chrétiens orientaux, et des profanations commises par les Musulmans dans la Ville sainte, ces deux rois ne purent retenir leurs larmes : ils s'embrassèrent avec toutes les marques d'une sincère amitié, prirent la croix avec tous les seigneurs qui assistaient à l'assemblée, et se promirent l'un à l'autre de joindre leurs troupes pour passer ensemble en Orient. Richard, fils du roi d'Angleterre ; Philippe, comte de Flandres ; le duc de Bourgogne ; les comtes de Blois, de Dreux, de Champagne, de Soissons, du Perche, de Clermont, de Bar, de Beaumont, de Nevers, et un grand nombre d'autres seigneurs, reçurent la croix des mains de Guillaume. On décida que les Français la porteraient rouge, les Anglais blanche et que celle des Flamands serait verte. Afin de perpétuer la mémoire de cet événement, on éleva une croix et l'on bâtit une église au milieu du champ où cette conférence avait eu lieu, et on nomma ce champ le Champ-Sacré.

On avait besoin de fonds considérables pour une telle expédition. Les deux rois ne trouvèrent d'autre moyen de se les procurer, qu'en ordonnant que tous ceux de leurs sujets qui auraient refusé de prendre la croix, paieraient une fois pour toute la dixième partie de leurs revenus et de la valeur de leurs biens mobiliers. Cette imposition, qui dura longtemps encore après la croisade, fut appelée la *dîme saladine*, parce qu'elle était destinée aux frais de l'armement contre Saladin. Les moines de Cîteaux, de Fontevrault, les Chartreux et la congrégation des Frères lépreux en furent exempts. On ajouta à cette ordonnance fiscale la défense de recevoir aucune femme parmi les troupes, excepté celles dont le service leur était absolument nécessaire.

Peu s'en fallut que l'entreprise n'échouât par la mésintelligence survenue entre les deux rois à l'occasion d'une querelle du prince Richard, fils de Henri II, avec le comte de Toulouse; mais, après la mort de son père, laquelle arriva peu de temps après au château de Chinon, Richard, surnommé Cœur-de-Lion, contracta, en montant sur le trône d'Angleterre, les mêmes engagements au sujet de la croisade. Il mit sur pied une armée de trente mille hommes d'infanterie et de cinq mille chevaux, qu'il embarqua avec de grandes provisions de guerre et de bouche. Cet embarquement eut lieu à Douvres, et arriva des côtes de Flandres sur celles de Normandie. Après avoir tenu les États de cette dernière province (1190), Richard alla joindre Philippe-Auguste à Vézelai en Bourgogne, pendant l'octave de la fête de saint Jean-Baptiste. Les deux rois, ayant pris le bourdon de pèlerins, partirent ensemble pour Lyon, où ils se séparèrent. Philippe prit la route de Gênes, où sa flotte l'attendait, et Richard, celle de Marseille, où il devait s'embarquer. Le rendez-vous général avait été fixé au port de Messine, en Sicile.

Le roi de France partit aussitôt après son arrivée à Gênes. Son armée était composée d'une grande partie de sa noblesse et de soldats d'élite. Après une furieuse tempête, la flotte arriva au port de Messine vers le milieu de septembre : quant au roi d'Angleterre, après avoir inutilement attendu la sienne à Marseille, pendant huit jours, il s'embarqua sur un vaisseau marchand, qui le transporta à Naples. Sa flotte, qui avait été battue de la tempête, arriva enfin dans le port de Messine, où elle fut accueillie par les Français et les Siciliens avec les démonstrations d'une sin-

cère amitié. Cette bonne intelligence fut bientôt troublée
par une querelle qui survint entre les deux rois, au sujet
du mariage de la fille de Tancrède, roi de Sicile, avec
Arthur, duc de Bretagne, et neveu du roi Richard. Nous
n'entrerons dans aucun détail à ce sujet, et il suffit que
nous disions que cette brouillerie obligea les deux monarques à différer leur départ jusqu'à l'année suivante.

Pendant l'hiver qu'ils passèrent à Messine, Richard, qui
avait entendu parler d'un moine Calabrais, abbé d'un monastère de l'ordre de Cîteaux, nommé Joachim, que le
peuple regardait comme un prophète, le manda près de
lui pour le consulter sur le succès de la croisade. L'abbé
lui répondit sans hésiter, en expliquant quelques passages
de l'Apocalypse, que la sainte cité ne serait délivrée que
la septième année après la conquête qu'en avait faite Saladin. « Pourquoi donc, reprit le roi d'Angleterre, nous
sommes-nous tant pressés? — Votre arrivée, reprit l'abbé,
était fort nécessaire : Dieu vous fera triompher de vos
ennemis, et élèvera votre nom au-dessus de celui de tous
les princes de la terre. »

La réputation de ce prétendu prophète était fort équi-
voque : les uns le regardaient comme un saint, d'autres
comme un imposteur. Il est à croire que c'était un homme
simple, et qu'il y avait dans son cerveau plus de vision
que de mauvaise foi. C'était une espèce d'*illuminé*, qui
s'était gâté l'esprit par ses méditations sur l'Apocalypse
dont il pensait avoir l'intelligence aussi bien que l'auteur
de ce livre mystérieux. La suite prouvera qu'il se trom-
pait en promettant au roi d'Angleterre tous les plus glorieux succès.

Philippe et Richard, faisant des prédictions de ce vi-
sionnaire le cas qu'elles méritaient, se disposèrent bien-

tôt à quitter la Sicile (1191). Le roi de France partit le premier au mois de mars avec toute sa flotte; mais Richard, obligé de différer un peu, pour attendre la reine Éléonore, sa mère, qui, répudiée par Louis le Jeune, avait épousé le roi d'Angleterre, Henri II, ainsi que la princesse Bérengère, fille de don Garcie, roi de Navarre, à laquelle il était fiancé, ne partit que dix jours après. Il partagea sa flotte en deux divisions, et fit prendre les devants à celle qui portait la jeune princesse, et Jeanne, sa sœur, veuve de Guillaume II, roi de Sicile (1189).

Avant le départ des rois de France et d'Angleterre, et pendant qu'on levait des troupes dans leurs États pour l'expédition de la Terre-Sainte, Guillaume de Tyr et le cardinal, son collègue, s'étaient rendus à Mayence où l'empereur Frédéric Iᵉʳ, surnommé Barberousse, avait convoqué une diète générale de l'empire germanique, pour délibérer sur la croisade. C'était un prince rempli de valeur, qui avait servi avec la plus grande distinction, sous son oncle, l'empereur Conrad, pendant la seconde expédition à la Terre-Sainte. Il avait environ soixante-huit ans; mais cet âge avancé n'avait affaibli ni ses forces, ni son courage. Il n'avait pas attendu les exhortations des légats pour se décider à la guerre contre les infidèles. A peine eut-il fait part à l'assemblée de sa résolution, qu'il s'éleva un cri unanime d'approbation. La plupart des seigneurs qui s'y trouvaient, s'empressèrent de suivre son exemple, en recevant la croix des mains des deux légats. On distinguait parmi eux Frédéric, duc de Souabe, et deuxième fils de l'empereur; Léopold, duc d'Autriche; Berthold, duc de Moravie; Herman, marquis de Bade; les comtes de Nassau, de Thuringe, de Misnie, de Hollande; un grand nombre d'autres seigneurs moins qualifiés, et près de vingt évêques, qui préférèrent au repos et aux soins de leurs diocèses les hasards et la dissipation inséparables d'un voyage si dangereux et si long. Le rendez-vous général fut fixé à Ratisbonne, et au 23 avril de l'année suivante, jour de la fête de saint Georges.

Tous les préparatifs de l'expédition étant achevés, et toutes les troupes arrivées à l'endroit du rassemblement, Frédéric s'embarqua sur le Danube, et descendit jusqu'à Presbourg. Il tint dans cette ville, qui alors ne dépendait pas de la Hongrie, une assemblée des princes, des prélats, et des principaux officiers de ses troupes, où après avoir réglé tout ce qu'il y avait à observer pendant le voyage, il fit couronner roi des Romains Henri, son fils aîné. Après cette cérémonie, il se mit en marche à la tête d'une armée de cent cinquante mille hommes, et traversa la Hongrie avec la permission du roi Bala, qui, l'ayant reçu à la frontière, le conduisit jusqu'à Belgrade. Il se reposa huit jours dans cette ville, et entra ensuite dans la province de Bulgarie. Il lui fallut deux mois pour la traverser, à cause des mauvais chemins et des attaques souvent réitérées des Barbares.

Ce fut bien autre chose lorsqu'il fut arrivé sur les terres de l'empire grec. L'empereur Isaac l'Ange lui avait promis des vivres pour son armée, et il ne trouva partout que des ennemis, qui usaient de tous les moyens pour la faire périr; mais la lâcheté des Grecs, qui n'osaient se montrer en rase compagne, ne fut qu'un faible obstacle pour les braves Allemands. Leur avant-garde emporta tous les retranchements élevés dans les défilés des montagnes, et ensuite toute l'armée se jeta sur la Thrace, où il lui fut permis de vivre à discrétion. De là, elle s'avança, en prenant toutes les places qui se trouvaient sur son passage, jusque auprès de Philippopoli, ville considérable, sous les murs de laquelle Frédéric lui fit dresser son camp. A son départ, un corps ennemi osa l'attaquer : elle le mit en déroute, et s'empara de Nicopoli, d'Andrinople, et de toutes les places situées entre la mer Noire et l'Archipel, jusqu'aux environs de Constantinople.

Isaac l'Ange, frappé de terreur, voulut prévenir le danger qui le menaçait. Dans cette vue, il demanda la paix, et renvoya les ambassadeurs de Frédéric qu'il avait jetés dans les fers contre le droit des gens. En même temps, il lui fit offrir tous les vaisseaux dont il avait besoin pour le transport de ses troupes sur le rivage d'Asie. Frédéric, voulant humilier l'orgueil de ce prince, qui lui avait refusé le titre d'empereur, répondit ainsi à ses envoyés : « Dites à votre maître que c'est au vainqueur à faire la loi au vaincu. J'ai conquis la Thrace, et j'en disposerai selon mon bon plaisir. Je vous déclare donc que, la saison étant trop avancée, j'y passerai l'hiver avec toute mon armée. Je veux punir votre maître d'avoir retardé mon voyage par sa mauvaise foi. Toutefois, s'il désire que je lui accorde quelque grâce, il faut qu'il me tienne prêts, pour la fête de Pâques de l'année prochaine, autant de bâtiments qu'il m'en faudra pour passer en Asie. Comme je ne puis plus me fier à ses promesses, j'exige qu'il me donne pour otages vingt-quatre des principaux officiers et seigneurs de sa cour, et qu'il renvoie huit cents personnes qu'il retient prisonnières à Constantinople, contre le droit des gens. S'il remplit ces conditions, il peut être assuré que je respecterai son empire. »

Le lâche Isaac n'hésita point de se rendre à des conditions si humiliantes pour sa dignité. Il envoya à Frédéric, avec des ambassadeurs chargés de lui remettre de riches présents, tous les otages qu'il avait demandés, et rendit la liberté à tous les Latins détenus dans sa capitale (1190).

Après avoir passé l'hiver à Andrinople, l'armée s'embarqua pour Gallipoli sur un grand nombre de bâtiments, et traversa l'Hellespont en sept jours, sans avoir perdu un seul homme.

Comme Frédéric savait par expérience combien la route à gauche était difficile et dangereuse, il fit prendre à ses troupes celle de droite, le long du rivage de la mer. Il traversa plusieurs anciennes provinces de l'Asie-Mineure, aujourd'hui la Natolie, passa le Méandre, et fit reposer son armée près de Laodicée, dont les habitants s'empressèrent de lui fournir tous les vivres dont elle avait besoin. Lorsqu'il fut arrivé à cette montagne où l'arrière-garde de Louis le Jeune avait été taillée en pièces par les infidèles, il fut bien étonné de rencontrer les troupes du sultan d'Icône, qui lui avait promis ses secours, et dont les ambassadeurs qu'il avait retirés des mains de l'empereur Isaac se trouvaient dans son armée. Ces troupes, dont le nombre était considérable, gardaient tous les passages de la montagne; mais elles ne purent tenir contre le premier choc des Allemands, et prirent la fuite de tous côtés. Le lendemain, s'étant ralliées, elles ne cessèrent de harceler l'armée pendant toute la journée, et coururent ensuite s'emparer des défilés d'une autre montagne, située sur sa route.

Frédéric, qui, dans les plus grands dangers, conservait tout le sang-froid d'un grand capitaine, eut recours, dans cette circonstance, à un stratagème qui lui réussit parfaitement. Il laissa dans son camp, au pied de la montagne, une partie de ses troupes, et fit semblant de prendre avec l'autre un chemin détourné. Les ennemis, s'imaginant alors qu'il prenait la fuite, descendirent de tous côtés

de la montagne, et se jetèrent sur le camp pour le piller.
Mais, pendant que les soldats, chargés de le défendre
sont occupés à repousser leur attaque, Frédéric revient
précipitamment sur ses pas, et s'empare des derrières des
Musulmans. Enfermés, par cette manœuvre, entre deux
corps de troupes, ceux-ci sont presque tous taillés en
pièces ou mis en déroute. Quelques jours après, Frédéric
ne remporta pas un moindre avantage sur plus de trente
mille hommes qui lui fermaient le passage d'une montagne
escarpée; mais, en la traversant, il perdit dans les pré-
cipices un grand nombre de chevaux et de bêtes de somme.

L'armée campa dans une plaine située au bas de cette
montagne, pour se remettre de ses fatigues. Les Turcs ne
lui permirent pas de prendre un long repos. A peine la
nuit s'était écoulée, que, s'étant ralliés de tous côtés, ils
se jetèrent sur l'arrière-garde, et parvinrent à la couper
de la première division. Les croisés eurent dans cette occasion besoin de tout leur courage : enfin, après des prodiges
de valeur, ils forcèrent les Barbares à prendre la fuite.
Toujours battus, ceux-ci revenaient toujours à la charge;
ils osèrent même attaquer le camp pendant la nuit suivante, et furent encore repoussés avec une perte considérable.

Tant de combats livrés coup sur coup dans un pays dévasté ne faisaient qu'affaiblir l'armée de Frédéric. La famine ne tarda pas à se joindre à tant de fatigues. Enfin
ses progrès réduisirent les soldats à une telle extrémité,
qu'ils se virent obligés de manger les bêtes de somme et
un bon nombre de chevaux, qui, presque tous, étaient
devenus si maigres et si faibles, que leurs cavaliers étaient
forcés de les conduire par la bride. Dans une triste circonstance, un soldat Allemand se signala par une action

qui fut admirée de toute l'armée comme le trait d'une force
prodigieuse, et jeta les ennemis mêmes dans l'étonnement
et l'effroi. Ce cavalier, d'une taille et d'une vigueur extraordinaires, conduisait pas à pas son cheval, qui ne pouvait
plus le porter, et qu'il aimait trop pour s'en défaire, quand
tout à coup il est attaqué par cinquante Turcs, qui font
pleuvoir sur lui une grêle de flèches. Intrépide, d'une main
il pare tous les coups avec son bouclier, dans lequel il a
fait passer le bout de la bride de son cheval, et de l'autre
il brandit sa longue épée sans s'arrêter et sans se détourner. Un Turc plus hardi que les autres pousse son cheval,
fond sur lui, et lui porte un grand coup de cimeterre.
Notre brave cavalier pare ce coup avec son bouclier, coupe
aussitôt les deux jambes de devant au cheval de cet ennemi, et décharge ensuite sur la tête de celui-ci un coup
si violent, qu'il le fend depuis la tête jusqu'à la ceinture.
A cet affreux spectacle, les autres Turcs prennent la fuite,
et le vainqueur poursuit tranquillement son chemin, pour
rejoindre ses camarades.

Le perfide sultan d'Icône, effrayé à l'approche de l'armée
chrétienne, et prévoyant la juste punition qui l'attendait, si
elle parvenait à se rendre maîtresse de cette ville, avait rassemblé tout ce qu'il avait pu d'hommes en état de porter
les armes, et en avait formé une armée d'environ trois cent
mille hommes. Le 11 mai 1190, cette immense multitude,
commandée par le fils aîné du sultan, parut sur les hauteurs.
Sa position montra sur-le-champ à Frédéric ce qu'il devait
faire pour l'attirer dans la plaine ; il fit exécuter à ses troupes
un mouvement qui ressemblait à une retraite. La cavalerie
des infidèles se laisse tromper à cette manœuvre ; une partie
descend des hauteurs et se met à la poursuite des prétendus
fuyards. Ceux-ci font volte-face, se précipitent sur les esca-

drons ennemis l'épée à la main, les enfoncent, les culbutent et les forcent à se retirer vers le gros de leur armée. Encouragé par ce succès, Frédéric prend la résolution d'attaquer cette armée sur les collines où elle s'est postée ; bientôt il en a joint les premiers bataillons : après une courte résistance, cette avant-garde est mise en déroute. Tout le reste prend la fuite dans le même temps, pour se mettre à l'abri des remparts d'Icône. Le vainqueur ne perd pas un instant, et s'avance avec toutes ses forces contre cette capitale des États du sultan.

Icône, aujourd'hui Conieth, était dans ce temps-là une ville grande, riche et bien peuplée. De fortes murailles et des tours élevées de distance en distance en défendaient les approches ; une vaste citadelle qui la dominait empêchait l'ennemi de s'y établir, et les nombreux jardins qui l'entouraient pouvaient servir d'abri aux soldats chargés d'en défendre les dehors. Frédéric ne tarda pas à se rendre maître de ces jardins, qui furent occupés par toute l'armée.

Le lendemain, à la pointe du jour, ce prince, bien décidé à former l'attaque de la ville, malgré les propositions de paix que le sultan lui avait faites, malgré sa nombreuse garnison, malgré plus de deux cent mille hommes qui tenaient la campagne, forma son armée en deux grandes divisions. La première, commandée par son fils, devait attaquer la place, et l'autre, sous ses ordres, devait empêcher l'ennemi de se porter sur ses derrières. Le sultan n'attendit pas que les chrétiens vinssent insulter ses remparts ; il sortit au-devant d'eux à la tête de sa nombreuse garnison : mais à peine leurs premiers escadrons s'élancent-ils contre ses troupes la lance baissée, que, frappé de terreur, il tourne le dos ; tous ses soldats le suivent dans la ville, et les croisés, profitant de ce désordre, y entrent pêle-mêle avec eux. Ce lâche sultan se

sauva dans le château avec ses fils et les personnages les plus
considérables de sa cour.

La ville était prise, et l'empereur se battait encore avec la
grande armée des infidèles. Déjà ses troupes, accablées par le
nombre, désespèrent de la victoire, lorsque ce prince, déter-
miné à vaincre ou à périr, adresse à ses soldats une vive et
courte harangue, et se précipite ensuite l'épée à la main au
milieu des escadrons ennemis. L'exemple de son dévouement
relève le courage abattu de ses soldats : ils s'élancent sur ses
pas avec l'impétueuse fureur des lions. Les infidèles ne peuvent soutenir un choc si violent; ils se débandent, se dispersent, et cherchent leur salut dans les montagnes. Frédéric,
apprenant dans ce moment que la ville était prise, y conduisit incontinent son armée victorieuse. Pour la récompenser,
il lui en accorda le pillage. Le lendemain, le sultan qui se
voyait sans ressource lui fit demander la paix, avec promesse de se soumettre aux conditions qu'il voudrait bien lui
imposer. Il l'obtint, en donnant pour otages vingt de ses
principaux officiers.

L'empereur fit reposer ses troupes pendant sept jours,
soit dans la ville conquise, soit dans les environs. Ce
terme expiré, il se remit en marche, et arriva, le 30 mai,
à Laranda, ville située sur les frontières de la Cilicie, et
au pied du mont Taurus. Il y prit quelque repos, et entra
ensuite dans les montagnes, qu'il ne put traverser qu'a-
près plusieurs jours d'une marche excessivement pénible.
Il descendit enfin dans une belle vallée, arrosée par une
rivière que quelques historiens ont prise pour le Cydnus,
fleuve devenu si fameux par la maladie dont Alexandre
le Grand fut attaqué pour s'être baigné dans ses eaux.
Cette rivière devint alors encore plus funeste à Frédéric.

C'était un dimanche, dixième jour de juin. Après avoir

pris son repas sur le bord de cette rivière, l'empereur eut envie de s'y baigner. A peine y fut-il entré que, surpris par l'extrême fraîcheur de l'eau, il tomba en défaillance et disparut. Des plongeurs le retirèrent encore vivant du fond de la rivière ; mais il expira un moment après.

Cette mort funeste d'un si grand prince plongea toute l'armée dans une profonde consternation et dans la plus vive douleur. Quand ces deux sentiments furent un peu calmés, les princes et les autres chefs de l'armée s'empressèrent de reconnaître et de proclamer Frédéric, duc de Souabe, son fils, pour empereur. Ce nouveau monarque commença l'exercice de son autorité, en partageant l'armée en deux corps d'inégale force. Le premier s'embarqua sur des vaisseaux fournis par des Arméniens ; et l'autre, commandé par Frédéric en personne, prit par terre le chemin d'Antioche. Le séjour que ce corps d'armée fit dans cette ville lui fut plus funeste que toutes les fatigues qu'il avait éprouvées en traversant l'Asie, par une contagion qui le réduisit à sept mille hommes de pied et à environ six cents chevaux. Ce fut pourtant avec cette petite armée que Frédéric battit plusieurs fois les infidèles, qui osèrent mettre obstacle à sa marche vers la ville de Tyr. Après avoir rendu dans cette place les derniers devoirs à la dépouille de son père, ce prince partit pour se réunir à l'armée chrétienne, qui assiégeait depuis deux ans la ville de Saint-Jean-d'Acre.

Gui de Lusignan, ayant obtenu sa liberté de Saladin (1190), en lui rendant la ville d'Ascalon, s'était d'abord réfugié dans un château du comté de Tripoli, voisin de la mer, et son premier soin avait été d'y rassembler les débris de sa fortune. Pendant le séjour qu'il y fit, son frère,

Godefroi de Lusignan, lui amena un corps de croisés, qui, avec un certain nombre d'aventuriers Grecs, Latins et Syriens, lui procurèrent une armée de sept à huit mille hommes d'infanterie et de cinq à six cents chevaux. Avec cette troupe il forma le dessein de s'emparer de Saint-Jean-d'Acre, place très-forte, et dont le port devait lui être de la plus grande utilité pour recevoir les secours des princes de l'Occident. Il commença d'y mettre le siége vers la fin du mois d'août de l'année 1188. Les Hospitaliers et les Templiers se rendirent à son camp, où arrivèrent bientôt trois croisades partielles qui précédaient les grandes armées qu'on attendait d'Europe.

La première, toute composée d'Allemands, était commandée par le landgrave de Thuringe et le duc de Gueldres. La seconde était formée de Danois, de Frisons et d'Anglais, qui n'avaient pas voulu attendre que leur roi fût d'accord avec Philippe-Auguste pour faire avec eux le voyage de la Terre-Sainte. La troisième bande, si l'on peut s'exprimer ainsi, était tout entière de Français : ils étaient partis sous les ordres de deux princes de la maison de Dreux, et de plusieurs autres seigneurs de la plus haute distinction, dont le plus célèbre était Jacques d'Avesne et de Guise, l'un des plus grands capitaines de son siècle.

Les croisés Français, que leur impatience avait portés à prendre les devants, étaient au nombre de plus de dix mille. Ils arrivèrent dans la rade de Saint-Jean-d'Acre en même temps que les croisés que nous avons nommés plus haut. Il faut ajouter à ces peuples un bon nombre de Vénitiens, de Lombards et de Pisans. Conrad, de la maison de Montferrat, qui, par son courage, avait mérité de devenir prince de Tyr, voulut aussi partager les périls et la gloire de l'entreprise de Gui de Lusignan.

Saladin avait fait entrer dans Saint-Jean-d'Acre une forte garnison, dont il avait confié le commandement à un de ses meilleurs officiers. Après plusieurs sorties meurtrières de cette garnison, lesquelles ne décidaient rien, ce prince, qui, à la tête d'une armée formidable, avait pris position sur une hauteur voisine de la place, en descendit pour livrer bataille. L'armée chrétienne, forte de cent mille hommes de pied et de quatre mille chevaux, et divisés en trois corps, sortit de ces lignes pour le combattre. Gui de Lusignan commandait ses propres troupes, les Hospitaliers et les Français, qui, réunis, formaient le premier corps. Le grand-maître du Temple avait sous ses ordres le second, formé de ses chevaliers, des Allemands, des Anglais et des Danois. Les Vénitiens et les Lombards, qui composaient le troisième, obéissaient au prince de Tyr, qu'accompagnaient ses propres troupes, les plus aguerries de l'Orient. Godefroi de Lusignan et Jacques d'Avesne furent chargés de la défense du camp. Saladin, de son côté, partagea en sept divisions son armée, où l'on comptait, dit-on, cent mille cavaliers et un plus grand nombre de fantassins.

On se battit longtemps avec un égal acharnement et un succès balancé. Enfin la victoire se décidait pour l'armée chrétienne, lorsque le grand-maître des Templiers et ses chevaliers, se mirent à piller le camp de Saladin, dont les troupes fuyaient dans toutes les directions. Ce prince, revenant sur ses pas, les fit attaquer avec une telle vigueur, que le grand-maître et la plupart des siens périrent victimes de leur imprudente avidité. Après cet échec, l'armée chrétienne, qui déjà se félicitait de la victoire, fut trop heureuse de pouvoir rentrer dans son camp, où elle trouva un asile assuré par la valeur de Godefroi de Lusignan et de Jacques d'Avesne.

Saladin s'attribua tout l'honneur de cette journée, quoiqu'il eût perdu beaucoup plus de monde que l'armée chrétienne, et qu'il n'eût pu réussir à lui faire lever le siége. Pour la vaincre, il ne songea plus qu'à empêcher les convois de vivres de lui arriver, en mettant en mer une flotte qu'il avait fait équiper en Égypte; mais il n'eut pas longtemps besoin de cette ressource : la famine se mit bientôt dans cette armée, et ne tarda pas à être suivie d'une maladie contagieuse. Ces deux fléaux réunis firent périr plus de soldats que le fer des infidèles. Gui de Lusignan perdit successivement quatre jeunes princes ses fils, les deux princesses ses filles, et la reine Sybille sa femme.

La mort de cette princesse fit naître de nouvelles divisions entre Gui de Lusignan et Conrad, prince de Tyr, qui, brouillés auparavant au sujet de la principauté de ce nom, s'étaient réconciliés en apparence. Sybille laissa en mourant une sœur qui, à l'âge de huit ans, avait épousé Onfroy de Thoron, petit-fils du connétable de ce nom. Conrad, qui était jeune, bien fait, brave et ambitieux, sut plaire à cette princesse. On ne manqua pas de raisons pour rompre ses liens avec le jeune Onfroy; son mariage fut cassé par l'évêque de Saint-Jean-d'Acre, et le lendemain même elle épousa le prince de Tyr. En conséquence de ce mariage, Conrad se déclara roi de Jérusalem, au grand scandale de la plupart des seigneurs et des évêques qui se trouvaient à l'armée. Par surcroît de discorde, Onfroy de Thoron, premier époux de la jeune princesse, qui se nommait Isabelle, ne manqua ni de protester contre la sentence qui annulait son mariage, ni de publier les prétentions qu'il avait acquises à la couronne de Jérusalem. Ainsi, dans la même armée, trois princes se disputaient un royaume, qu'ils ne pouvaient conquérir qu'en unissant leurs forces. Comme il était à craindre qu'ils ne les tournassent contre eux-mêmes, au lieu de s'en servir contre les infidèles, on les engagea à déposer, pour l'instant, toute rivalité, et à s'en rapporter, au sujet de leurs prétentions réciproques, au jugement de l'empereur et des rois de France et d'Angleterre, qu'on attendait d'un jour à l'autre.

Le nouvel empereur arriva le premier au camp de Saint-Jean-d'Acre, sur des vaisseaux que lui avait fait préparer le prince de Tyr. A peine fut-il entré dans le conseil de l'armée qu'il y proposa de livrer à la place un assaut général. Cette attaque eut lieu du côté de la terre et de la mer. La valeur des infidèles la rendit inutile, et l'armée, après avoir perdu un bon nombre de soldats, rentra dans ses lignes. Cette action fut la dernière de la vie de Frédéric : une maladie contagieuse, qui se répandit dans le camp, l'enleva peu de jours après, au grand regret de toute l'armée. Après sa mort, les Allemands ne reconnaissant plus de chef, abandonnèrent la croisade, à l'exception d'un petit nombre qui se rangèrent sous les enseignes de Léopold, duc d'Autriche, dont le courage s'était signalé dans le dernier combat.

La contagion qui avait enlevé Frédéric, aurait été bientôt suivie de la famine, si le prince de Tyr ne se fût empressé de fournir, avec sa flotte, les vivres dont l'armée manquait de temps en temps; mais ces provisions ne durèrent pas longtemps; et les troupes, en proie aux besoins et aux maladies, furent réduites à se défendre dans leurs retranchements contre les insultes de Saladin, dont les forces augmentaient de jour en jour.

Les choses étaient en cet état lorsque Philippe-Auguste, dont les tempêtes avaient respecté la navigation, arriva

devant Saint-Jean-d'Acre la veille du jour de Pâques (1191),
avec une flotte nombreuse. Ce secours et la présence du
grand monarque qui l'amenait, ranimèrent tous les courages. Le siége, qui avait été converti en un simple blocus,
prit alors une nouvelle face. Philippe fait dresser ses machines, un pan de muraille est renversé par la force de
leurs coups, et présente aux assiégeants une large brèche.
Alors tous les Français demandent l'assaut à grands cris :
c'était un moment précieux dont le roi devait profiter ;
mais, fidèle à la parole qu'il avait donnée au roi d'Angleterre de l'attendre pour lui faire part de l'honneur de
cette conquète, il ordonna que l'attaque fût différée. Les
infidèles surent bien profiter de cette faute, effet de la
loyauté de Philippe, pour fortifier l'intérieur de la place.
Les Français reçurent l'ordre de se loger au pied des murailles, au-dedans desquelles ils auraient pu se loger le
même jour.

Nous avons vu que le roi d'Angleterre, en quittant le
port de Messine (1191), partagea sa flotte en deux divisions. Ces deux escadres, dont l'une suivait l'autre à quelque distance, furent accueillies le vendredi-saint, dans le
voisinage de l'Archipel, d'une violente tempête, qui les
sépara l'une de l'autre. Celle où le roi se trouvait gagna
l'île de Rhodes ; mais celle qui portait les deux princesses,
après avoir perdu quelques vaisseaux, fut poussée vers
l'île de Chypre, où un nommé Isaac, prince de la maison
impériale des Comnènes, qui s'était révolté contre l'empereur Andronic, exerçait une autorité tyrannique. Il se
trouva par hasard sur les côtes quand les vaisseaux des
princesses parurent à la vue de Limisso, place maritime
de l'île. Au lieu de leur faire porter secours, ce tyran
barbare livra au pillage ceux qui échouèrent sur la côte
et en fit mettre aux fers les équipages. Il poussa même

l'inhumanité jusqu'à refuser l'entrée de ses ports aux bâtiments que montaient les princesses.

Lorsque le calme eut réuni les deux escadres, et que Richard eut appris l'indigne conduite d'Isaac, il lui en fit demander une éclatante satisfaction. Sur son refus, il fait débarquer ses troupes, se rend maître de Limisso, taille en pièces l'armée du tyran, le fait prisonnier avec sa fille unique, jeune princesse d'une rare beauté, et ne lui accorde la paix et la liberté qu'après lui avoir fait jurer de reconnaître le roi d'Angleterre pour son souverain légitime, et de le suivre avec des troupes à la Terre-Sainte.

Cette paix ne fut pas de longue durée. Le même jour où la liberté lui avait été rendue aux conditions imposées par Richard, Isaac prit la fuite, et protesta contre un traité si humiliant pour lui. Richard, indigné de sa déloyauté, le poursuit par terre et par mer, de place en place, et le force bientôt à se rendre à discrétion. Comme ce lâche tyran suppliait son vainqueur de ne pas le mettre aux fers, et de le traiter selon sa dignité : « Eh bien! qu'on le traite en empereur, dit Richard à son chambellan, et qu'on lui mette des menottes et des chaînes d'argent. » Isaac, aussi vain qu'il était lâche, trouva ses chaînes moins pesantes, parce qu'elles étaient d'un métal plus précieux que celles des autres prisonniers. Richard, en arrivant au camp de Saint-Jean-d'Acre, le remit aux chevaliers de l'Hôpital, qui le confinèrent au château de Margat, situé au-delà du Jourdain. La princesse sa fille resta avec les deux reines. Ainsi fut conquis le royaume de Chypre, presque sans aucune perte, et en moins de temps que n'en aurait coûté un simple voyage de plaisir. Avant de se rembarquer Richard épousa solennellement la princesse de Navarre, qu'il avait fiancée en Sicile.

Ce prince arriva le 8 juin 1191 au camp des chrétiens. Philippe-Auguste lui fit une réception pleine d'amitié; mais la division ne tarda pas à se mettre entre ces deux rois par la faute du premier. Comme celui-ci était possesseur de sommes immenses qu'il avait amassées en Angleterre, en Sicile et en Chypre, il n'épargnait rien pour attirer sous sa bannière les meilleurs soldats du roi de France. De plus, comme il paraissait aisé de prendre la place de Saint-Jean-d'Acre après toutes les attaques exécutées par les Français, et que si on l'attaquait de nouveau sérieusement et de concert, toute la gloire de cette conquête serait attribuée à Philippe, sa jalousie le porta à défendre à ses troupes de soutenir les Français lorsqu'ils donneraient l'assaut à la place : procédés bien différents de la noble et loyale conduite du roi de France, qui avait bien voulu l'attendre pour partager avec lui la gloire de cette conquête, qu'il pouvait faire sans lui!

A cette division succéda bientôt le renouvellement de celle qui avait eu lieu, quelque temps auparavant, entre Gui·de Lusignan et le prince de Tyr, au sujet du royaume de Jérusalem. Le roi de France s'étant déclaré en faveur de celui-ci, Richard ne manqua pas d'embrasser le parti de Gui de Lusignan. Les princes et les seigneurs suivirent leur exemple, et se partagèrent entre les deux rivaux; les deux ordres militaires en firent autant : les Templiers se déclarèrent pour le prince de Tyr, et les Hospitaliers pour Lusignan.

Comme cette mésintelligence prenait chaque jour le caractère d'une funeste animosité, et qu'elle détournait les soldats, ainsi que les chefs, des travaux du siége, les évêques qui se trouvaient au camp mirent tous leurs soins à pacifier les deux partis. On tint plusieurs conférences, dont le résultat fut que Gui de Lusignan conserverait, pendant sa vie, le titre de roi de Jérusalem, mais que le prince de Tyr serait reconnu, du chef de la princesse sa femme, pour héritier présomptif de la couronne. Les deux prétendants souscrivirent à ces conditions.

Le calme étant rétabli, au moins en apparence, dans l'armée chrétienne, on ne songea plus qu'à pousser les travaux du siége. Les attaques se succédèrent avec tant de rapidité, et les deux rois, animés d'une vive émulation, poussèrent, chacun de leur côté, les ouvrages avec une telle vigueur, qu'il y eut bientôt une brèche suffisante pour livrer un assaut. Les infidèles, après une résistance incroyable, voyant Saladin hors d'état de les secourir contre l'armée qui l'observait, les dehors de la place emportés, ses tours ruinées, et les plus braves guerriers de l'armée chrétienne tout prêts à monter à l'assaut, demandèrent à capituler. On donna des otages de part et d'autre ; la ville se rendit, et la garnison demeura prisonnière avec le gouverneur, jusqu'à ce que Saladin eût rendu la vraie croix, avec tous les esclaves chrétiens qu'il avait en son pouvoir. Ainsi fut reprise la place importante de Saint-Jean-d'Acre, après un siége où il périt plus de guerriers qu'il n'en fallait pour reconquérir toute la Terre-Sainte.

Le 13 juillet, les troupes victorieuses entrèrent dans la ville. On assigna des quartiers ¡séparés à chacune des nations qui avaient concouru à cette importante conquête. Tout se passa d'abord assez paisiblement et dans le meilleur ordre ; mais Richard, prince jaloux et emporté, troubla bientôt la paix commune par deux actions, dont la première eut pour lui dans la suite des effets bien désagréables et bien humiliants pour sa dignité, et dont l'autre devint funeste à un grand nombre de croisés.

Léopold, duc d'Autriche, avait fait planter son étendard

sur une tour dont il s'était rendu maître avant la capitulation. Richard, irrité contre lui, parce qu'il avait embrassé les intérêts du roi de France, se servit de cette occasion pour lui faire l'affront le plus sanglant pour un prince de ce rang. Il fit donc enlever l'étendard de vive force, et ordonna qu'après l'avoir mis en pièces on le foulât aux pieds, et qu'on le jetât dans un égout. Furieux de cet outrage, les Allemands courent aux armes, et se disposent à se jeter sur les Anglais; mais Léopold, non moins brave, et plus sage que Richard, s'oppose à leur juste colère, aimant mieux attendre une occasion favorable pour se venger sur la personne même de ce monarque.

S'il ne dépendit pas de Richard de faire répandre dans cette circonstance le sang des chrétiens par leurs propres mains, son humeur violente ne tarda pas à le faire verser par celles des Sarrasins. Comme Saladin refusait de signer la capitulation de Saint-Jean-d'Acre, il fit trancher la tête à cinq mille prisonniers de ce prince, qu'il avait en sa puissance. Informé de cet acte de barbarie, Saladin, usa de représailles, et fit périr de la même manière un pareil nombre de chrétiens. Philippe, plus humain et meilleur politique, ne se permit aucun mauvais traitement à l'égard de ses prisonniers, qu'il remit, avant de s'embarquer, entre les mains de Conrad, prince de Tyr.

Ce monarque, mécontent au suprême degré de la conduite pleine d'arrogance et d'emportement du roi d'Angleterre, et de plus se sentant affaibli par une maladie violente qui lui avait fait tomber les ongles et les cheveux, prit le parti d'abandonner la croisade et de s'en retourner dans son royaume. Avant de s'embarquer, il donna au roi d'Angleterre sa parole royale qu'il n'entreprendrait rien contre ses États pendant son absence, et laissa dans l'armée chrétienne cinq cents chevaux, dix mille hommes d'infanterie sous les ordres du duc de Bourgogne, avec quelques troupes au prince d'Antioche. Il s'embarqua ensuite vers le milieu du mois d'août avec le reste de son armée. Après avoir longé les côtes de Syrie, de l'Asie-Mineure, de la Grèce, de l'Épire et de la Calabre, il débarqua en Italie. Pressé de s'acquitter à Rome de ses devoirs religieux, il s'y rendit sans délai, et y fut reçu avec beaucoup d'honneurs et d'affection par le pape Célestin III. En partant de cette capitale, il prit par terre le chemin de ses États, et y arriva au mois de décembre. Après avoir célébré les fêtes de Noël à Fontaine-bleau, il partit pour Saint-Denys en France. Il y offrit à Dieu, dans la célèbre abbaye de ce nom, le manteau royal qu'il avait porté pendant son voyage. Plusieurs autres chefs de l'armée suivirent son exemple, et revinrent en Europe.

CHAPITRE XIX.

Exploits de Richard. Mort de Saladin.

(1191-1193.)

PRÈS le départ du roi de France, Richard se trouva seul chef principal de l'armée chrétienne dans la Syrie et la Palestine. Il employa d'abord quelques semaines à réparer les fortifications de Saint-Jean-d'Acre, et à faire reposer l'armée qui, malgré toutes ses pertes, était encore forte de cent mille hommes. Vers la fin du mois d'août, il se mit en marche à droite et le long de la mer pour s'emparer des places que Saladin avait fait démolir. Il tirait ses subsistances d'une flotte qui le suivait. A sa gauche, Saladin, comme un autre Fabius, l'observait de dessus les hauteurs, le harcelait sans cesse, et paraissait attendre une occasion favorable pour l'attaquer avec succès. Le 7 septembre 1191, il crut l'avoir trouvée au passage d'une rivière, voisine de la ville d'Antipatride, et dont il avait garni les deux rives d'un grand nombre de soldats. Richard, étant arrivé dans cet endroit, ne vit d'autre parti à prendre que de livrer bataille. Jacques d'Avesne était à la tête de l'avant-garde ;

le roi commandait le centre ou corps de bataille, et le duc de Bourgogne avait sous ses ordres l'arrière-garde, composée des Français, des Allemands et des Templiers.

Il était midi, lorsqu'on commença d'en venir aux mains. Le brave Jacques d'Avesne se précipite avec une telle impétuosité sur les escadrons ennemis, postés en-deçà de la rivière, qu'il les enfonce en un clin d'œil, et renverse tout ce qui se trouve sur son passage. Malheureusement, il se laisse emporter par l'ardeur de son courage; il se jette seul au milieu d'un gros d'ennemis, et tombe percé de coups. Aux cris qu'il pousse en mourant, Richard accourt à toute bride à la tête du corps de bataille, et charge les infidèles avec tant de fureur, qu'ils ne songent plus qu'à chercher leur salut dans une fuite précipitée vers les montagnes. Ce prince entre ensuite dans la rivière, ayant de l'eau jusqu'à la ceinture, et s'avance avec l'avant-garde et le corps de bataille contre les corps ennemis qui défendent l'autre bord. Étonnés et épouvantés de sa résolution, ils n'osent l'attendre, et disparaissent comme les premiers.

Richard, maître des deux rives du fleuve, se félicitait déjà d'avoir remporté une victoire complète, lorsqu'il aperçut de loin, derrière lui, un épais nuage de poussière, au milieu duquel il voyait voler un nombre prodigieux de traits, et d'où l'on entendait sortir un bruit confus d'instruments de guerre, de cris d'hommes et de hennissements de chevaux. C'était un grand corps de l'armée de Saladin qui, étant descendu des montagnes, avait enveloppé l'arrière-garde avant qu'elle passât la rivière. Ce prince, qui comptait sur une victoire certaine, ne tarda pas à s'apercevoir qu'il avait à faire à des hommes peu disposés à la lui céder. En effet, ces braves soldats s'étant formés d'eux-mêmes en quatre bataillons carrés, flanqués à droite et à gauche de la cavalerie, soutinrent toutes les attaques des Sarrasins avec un courage invincible, jusqu'à ce que Richard fût venu à leur secours.

Le combat devint alors extrêmement vif et sanglant. Après avoir fait tout ce qu'on peut attendre de deux grands capitaines dont chacun veut forcer la victoire de se mettre de son côté, Richard et Saladin, s'étant rencontrés et reconnus aux marques qui les distinguaient des autres chefs, prirent en même temps la résolution de terminer leur querelle par un combat singulier. Ils mettent aussitôt la lance en arrêt, et fondent l'un sur l'autre avec fureur. Au premier choc, leurs lances volent en éclat. Richard est ébranlé du coup que son adversaire lui a porté; mais, à son tour, il frappe Saladin avec une telle vigueur, qu'il le renverse avec son cheval. A ce spectacle, les Sarrasins accoururent de tous côtés pour sauver leur prince. Plusieurs d'entre eux tombent sous le glaive de Richard : mais pendant que ce monarque sème le carnage autour de lui, Saladin se relève et prend la fuite. Toute son armée suit son exemple, laissant un grand nombre de morts et de blessés sur le champ de bataille. Cette seconde victoire ne coûta aux croisés qu'un petit nombre de guerriers, et Jacques d'Avesne fut le seul chef dont ils eurent à pleurer la mort, arrivée dans le premier combat.

Richard ne sut pas profiter de sa victoire. Il devait marcher, sans perdre un instant, vers Jérusalem; mais, au lieu de prendre ce sage parti, il entreprit de réparer les fortifications des places maritimes, détruites par Saladin. Il s'attacha surtout à mettre celle de Jaffa dans un état respectable de défense. Les deux reines s'établirent dans cette ville, et lui-même y fixa son séjour pour quelque temps.

Ce fut alors qu'il courut un danger dont le délivra un gentilhomme Provençal par un acte de dévouement dont l'histoire a conservé le souvenir.

Un jour qu'il était parti pour la chasse, accompagné d'un petit nombre de seigneurs, il tomba dans une embuscade de Sarrasins. Il allait être pris, lorsqu'un de ces seigneurs, nommé Guillaume de Pourcelles, natif de Provence, s'écria en langue arabe : *Je suis le roi*. A ce cri, les infidèles l'entourent, le font prisonnier, et l'emmènent à Saladin. Richard profite de l'occasion et prend la fuite. Saladin vit bien que le prisonnier que ses gens lui amenaient n'était pas le roi; il se comporta néanmoins à son égard avec beaucoup de générosité, et le traita d'une manière convenable à la belle action qu'il venait de faire. De son côté, Richard, voulant honorer son héroïque dévouement pour sa personne, délivra, pour son échange, dix principaux officiers de Saladin, qu'il retenait prisonniers.

Après avoir perdu un temps précieux à relever quelques ruines, Richard prit enfin la tardive résolution de marcher vers Jérusalem (1192). Quand l'armée fut arrivée à douze ou seize kilomètres de cette ville, on tint un grand conseil de guerre. Ce fut alors qu'on fut convaincu par de fidèles rapports de la difficulté et de la témérité qu'il y aurait à vouloir s'en rendre maître. La place était mieux fortifiée qu'elle ne l'avait jamais été; Saladin s'y était rendu avec l'élite de ses troupes; l'hiver faisait sentir sa rigueur, et le pays, entièrement dévasté par les infidèles, ne pouvait offrir à l'armée des vivres pour un seul jour. Il fut donc résolu qu'on attendrait le printemps pour commencer les opérations du siége, et que l'on se retirerait sur Ascalon.

Cette résolution, qui annonçait ou beaucoup de faiblesse, ou beaucoup de prévoyance, fut comme le signal de la dis-

solution de l'armée. Dès qu'elle fut arrivée à Rama, presque **tous** les Français se retirèrent à Jaffa, à Tyr, à Saint-Jean-d'Acre. Les ducs de Bourgogne et d'Autriche, après avoir **accompagné** Richard à Ascalon, le quittèrent par différents **motifs**. Le premier emmena le reste des Français à Saint-Jean-d'Acre, et le second s'embarqua pour l'Europe avec ses Allemands.

Peu de temps après, un autre événement mit le comble à cette funeste désunion. Les croisés Pisans et Génois, toujours **rivaux** par principe d'intérêt, ne pouvaient s'accorder ensemble dans Saint-Jean-d'Acre, où ils avaient leurs quartiers. Ils prirent les armes les uns contre les autres, et se battirent avec un grand acharnement. Les Génois qui, à l'exemple des Français, avaient épousé la cause du prince de Tyr dans l'affaire de la succession au trône de Jérusalem, l'appelèrent à leur secours. Mais le roi d'Angleterre, au service duquel les Pisans s'étaient dévoués, accourut si promptement pour les soutenir, que le prince de Tyr, qui était campé sous les murs de la ville, se voyant trop faible pour se mesurer avec lui, prit le parti de se retirer.

Conrad ne vécut pas longtemps après cet inutile voyage. Ayant refusé de rendre au Vieux de la montagne un vaisseau que les Tyriens lui avaient enlevé, il fut poignardé vers la fin d'avril, en pleine rue, par deux assassins ou émissaires de ce prince, qui, au milieu des plus affreux tourments, et pendant qu'on les écorchait vifs, se glorifiaient d'avoir exécuté les ordres de leur maître.

Depuis plusieurs siècles, il s'était établi dans les montagnes de la Phénicie, entre Tortose et Tripoli, une société de brigands, musulmans en apparence, et qui n'avaient guère pris de la religion mahométane que la haine qu'elle inspire à ses sectateurs contre les chrétiens. Ces barbares, sans loi, sans foi, sans humanité, n'avaient pour règle de conduite qu'un aveugle dévouement aux volontés de leur chef. Ils le nommaient à la pluralité des suffrages. Après son élection, il ne prenait d'autre titre que celui de *Vieux* ou de *Seigneur de la montagne*. Ce prince d'assassins exerçait sur ses sujets une autorité plus absolue que celle des plus grands rois. Elle était d'autant plus respectée et mieux affermie, qu'elle était fondée sur un principe de religion, et que cette peuplade ignorante et féroce était élevée dans la croyance que ceux qui périssaient en exécutant les ordres de leur chef, allaient occuper les premières places dans un paradis de délices. Le Vieux de la montagne se servait de la docilité et du fanatisme de ces malheureux pour se défaire de ses ennemis particuliers, fussent-ils princes, et même rois. Ils allaient gaiement et sans hésiter poignarder les victimes qui leur étaient désignées; et les souverains au milieu de leur cour et environnés de leur garde, n'étaient pas en sûreté contre leurs coups. La crainte des tourments ne pouvait retenir leurs bras; ils se croyaient trop heureux, quand ils avaient exécuté leur cruelle commission.

De peur d'être découverts, ils prenaient toutes sortes de déguisements, et il n'y avait aucune ruse dans laquelle ils ne se fussent rendus habiles. Ils se servaient pour l'ordinaire d'un poignard, nommé en persan *hassisin*. On leur donna ce nom, dont nous avons fait celui d'*assassin*.

L'État du Vieux de la montagne ne consistait qu'en quelques châteaux bâtis sur la croupe des montagnes ou sur des rochers inaccessibles : mais il y avait dans les gorges de ces montagnes et dans les vallées un grand nombre de villages, habités par plus de soixante mille hommes, tous féroces, fanatiques, meurtriers par principe de religion, et si déterminés, que la plupart des princes voisins, beaucoup plus puissants que leur chef, n'osaient leur faire la guerre, et leur envoyaient même de magnifiques présents. On rapporte qu'un soudan de Damas, ayant fait dire par un envoyé à un seigneur de la montagne, nommé Hassen, qu'il détruirait son petit État, s'il ne lui payait tribut, ce chef de meurtriers ne fit d'abord à l'envoyé d'autre réponse, que de commander en sa présence à un de ses sujets de se précipiter du haut d'une tour, et à un autre de s'enfoncer un poignard dans le cœur. Lorsqu'ils eurent obéi, Hassen se tournant vers cet envoyé : « Rapportez à votre maître, lui dit-il, que j'ai soixante mille hommes aussi dévoués à mes ordres, que ceux que vous venez de voir. » L'envoyé s'acquitta de cette commission, et le soudan n'osa pas inquiéter le Vieux de la montagne.

Les chevaliers du Temple, qui possédaient des places dans le voisinage de cette principauté, étaient les seuls qui osassent attaquer ces assassins jusque dans leurs vallées, et les contraindre à acheter la paix par un tribut annuel de deux mille écus d'or.

Pendant le règne d'Amauri, roi de Jérusalem, le Vieux de la montagne, soit par un motif de religion, soit plutôt dans l'intention de s'affranchir du tribut, envoya à ce prince un ambassadeur pour lui dire qu'il était disposé à recevoir le baptême avec tous ses sujets, si les Templiers consentaient à les affranchir de ce tribut. Amauri accueillit avec beaucoup de joie cette proposition qu'il croyait sincère ; il promit de faire ce que l'ambassadeur demandait, en s'engageant à une indemnité envers les Templiers, le combla de présents, et le fit accompagner par un de ses gardes, jusqu'aux frontières de l'État de son maître. Ils avaient déjà traversé les terres de Tripoli, et allaient entrer dans les gorges des montagnes, lorsqu'un Templier, nommé Duménil, emporté par l'avarice ou par la haine, et sans égard ni au droit des gens, ni à la sauvegarde du roi, passa son épée au travers du corps de l'ambassadeur et le tua sur-le-champ. Le roi, indigné d'une action si criminelle, envoya aussitôt demander au grand-maître que le coupable lui fût livré, pour le punir comme il le méritait : mais il ne put être obéi, sous prétexte qu'un Templier, en sa qualité de religieux, n'était pas justiciable des officiers royaux. Amauri ne fut point arrêté par une si mauvaise raison : le coupable, qui n'était pas moins militaire que religieux, fut enlevé par son ordre et conduit dans les prisons de Tyr ; mais la mort l'empêcha de donner satisfaction au Vieux de la montagne, par le châtiment de ce meurtrier. Depuis ce temps, les assassins devinrent encore plus ennemis du christianisme qu'ils ne l'étaient auparavant.

Après la mort tragique du prince de Tyr (1192), Richard n'eut rien de plus pressé que d'engager Isabelle, sa veuve, à épouser Henri, son neveu et fils du comte de Champagne, qu'il aimait beaucoup, et auquel il avait résolu de laisser à son départ tout ce qui restait de la Terre-Sainte au pouvoir des chrétiens. Dans le même temps, il donna en mariage à Gui de Lusignan la jeune princesse de Chypre, avec le royaume de ce nom, à condition qu'il restituerait aux chevaliers du Temple la somme de trois cent mille livres, prix auquel il leur avait vendu la souveraineté de cette île, quelque temps après en avoir fait la conquête.

Ces arrangements terminés, il entra en campagne avec toutes ses troupes au commencement du mois de juin. En quatre jours, il s'empara de plusieurs places pour le compte du mari d'Isabelle. Il retourna ensuite à Ascalon, où le duc de Bourgogne vint le joindre avec ses Français. Pendant son séjour dans cette place, il revint au projet de se rendre maître de Jérusalem. Il se met donc en route avec la ferme résolution de l'exécuter. Arrivé à environ 16 kilomètres de cette ville, il taille en pièces un gros corps de Sarrasins, et, peu après, il s'empare d'une riche et nombreuse caravane, qui arrivait des Indes par le golfe Arabique, et se dirigeait du côté de Jérusalem.

Encouragée par ces succès, l'armée ne doutait pas que cette ville ne tombât bientôt en sa puissance. Ce fut donc pour elle le sujet d'une bien vive douleur, quand elle apprit qu'à la suite d'un grand conseil de guerre, ses chefs avaient pris la résolution de renoncer à l'attaque de Jérusalem, et de retourner à Ascalon, sous prétexte d'augmenter les fortifications de cette place et de celle de Gaza, pour les mettre en état de résister aux efforts de Saladin. Richard, qui avait reçu d'Europe des nouvelles capables de l'inquiéter pour la sûreté de ses États, ne demandait pas mieux que de renoncer à un siége, dont la longueur mettrait obstacle à son départ. Il déclara donc aux troupes que son intention était de laisser au nouveau prince de Tyr, son neveu, le soin de l'entreprendre dans un autre temps, parce que d'alarmantes nouvelles qu'il avait reçues lui imposaient l'obligation de s'embarquer pour aller défendre ses propres États.

Il est difficile d'imaginer l'impression de tristesse et de douleur que cette déclaration fit sur les croisés, qui se voyaient frustrés de la récompense de tant de fatigues, et forcés de renoncer à la gloire de délivrer le tombeau de Jésus-Christ. Dès ce moment, ils ne virent plus dans le roi d'Angleterre qu'un prince perfide, qui s'entendait avec Saladin pour perpétuer l'oppression de la Terre-Sainte, et la plupart des seigneurs ne songèrent plus qu'à faire leurs dispositions pour retourner en Europe.

Cependant Saladin, informé de l'état de désorganisation
où se trouvait l'armée chrétienne, s'était porté sur Jaffa,
et avait mis le siége devant cette place. A cette nouvelle, Richard partit par mer de Saint-Jean-d'Acre avec
une partie de ce qui lui restait de troupes et un petit
nombre de seigneurs. Le prince de Tyr se mit en marche
avec le reste de l'armée. La ville de Jaffa était prise,
quand le roi parut devant le port; et les chrétiens qui
s'étaient retirés dans le château, ne voyant arriver aucun
secours, étaient déterminés à se rendre. Richard n'hésite
point; il fait avancer sa flotte à une courte distance du
rivage, il s'élance le premier dans la mer; ses troupes
suivent son exemple; les Sarrasins qui devaient s'opposer au débarquement, prennent la fuite, la ville est forcée, et le château délivré de ceux qui l'assiégeaient.

Trois jours après, Richard signala son courage par un
exploit plus grand encore. Sept mille cavaliers d'élite pénètrent dans son camp avant le lever du soleil. Il s'éveille
en sursaut, se lève incontinent, et forme un bataillon carré
de tout ce qu'il peut rassembler d'infanterie. En vain l'ennemi fait ses efforts pour enfoncer ce bataillon; en vain il
l'attaque de tous côtés; partout il est repoussé avec une
extrême vigueur; enfin, il prend la fuite, laissant sur la
place un grand nombre de morts. Richard, encouragé par
cette victoire, prend l'offensive à son tour. Suivi seulement de dix braves seigneurs, il se précipite au milieu
de la cavalerie des Sarrasins; partout il renverse, il enfonce, il se fait jour; enfin, il atteint le général ennemi,
et d'un coup de cimeterre il lui emporte la tête et le bras
droit. Les Sarrasins épouvantés précipitent leur fuite, et
le laissent rentrer victorieux dans son camp, sans lui avoir
tué un seul homme.

Les deux victoires que ce prince venait de remporter ne rendait pas meilleur l'état de ses affaires ; son armée s'affaiblissait de jour en jour, et sa santé dépérissait par les grandes fatigues auxquelles il était forcé de se livrer. Saladin, qui était bien informé de sa situation, et surtout du désir qu'il avait de retourner en Europe, ne manqua pas une si belle occasion de lui proposer une trève, dont les conditions n'auraient pas été différentes, s'il eût été vainqueur. Cette trève, qui, disent les historiens, devait durer trois ans, trois mois, trois semaines, trois jours et trois heures, à commencer à Pâques de l'année suivante, laissait à Saladin l'entière possession de la Palestine, à l'exception des places maritimes depuis Jaffa jusqu'à Tyr, et aux chrétiens la liberté d'entrer à Jérusalem en petites troupes.

Après la conclusion de cette trève humiliante pour les chrétiens, Richard, toujours malade depuis quelques mois, se fit transporter de Jaffa à Caïphas, où Saladin l'envoya visiter (1193). Se trouvant un peu mieux, il se rendit à Saint-Jean-d'Acre où le duc de Bourgogne venait de mourir, vivement regretté des Français qu'il commandait. Quand sa flotte fut en état de tenir la mer, il fit prendre les devants aux reines, avec la plus grande partie des troupes, et partit quelque temps après avec un seul vaisseau.

Ainsi finit cette troisième croisade où l'on vit toutes les forces de l'Allemagne, de la France et de l'Angleterre échouer contre l'activité et la valeur d'un chef de Sarrasins. Les mêmes fautes, les mêmes divisions, les mêmes actes de cette valeur chevaleresque qui distinguait cette époque, s'y firent remarquer. On pense que deux cent mille hommes environ périrent dans les campagnes situées entre Jaffa, Saint-Jean-d'Acre, Jérusalem et Ascalon : et cette armée de guerriers sous un seul chef digne de la commander, aurait pu conquérir toute l'Asie jusqu'aux rives de l'Indus !

Richard, qui avait échappé dans la Palestine aux plus grands dangers, ne put se soustraire à celui qui l'attendait à son retour en Europe. Un petit bâtiment sur lequel il s'était jeté en mer, pour arriver plus tôt, ayant été poussé par une tempête contre les côtes du golfe de Venise, entre la ville de ce nom et Aquilée, il fut obligé de changer de vêtements pour n'être pas connu en traversant l'Allemagne. Ce déguisement ne le sauva pas. Ayant été reconnu auprès de Vienne par des gens de ce duc d'Autriche qu'il avait outragé à Saint-Jean-d'Acre, il fut arrêté, maltraité, et livré à l'empereur Henri VI. Ce ne fut que plus d'un an après qu'il obtint sa liberté, moyennant une rançon de cent cinquante mille marcs d'argent. Pour trouver cette somme, il fallut que toute l'Angleterre se cotisât, et que tous les vases sacrés de ce royaume fussent fondus.

La mort de Saladin, arrivée à Damas (1193), suivit de près le départ du roi d'Angleterre. Ce prince infidèle, un des plus illustres personnages et l'un des plus habiles capitaines de son siècle, espérait, après la retraite des croisés, jouir en repos du fruit de ses victoires, lorsqu'il se vit tout enlever par la mort. Il n'en sentit pas plus tôt les approches, qu'il ordonna à l'officier qui portait son étendard dans les batailles, de le remplacer par un morceau de drap avec lequel il devait être enseveli, de le porter dans toute la ville et de crier : *Voilà tout ce que le grand Saladin, vainqueur de l'Orient, emporte de ses conquêtes et de ses trésors.* On prétend qu'avant d'expirer, il fit distribuer des sommes considérables aux pauvres de Damas, sans distinction de religion. Il partagea en même temps ses vastes États entre ses onze enfants, qui, après sa mort, ne songèrent qu'à se dépouiller les uns les autres. Saphadin, son frère, et le compagnon de ses victoires, qui n'avait rien obtenu par son testament, profita habilement de ces divisions. Il attaqua ses neveux les uns après les autres, avec une armée composée de vieux soldats, qui avaient servi sous ses ordres, fit mourir ceux qui lui tombèrent entre les mains, et se fit peu à peu un État aussi vaste que celui de Saladin. Ces divisions et d'autres guerres que les infidèles se firent entre eux, donnèrent aux chrétiens de la Palestine le temps de respirer, et persuadèrent aux princes de l'Occident que le temps était venu de reconquérir la Terre-Sainte par une nouvelle croisade.

FIN DES PREMIÈRES CROISADES.

TABLE DES MATIÈRES.

BAR-LE-DUC, IMPRIMERIE CONTANT-LAGUERRE.

Imprimé en France
FROC031533010720
24395FR00015B/285